DE ZILVERMUNT

D'Andrea G.L.

De zilvermunt

Wonderkind

BOEK 1

WB*Fantasy

Vertaald uit het Italiaans door Esther Schiphorst

Omslagontwerp Bureau Beck
Omslagillustratie Shutterstock

Oorspronkelijke titel *Wunderkind - Una lucida moneta d'argento*
© 2009 D'Andrea G.L. en Arnoldo Mondadori S.p.A., Milaan
This edition published in agreement with PNLA/Piergiorgio Nicolazzini
Literary Agency
© 2011 Nederlandse vertaling Esther Schiphorst en
Uitgeverij Wereldbibliotheek bv
Spuistraat 283 · 1012 VR Amsterdam

www.wbfantasy.nl

ISBN 978 90 284 2383 1

Voor het uitgestrekte hemelgewelf en voor de immer vlammende demonen. Voor de weg naar het einde van de wereld en voor de lieveheersbeestjes die er wonen.

Voor de oceaan en voor zijn eindeloze, onschendbare kracht.

Voor de meeuw die 's nachts lachte, voor het blinde katje en voor de oude visser die zijn tijd, golven en vingers had verspild, maar niet zijn hart.

En voor Sara, die me hen heeft aangewezen, terwijl ze lachte om de vliegende vissen.

'I have never met a person who has seen the rue d'Auseil.'
– H.P. LOVECRAFT

'So intent was Frank upon solving the puzzle of Lemarchand's box
that he didn't hear the great bell begin to ring.'
– C. BARKER

Het eerste onweer

Het onweer kwam dichterbij in een triomf van donder en bliksem. Schaduwen wankelden alsof ze buiten westen raakten. Niets of niemand besteedde aandacht aan de verdrietige jongen die op de vlucht was, zelfs de nacht niet.

In een steeg stond een man over een vuurtje gebogen dat vonkte te midden van rokende etensresten en verbrand plastic. De jongen draaide zich bedroefd om. Zijn zwarte haren plakten aan zijn melkwitte gezicht: alles aan hem was zwart en wit. Hij werd naar de onweerstaanbare warmte toe getrokken.

Regen kwam met bakken uit de hemel, met zoveel kracht dat de kalk van de muren afbrokkelde. Het water klaterde op de straten alsof het het vuur in het binnenste van de aarde wilde doven, het vulde de dakgoten tot deze doorbogen en overstroomden, maar de man in de groene regenjas leek hier niets van te merken. Met zijn gezicht verborgen in de schaduw klapte hij ritmisch in zijn handen.

'Is het waar,' vroeg hij bijna geamuseerd met een lage stem, 'dat jij het Wonderkind bent?'

De man kreeg geen antwoord, de jongen was te erg geschrokken, te verstijfd om iets uit te brengen, al was het maar: 'Ik heb het koud '. De jongen wreef in zijn ogen en kwam aarzelend iets dichterbij om het opvallende figuurtje te bekijken dat, op het ritme van het klappen van de man, op en neer sprong.

Het was verbazingwekkend: het figuurtje maakte pirouettes en koprollen in de lucht, het leek zo licht als een veertje, zo gracieus als een ballerina. Het ontweek de dikste regendruppels met sierlijke bewegingen en sprong opnieuw de lucht in, onvermoeibaar, tot boven de vlammen en weer naar beneden, nog eens en nog eens, steeds op het ritme van het klappen van de man. De jongen keek er met veel plezier naar.

Hij had nog nooit zoiets gezien.

Plotsklaps kwam het lelijke gezicht van de man uit de schaduw tevoorschijn. Zijn baard was gevlekt en vies, had een ondefinieerbare kleur en klitte aan elkaar; zijn gezicht was gerimpeld, verbrand door de zon en aangetast door de wind. Zijn gebarsten lippen vormden een scheve glimlach, een wolfachtige grijns die zijn rotte, maar rechte tanden zichtbaar maakte. Hij had een scheel oog, dat doorkliefd werd door een diep, slecht geheeld litteken. Met het andere oog, dat ijsblauw was, nam hij de kleine jongen doordringend op. Deze sidderde van angst, maar kon zijn ogen niet afhouden van de capriolen die het figuurtje van ijzerdraad uithaalde. Het leek op een minivogelverschrikker, met een driehoekig hoofd als van een giftige slang, met twee kippenveren in de vorm van een V erop, net als geitenhoorns.

'Mij noemen ze Pilgrind,' begon de man, en de jongen beefde. 'En dit,' zei hij, 'is Koning IJzerdraad.'

Hij klapte nog een keer in zijn handen en die klap leek tot in het oneindige door te klinken in het donkere steegje, botsend van de ene tegen de andere muur. De echo overstemde zelfs het voortdurende natuurgeweld. De vlammen werden nog feller en indrukwekkender dan eerst en de jongen zette – instinctief – een stap achteruit.

Het figuurtje maakte nog een elegante sprong en verdween toen in de lucht, opgeslokt door het duister. Even leek het te zijn verdwenen, maar toen maakte het een buiging. Met een snelle, korte beweging maakte het nog een koprol en sprong recht op de jongen af. Het drukte zijn handen in de borst van de jongen, in zijn vlees.

Het enige wat de jongen dacht was: Dat brandt.

'We kunnen beginnen.'

Zo eindigde de droom iedere keer weer: met die stem die de storm overschreeuwde, met die stekende pijn op de borst en met het gevoel dat er gevaar dreigde.

1

In Parijs begon de dag als ieder andere in oktober. De dageraad zette traag in. Hij bevochtigde de elektrische vlam van de lantaarnpalen, die een beetje knetterden en vervolgens de straten aan hun lot overlieten.

Daarna was het de beurt aan de gebouwen om met hun stille schreeuw de stad te wekken. Levende en bijzondere wezens van baksteen en cement, marmer en hout, graniet en kalk.

De afwateringskanaaltjes kolkten door wat was overgebleven van de stortbui. Dakgoten kletterden, deuren en rolluiken piepten. Ze begroetten in koor de aangename warmte van de ochtend.

Uitgestrekt naar de hemel, konkelden de wezens van cement en baksteen in hun geheime taal over de wandaden van de nacht, terwijl ze het aantal sterfgevallen en geboortes tegen elkaar afwogen.

De dageraad veranderde van roze in rood en van rood in geel. Het was ochtend.

Het ratelen van de trams, de rolluiken van de *boulangeries*, het kantoorpersoneel dat met de krant onder de arm liep en keek naar de beurskoersen, het lawaai van de mussen en de kraaien boven het onmiskenbare geruis van de herfst uit. Dode bladeren verzamelden zich in wervelwinden, plassen spatten uiteen onder wielen en laarzen. Groepen duiven, met hun dwaze en boosaardige voorkomen, gluurden uit vlieringen.

Voor kenners was de lucht 's morgens net een bouquet. De geur van vers gebakken brood en, nog verraderlijker, die van ambachtelijke zoetigheden, mengden zich met de verschillende geuren en kleuren die de bloemenstallen verspreidden en met de fijne en veelbelovende geuren van zelfverzekerde vrouwen die Joost mag weten waar heen gingen.

Een oude man met blauwe ogen maakte fluitend met zijn handen in zijn zakken een wandelingetje. Zijn blik kruiste die van de jongen en hij bedacht dat Parijs niet alleen net zo luisterrijk was als een eerste liefde, maar ook net zo wreed.

Caius Strauss was veertien jaar en ziekelijk, hij droeg een schoudertas en had zijn handen diep in de zakken van zijn winterjas. Hij beet regelmatig op zijn lip, en het gekriebel van zijn warrige haren op zijn voorhoofd maakte hem nog nerveuzer.

Hoewel hij het overgrote deel van zijn leven had doorgebracht tussen steriele doktersjassen en flesjes hoestdrank, ver weg van zijn leeftijdgenoten en hun verlangens, beter bekend met Dickens dan met videospelletjes, was hij niet stom en niet snel afgeleid. Daar was hij zelf, behalve ongerust, ook enigszins verbaasd over.

Dit laatste kwam doordat hij nooit eerder zo'n merkwaardige figuur op straat had gezien als degene die hem op die laatste mooie herfstochtend lastig had gevallen. Op het eerste gezicht had de vreemdeling hem ongevaarlijk geleken.

Caius hield een glimmende zilvermunt stevig in zijn hand geklemd. Hij kon aan niets anders denken dan aan die munt, waardoor hij per ongeluk tegen een man op botste die de voorpagina van Le Monde aan het bestuderen was. De munt, de munt en nog eens de munt. Het was een mysterie dat deze mooie ochtend onvoorspelbaar en donker als pek maakte, net als de afgelopen vier ochtenden. Sinds vier dagen bestond er voor Caius niets anders meer dan de munt. De munt en de vraag: Ben ik gek aan het worden?

Caius had de zilvermunt de dag ervoor in een vuilnisbak gegooid die tjokvol zat met oud papier en blikjes, op het kruispunt van rue Legendre, pal voor de blokvormige kleuterschool in de tuin van de Couvent des Récollets. Hij had hem weggegooid toen hij nat was van de regen, precies om vijf uur: hij had het nog even gecontroleerd op zijn horloge. Deze bijzonderheden stonden hem in het geheugen gegrift. De vuilnisbak, de blokken en het horloge.

Hij had hem weggegooid, niet verloren in een moment van onoplettendheid. Hij was niet door een gat in zijn broekzak gegleden, zoals meestal gebeurde met munten of tramkaartjes. Hij had hem doelbewust weggegooid en toen hij, ondanks de druppels op de paraplu, het geluid van rinkelend zilver op de bodem van de vuilnisbak had gehoord, had hij zich beter gevoeld. Niet goed, alleen een beetje beter.

Caius wist echter dat de zilvermunt terug zou komen. Hij had hem al vaker geprobeerd weg te gooien. Twee keer eerder en op twee verschillende plaatsen had hij het geprobeerd en allebei de keren was hij teruggekomen.

Die verdraaide munt, zelfs koud in een bezwete hand, gaf hem een vreemd gevoel. Nee, 'vreemd' was te vaag. Terwijl hij over dit gevoel nadacht, ontweek hij een keffend poedeltje en slenterde hij langs de sobere deur van het politiebureau in rue Truffaut. Hij voelde zich anders en Caius was niet iemand die tegen zichzelf loog. Die vervloekte, irritante zilvermunt die steeds maar terugkwam, zorgde er niet alleen voor dat hij zich vreemd voelde, maar vooral ellendig, omdat hij degene die hem de munt gegeven had... een afschuwelijke man vond.

Vier dagen eerder had iemand een auto met geblindeerde ramen op enkele meters afstand van het bankje waar Caius zat uit te rusten, geparkeerd. Er was een man met een belachelijke cilindervormige hoed uit de auto gestapt. De man had geglimlacht en was naast hem gaan zitten, duidelijk op zoek naar hem.

De kleine kerel, die buitensporig dik en rond was en abnormaal lange vingers had die continu in beweging waren, had hem meteen al rillingen bezorgd.

Naderhand had Caius spijt dat hij niet meteen de benen had genomen, want dan had hij die verdomde munt die hem slapeloze nachten bezorgde niet gekregen. Maar het had geen zin om te liegen: hij had toch niet het lef gehad om op te staan en weg te lopen.

Er was iets magnetisch en onweerstaanbaars aan die figuur met overgewicht. Aan dat grote maanvormige gezicht en die ogen, rond, glinsterend als munten. Ogen die nooit knipperden, had Caius gruwend bedacht.

Vier nachten lang zou hij ervan dromen.

'Caius,' had de vreemdeling gezegd. 'Caius Strauss.'

De stem van de man had schel en te vrolijk geklonken om echt te zijn. Zijn maag was er van omgedraaid.

'Caius Strauss.' Het mannetje had een hand met absurd lange en rechte vingers naar hem uitgestoken. 'Herr Spiegelmann. Je oom.'

Toen Caius zijn blik had gekruist met die van de vreemdeling, was Parijs verdwenen. Het was verzwolgen. Caius had in de glimmende munten in de oogkassen van de bleke maan zijn eigen vervormde reflectie gezien en iets nieuws gevoeld, iets heel sterks wat hij nog nooit eerder had gevoeld, zelfs niet bij de chagrijnige artsen die een behandeling zochten voor zijn longen.

Angst.

'Wat ben je gegroeid, Caius Strauss.' Hij had de letter s benadrukt, waardoor de naam van de jongen een vleesachtige, obscene connotatie had gekregen. Caius vond het niet moeilijk zich voor te stellen dat de man met deze stem vanuit een donker hoekje vulgaire dingen naar kinderen fluisterde. 'Toen ik je voor het laatst zag was je haast een spruit, zo klein. Maar nu ben je gegroeid en bijna een volwassen man geworden.'

13

'Ik ken...' Langzaam en met moeite had hij de woorden over zijn lippen gekregen.

Herr Spiegelmann had gelachen. Zijn tanden waren abnormaal lang, scherp en rot. Ondanks de vieze adem had Caius zich niet afgewend. Hij had de verrotting en de muffe lucht pas later opgemerkt, net als alle andere kleine, walgelijke eigenschappen.

Het was alsof hun ontmoeting een droom was geweest. Een droom die hij echter niet in twijfel kon trekken, want de munt die hij in zijn hand had, werd meteen koud en werkelijk zodra hij eraan dacht.

'Hoe zou dat ook kunnen? Je was nog heel klein, een baby, en ik moest voor een lange tijd weg.' Herr Spiegelmann was op geheimzinnige toon verder gegaan. 'Verplichtingen, zaken. Je moeder noemde me een drukbezette man, waarschuwde me en zei dat ik ziek zou worden.'

Een vluchtige glimlach, weer die tanden. Caius had in dat korte ogenblik gezien dat er achter in zijn mond iets bewoog en was misselijk geworden. In de mond van de vreemdeling had iets kleins en vies als een pluk haar, iets met lange fijne tentakels, gezeten. Iets smerigs en verschrikkelijks. Maar zijn blik afwenden? Onmogelijk.

'De familie noemt me de Verkoper. Herr Spiegelmann, de Verkoper. Een behoorlijk rare familie heb jij, hè, mijn jongen?'

Hoe meer zijn stem bromde, hoe lager en holler zijn lach was.

'Ik durf te wedden dat ze je nooit over mij verteld hebben.' Hij had het gezegd alsof dit logisch was. 'Vergeetachtig zijn ze, vergeetachtig, vergeetachtig. Maar ze zullen er op terugkomen, je zult het zien. Ik beloof het je. Ik ben hier voor zaken, altijd voor zaken en ik denk dat ik hier nog wel even bezig blijf. Zo kunnen wij elkaar een beetje beter leren kennen.'

Hierop had een stilte gevolgd die eeuwig leek te duren.

Toen had de man gevraagd: 'Wat zeg je ervan?'

Caius' lichaam had gereageerd als op een bedreiging. Hij had zeker overgegeven als hij niet als versteend was blijven zitten door die glanzende ogen.

'Zou je het niet leuk vinden om oude verhalen over je familie te horen? Er gaat niets boven samen lekker roddelen en warme chocolademelk drinken. We zouden ook samen naar de bioscoop kunnen gaan, ik ken een paar mooie bioscopen.'

Weer die letter s. Weer dat gesis. En die mond die openging. En dat ding dat achter in zijn keel bewoog.

'Bioscopen waar fantastische films draaien, films waarvan je moeder alleen maar kan dromen je die te laten zien. En misschien kunnen we ooit samen een mooie reis maken. Als twee dikke vrienden. Ik ben dan wel erg druk, maar ik kan altijd wat tijd vrijmaken voor mijn neefje.'

Toen was de maan in tweeën gebroken. De maan was in tweeën gebroken en zou hem spoedig opslokken, had Caius gedacht. Deze maan was slechts de brede, kakelende lach van Herr Spiegelmann geweest. De lach was steeds hoger en hoger geworden, tot hij zo hoog was als insectengezoem. Zo hoog dat trommelvliezen ervan zouden kunnen gaan bloeden.

Een fractie van een seconde hadden ze elkaar niet aangekeken en begon de stoep weer vorm te krijgen. Auto's die langsreden, een vrouw met manden om haar arm, de auto met de geblindeerde ramen vlak voor hen geparkeerd, de etalage van de sieradenwinkel waarin rommel was uitgestald en... Toen was de maan weer één geheel geworden en was alles weer wazig. Alles behalve Herr Spiegelmann.

'Doe je hand eens open.'

Caius had gehoorzaamd.

'Een geluksmunt. Een cadeautje.'

'Dank u,' had de jongen gepiept.

'We zien elkaar. Je was zo klein als een duim, nu ben je volwassen. Denk aan mijn voorstel. Zou je het leuk vinden om samen naar het strand te gaan? Iedereen houdt van het strand. Als je erover nadenkt, zijn we daar allemaal geboren. Vissen, kikkers en apen.' Hij had als een goochelaar in zijn vingers geknipt. 'Voilà. Ik breng je erheen, maar alleen als je lief bent.' Hij had even in zijn handen geklapt en was toen opgestaan.

Vervolgens was het portier achter hem dichtgeslagen en was de motor begonnen te draaien. De richtingaanwijzer had geknipperd en de jongen had een wolk uitlaatgas in zijn neus gekregen. Toen was de vreemdeling verdwenen.

Caius had gewacht tot de auto in het verkeer was opgenomen, was opgestaan en naar huis gegaan. Onderweg was hij niet één keer gestruikeld.

De dag erna had Caius de munt in een vuilnisbak in rue des Dames gegooid, precies onder zijn huis, en had hij zich gevoeld alsof er een grote last van zijn schouders was gevallen. Maar diezelfde avond had hij de munt op zijn kussen teruggevonden.

Twee dagen na de ontmoeting met Herr Spiegelmann had Caius de munt over de leuning van de Pont des Invalides gegooid. Toen hij in het donkere water van de Seine was verdwenen, had hij zich weer beter gevoeld. Niet goed, beter.

Maar de munt was weer teruggekomen.

Drie dagen na de ontmoeting, in de regen, had Caius de munt wanhopig in een vuilnisbak in rue Legendre gegooid. De blokken, het horloge. Door het gerinkel van het zilver tegen het metaal had hij zich iets beter gevoeld.

De munt was weer teruggekomen.

Vier dagen na de ontmoeting met Herr Spiegelmann, te laat en enigszins buiten adem, liep Caius langs het Instituut voor Jonge Moeders.

Maar eerst had hij de munt weggegooid in een prullenbak.

En deze keer voelde hij zich niet goed, en niet beter.

2

Caius zat op school. Hij beantwoordde een aantal wiskundevragen en loste een lastige som op die op het bord stond, waarvoor hij complimenten kreeg van zijn wiskundelerares, een kleine non met een gezicht zo rimpelig als een gedroogde pruim.

Tijdens de pauze maakte hij wat grappen met Pierre, die naast hem zat, en met Victor, een vriend van een paar jaar ouder. Hij lachte om een schuine mop en knabbelde op zijn reep tot de bel ging. Daarna moest hij weer gaan zitten.

Caius was er met zijn hoofd niet bij die ochtend. De gerimpelde non met de bril die haar gezicht vervormde tot een vraagteken, Pierre met zijn beugel en Victor met zijn voorliefde voor dubbelzinnige grappen waren karakters uit een film waar hij niet naar keek. Hij zat met zijn hoofd ergens anders.

Toen hij die ochtend de klas in was gekomen, had hij meteen gevoeld of de munt in zijn jaszak zat. Dit had hij met gebogen hoofd gedaan om de afkeurende blik van zijn lerares te ontwijken.

Hij zat er niet in. Hij had hem immers in de vuilnisbak voor de school gegooid. Hij wist het nog. Maar hoe kon hij het echt zeker weten? Die vervloekte munt kwam steeds terug. Daarom had hij even aan de stof van zijn jas gevoeld. Hij was er zeker van dat hij, vroeg of laat, met zijn hand het ijzige zilver zou voelen. Dat rotding dook alsmaar op onverklaarbare wijze op. Vlijmscherpe angstscheuten sneden door Caius heen.

'Is er iets?' fluisterde Pierre.

'Nee hoor.'

Hij werd geroepen door zijn lerares: 'Strauss, wat is er met je?'

'Niets, mevrouw Torrance, neemt u me niet kwalijk.'

'Je ziet een beetje pips,' zei de lerares. 'Wil je even naar het toilet om je op te frissen?'

Dat was een goed idee.

De gang was leeg en duister. Caius knarsetandde. Aan de andere kant van de gang zat meneer Kernal, verscholen achter een sportkrant. De leraren en scholieren noemden hem 'meneer Kernal', maar Victor had een passender, zij het minder originele naam voor hem bedacht: de Klootzak. De krant ritselde. Het gezicht van de Franse zwemster Laure Manaudou verdween en het hoekige gezicht van de Klootzak kwam tevoorschijn. Caius versnelde zijn pas.

Hij beende de hoek om en dacht de conciërge te slim af te zijn, maar op het moment dat hij zijn hand op de deurklink van het toilet legde, riep de Klootzak hem: 'Strauss.' Zijn stem klonk nog hatelijker dan anders. Caius overwoog even te doen alsof hij hem niet gehoord had, maar de gang was leeg en daardoor een goede klankkast. De stem van de Klootzak galmde na. Caius riskeerde nu de conciërge kwaad te maken.

'Ja?'

'Ja? Spreek je zo een volwassene aan, Strauss?'

'Neem me niet kwalijk, meneer Kernal. Kan ik u ergens mee van dienst zijn?'

Er verscheen een tevreden grijns op het gezicht van de Klootzak. Zijn tandvlees was rood met zwart.

'Ik wil je even onder vier ogen spreken.' Hij wenkte hem met zijn wijsvinger.

Caius liep richting de katheder waarachter de conciërge zat. Hij was hem voldoende genaderd om de muffe rookwalm te ruiken, maar de drankkegel ontging hem.

'Ben je bang dat ik je opeet?'

Caius zette nog een stap dichterbij.

Meneer Kernal draaide zich om, waarbij zijn wervelkolom kraakte. Zijn groene ogen twinkelden venijnig in zijn zongebruinde gezicht. 'Ik wil je een geheimpje vertellen, Strauss. Kun je een geheimpje bewaren?'

'Mevrouw Torrance heeft gezegd dat ik op moest schieten, dus misschien is het beter dat ik...'

De Klootzak greep bruusk zijn arm, waardoor Caius tegen de katheder botste. 'Au,' bracht de jongen moeizaam uit. Hun gezichten raakten elkaar bijna. Caius kon de grijze neusharen van de conciërge onderscheiden.

De Klootzak rukte nog steeds aan de arm van de jongen en genoot zichtbaar van zijn vertrokken gezicht. Caius hoopte dat er iemand uit een klaslokaal tevoorschijn zou komen, een lerares of, liever nog, de overste. Hij zou al blij zijn met een leerling. Hij sloeg doodsangsten uit. Vier dagen geleden werd hij voor het eerst overvallen door dit nieuwe, vreselijke gevoel van angst dat niet meer weg leek te gaan.

Er kwam niemand. Ze waren alleen.

'Je bent een arrogant ventje, Strauss. Weet je dat?'

'Ja,' snotterde hij. Hij haatte zichzelf omdat de Klootzak hem zo gemakkelijk aan het huilen had gekregen, maar hij kon er niets aan doen. Hij voelde de pijn die begon in zijn bovenarm waar de eeltige hand van de conciërge hem had vastgegrepen, en uitstraalde naar zijn inmiddels verstijfde schouder en hand.

'Wat ja? Brutale aap.'

'Ja, meneer Kernal.' Dikke tranen biggelden over zijn wangen.

'Je bent net als die andere walgelijke ventjes. Jullie vinden jezelf heel wat, hè? Jullie denken alles te weten van de wereld en het leven, nietwaar, Strauss?'

'Ja, meneer Kernal.'

Doordat hij zich volgzaam opstelde, hoefde hij minder te huilen. De Klootzak schudde hem hard door elkaar. Caius was bang dat hij in zijn tong zou bijten en snikte. De Klootzak grijnsde. Maar hij wilde angst bij de jongen zien, geen volgzaamheid.

'En jij bent de ergste, Strauss, dat weet je toch? Jij bent de ergste omdat je alles denkt te weten, maar eigenlijk weet je niets.' Hij sloeg met zijn hand op de houten katheder en schudde Caius opnieuw hard door elkaar. 'Helemaal niets!'

Caius' keel leek dichtgesnoerd. 'Helemaal niets, meneer Kernal.'

'Zo hoor ik het graag,' zei de Klootzak en hij trok de jongen nog iets dichterbij. Caius dacht dat hij het bot in zijn arm hoorde kraken. De pijn werd ondraaglijk. Maar nog ondraaglijker was de vernedering.

'Zo hoor ik het graag.'

'Ja, meneer.'

'Je hebt ook geen respect. Zelfs niet voor de mensen die om je geven. Ik geef om je. Dat weet je toch, Strauss?' De Klootzak gaf hem ineens een klap die zijn adem deed stokken. 'Ik haat je, walgelijk ventje. Ik haat jullie allemaal,' gooide hij er vol afgrijzen uit. 'Ik drink nog liever gif, dan dat ik bevriend zou raken met iemand van jullie soort. Vooral met jou, Strauss. Ik vind jou de ergste van allemaal, maar de Directeur denkt daar anders over. De Directeur, Herr Spiegelmann, mag je graag.'

Caius knipperde met zijn ogen. De angst. Opnieuw die angst. Steeds hetzelfde.

De ogen van meneer Kernal fonkelden als lichtjes. Zijn bloeddoorlopen ogen verraadden dat hij gek was.

De Klootzak knikte heftig. 'Ja, de Directeur mag je heel graag. En hij weet dat je iets zeer kostbaars bent verloren. Hij weet altijd alles van iedereen, maar neemt niemand iets kwalijk, weet je dat? Als het aan mij lag', hij maakte zijn lippen nat met zijn smalle, gebarsten tong, 'had ik je benige kont tot bloedens toe bewerkt en had ik je laten zien wat er gebeurt met mensen die kostbare dingen verliezen als... dit.'

De zilvermunt.

'Deze munt is bijzonder kostbaar,' fluisterde de Klootzak in extase. Toen bulderde hij: 'En jij, ondankbaar, walgelijk kereltje, had het lef om hem weg te gooien!' De briesende stem van de Klootzak galmde door de gang als het geblaf van een dolle hond en liet de muren trillen. Toch leek niemand iets te horen.

'Je bent een walgelijk kereltje,' herhaalde hij en hij stopte de munt in het zakje van Caius' overhemd. De munt was koud.

'Walgelijk ben je.'

Het was afgelopen. Meneer Kernal pakte alsof er niets gebeurd was zijn krant, sloeg hem open en ging weer op zijn plaats zitten. 'Walgelijk,' gromde hij nog een laatste keer.

Trillend trok Caius zijn overhemd recht en ging terug naar zijn klas. Hij voelde zich als een marionet zonder touwtjes, futloos. Hij zat onbeweeglijk op zijn stoel te wachten tot zijn hart tot bedaren was gekomen. Hij keek op zijn horloge. Het was iets over elf. Het was allemaal gebeurd in minder dan vijf minuten.

De munt was terug.

Caius analyseerde de situatie deze keer niet; dat was iets nieuws voor hem.

Na wat er was gebeurd, leek de les eeuwig te duren. Hij had het benauwd. Het was alsof de muren van het klaslokaal op hem af kwamen. Alles draaide en duizend gedachten wervelden door zijn hoofd, waardoor hij nog meer in de war raakte en zich nog lamlendiger voelde.

Toen hij het echt niet meer uithield, deed hij iets impulsiefs. Haastig schreef hij een briefje dat hij eerder weg moest, met daaronder de met moeite vervalste handtekening van zijn moeder en gaf het zonder blikken of blozen aan zijn lerares.

Dat is raar, dacht mevrouw Torrance toen ze haar paraaf op het briefje zette: Caius' naam op de presentielijst verdween direct bij het opschrijven. Haar verbazing duurde maar even en ze was het al snel weer vergeten. Zonder hem iets te vragen, knikte ze dat hij kon gaan en stortte zich weer op de saaie les die ze aan het geven was.

Toen Caius terug was bij zijn plaats stopte hij lukraak en zonder er op te letten of de bladzijdes scheurden en de kaften bogen, zijn boeken en schriften in zijn rugzak. Ook dit was nieuw: normaal gesproken was Caius altijd heel netjes, op het obsessieve af. De taalles was begonnen. Caius zei mompelend gedag en verliet de klas, terwijl een klasgenootje moeizaam het rijtje van de toekomende tijd van het werkwoord 'bloeden' opnoemde.

De lucht was fris en helder. Caius bleef even op de stoep van rue Puteaux staan, vlakbij de ingang van zijn school. Zijn klas was op de bovenste verdieping, drie trappen op. Drie maar. Hij voelde weer tranen opkomen. Intens verdrietig stelde hij zich voor hoe mevrouw Torrance en zijn klasgenootjes gebogen zaten over hun boeken. Stinkend jaloers was hij op hen. Ineens benijdde hij Pierre met zijn beugel, Victor met zijn puistjes, Fernand die de rode draad van een verhaal nooit langer dan twee seconden kon vasthouden en zelfs Corinne met haar dyslexie. Zij hadden problemen die normaal waren voor een veertienjarige. De munt in zijn zak voelde koud aan. God, wat was hij koud.

Angstig keek Caius naar het raam van het klaslokaal op de derde verdieping waar, zo stelde hij zich voor, Pierre op zijn nagels zat te bijten, Fernand zat te slijmen bij mevrouw Torrance en Corinne met haar vlechten zat te spelen. Met een smachtende blik keek hij omhoog naar het raam. Hij hoopte er de kilte van de munt mee te kunnen compenseren en het daardoor een beetje warmer te krijgen. Hij vond echter niets wat zijn kwelling verzachtte of wat hem opwarmde.

Geschrokken van wat hij toen zag zette Caius een aantal stappen achteruit, tot hij bijna midden op de weg stond. Zijn ogen en mond stonden wijdopen van verbazing en hij huilde zacht. Hij hoorde de toeterende auto niet eens die hem op een haar na raakte. Hij besefte dit nauwelijks, heel vaag, alsof hij naar iemand anders stond te kijken, een vreemdeling die niets anders kon dan omhoog kijken en snikken.

Zijn klasgenootjes en zijn lerares zaten daar in een rij voor het raam en lachten hem uit. Iedereen was er en keek naar hem. Mevrouw Torrance, met haar honingkleurige paardenstaart, stond op. Het was niet moeilijk om het geruite overhemd van Pierre te herkennen en het roze sjaaltje om de nek van Corinne. Maar de klasgenoten, die hem zo-even een goed gevoel hadden gegeven en die hij benijdde omdat ze zo prettig normaal waren, bleken niet langer dezelfde. Hun gezichten waren vervormd en hadden een vieze groene kleur gekregen. Hun oren waren driehoekig en ze hadden een snavel op de plaats waar hun neus had gezeten. Ze hadden dierlijke koppen en lachten hun lange, scherpe tanden bloot. Het leek wel alsof ze nog harder lachten omdat Caius zo geschrokken was.

Een van hen, degene die het blauw-met-witte shirt van Bernard droeg, stak zijn hand omhoog en zwaaide naar hem. Het was dit laatste, spottende gebaar waardoor Caius de kracht kreeg om zijn blik af te wenden. Aan Bernards vingers zaten lange scherpe nagels.

Caius schudde zijn hoofd. Dit gebeurde allemaal niet echt. Het was vast een hallucinatie, zei hij tegen zichzelf, maar hij durfde niet nog eens omhoog te kijken om te zien of dit klopte. Kranten en boeken stonden vol met gevallen waarin mensen opeens dingen gingen zien die er niet waren. Ook in de werkelijkheid was dit dus mogelijk...

Andere mensen hadden alleen nooit hun klasgenoten en leraars zien veranderen in levende nachtmerries. Caius wist hoe mensen genoemd werden die dingen zagen die er niet waren. Zelf had hij ze ook vaak voor de lol zo genoemd. Nu werd hij hiervoor gestraft. Hij werd opnieuw bang toen hij aan de afschuwelijke monsters dacht die hem van achter het raam uitlachten.

Gestoord, werden die mensen genoemd.

3

Caius wandelde graag rond om zijn gedachten op een rij te zetten. Zo ook nu. Bijna zonder het zelf te merken zwierf hij door Montmartre en Marais. De monsters die hem van achter het raam uitlachten had hij achter zich gelaten, maar hij had niet de moed en ook geen zin om naar huis te gaan. Hij ontweek een groep kletsende toeristen die voor het Carnevaletmuseum stond. Daarna kocht hij pompoenpitten van een manke Tunesiër en voerde hij de raven in het Monceaupark. Daar keek hij naar het bekvechten van de eenden en kocht een broodje en een blikje sinas bij een kraam vlakbij rue de Lévis. Vervolgens sloeg hij een zijstraat van rue des Dames in en kwam uit op een weergaloze plek die hij niet kende en hier ook niet had verwacht: een adembenemende zuilengalerij.

Dat was het mooie aan oude steden: in tegenstelling tot de mensen die ze gebouwd hadden, hielden zij het verleden in ere. En in tegenstelling tot de mensen die de geschiedenis hadden meegemaakt, kenden steden geen schaamte en verhaalden onomwonden van het verleden. Er waren in Parijs kleine, verborgen plekken waar deze wonderlijke gave van afspatte en de kleine zuilengalerij waar Caius naar keek, was er één van.

De galerij zou gebouwd zijn toen Karel de Grote in de spiegel zijn eerste grijze baardharen bespeurde, maar vreemd genoeg had de plek nooit een officiële naam gekregen. Er hadden branden gewoed en er waren mensen gestorven, en dit alles had zijn sporen nagelaten. Al bijna duizend jaar was in de zuilen te lezen over verlangens van pyromanen en vergoten tranen.

Al die jaren was er nooit iemand geweest die de plek een naam had gegeven, simpelweg omdat niemand daar het nut van inzag. Zoals er in Parijs een straat was met juweliers, een straat met stoffeerders en een straat met wijnhandelaren, was de zuilengalerij de plek waar iedereen naartoe ging om boeken te kopen. Het rook er naar papier en inkt. Overal waar je keek waren boekwinkels, er was voor ieder wat wils. Het was een plek die nog niet aangetast was door de modernisering.

Grote boekhandelketens met neonverlichting waren vrijwel overal te vinden. Boekhandelaren openden hun zaken in buurten waar veel studenten woonden. Maar als deze studenten iets anders zochten dan een gemiddeld studieboek of de nieuwste bestseller, gingen ze naar de zuilengalerij zonder naam. Naast boekhandel Monsieur Galambert was De Wereld in Vijf Regels gevestigd, die gespecialiseerd was in muziekpartituren. Daarnaast, achter een donkere, houten wand, zat boekhandel Aleph, waar een meisje werkte dat voortdurend kauwgom zat te kauwen. En weer daarnaast Satyricon, een boekhandel waar een duistere sfeer hing, als in een maanloze nacht.

Caius was dol op boeken en boekhandels en voelde zich de koning te rijk toen hij voor die weelde aan boeken stond. Al die edities die hij uit wilde pluizen en al die titels die hij niet kende, vormden een schouwspel dat zijn dag weer goedmaakte. Hij kreeg weer hoop en glimlachte. Het was de eerste glimlach van de dag. Hij hoopte dat de boeken zijn angst om gek te worden weg zouden nemen. Boeken waren voor Caius vrienden waar hij altijd op kon rekenen.

Hij was in gedachten verzonken toen hij opeens een geluid hoorde waardoor al zijn zojuist hervonden hoop vervloog. Misschien kwam het doordat hij bang was, of was het optisch bedrog, maar de straat leek smaller geworden. Alles werd donker. De temperatuur daalde en zijn adem begon opeens wolkjes te vormen.

Daar was weer dat geluid, maar nu dichterbij. En nog een keer, nog harder en nog dichterbij. Hoewel Caius wist dat ontkennen geen zin had, schudde hij zijn hoofd.

Het geluid was zo beangstigend, dat hij begon te tandenknarsen en een knoop in zijn maag kreeg. De rillingen liepen over zijn rug. Het klonk als gekras op een schoolbord. Gekras met lange nagels als die van Bernard, die hem eerder die dag had uitgelachen van achter het raam.

Caius voelde hoe de grond onder zijn voeten bewoog. 'Niet weer, hè?' smeekte hij. Maar zijn bede werd niet verhoord. Aan het eind van de straat stond Herr Spiegelmann met zijn maanvormige gezicht naar hem te grijnzen, alsof hij niet kon wachten Caius te omhelzen. Hij was verschenen uit het niets. De Verkoper kwam hem ophalen en deze keer zou hij hardhandiger te werk gaan, wist Caius. Het zou zijn einde betekenen. Op dat moment redde zijn paniekreactie hem. De magere Caius zag over zijn schouder hoe een schepsel met een lange rij tanden zich klaarmaakte om zijn scherpe, lange nagels in hem te zetten en liet zich leiden door de adrenaline die door zijn lijf gierde. Hij sprong naar rechts en spurtte harder weg dan hij ooit voor mogelijk had gehouden. Hij rende onder een balk door waar nog resten van een zwaluwnest aan zaten, stormde een boekhandel binnen en draaide om zijn as als een judoka. Hij beschermde zijn gezicht met zijn elleboog, klaar om een aanval of de walgelijke aanraking van de Verkoper af te weren. Maar er gebeurde niets. Hij had geen pijn en keek ook niet in het maanvormige gezicht van de Verkoper. Waarschijnlijk bestond ook het monster dat hij in zijn nek had horen krassen niet eens. Hij hoorde niets, behalve vrolijk klokgelui. Caius liet ongelovig zijn arm zakken en gluurde naar links en naar rechts. Hij durfde zijn schuilplaats niet te verlaten. Hij keek naar buiten en zag niets anders dan de oude zuilengalerij en wat papier dat dwarrelde in de wind.

De bronzen klok die hij zojuist gehoord had, klingelde nog wat na toen de deur van de boekhandel piepte. Caius schrok. Een bordje met de naam van de winkel klapte tegen het raam. Er stond in elegante, met de hand geschreven letters: BEESTACHTIGE LITERATUUR.

De geur van boeken stelde Caius gerust. Hij sloot zijn ogen en liep verder de aangenaam warme winkel in. De deur sloeg dicht. Nergens zag hij een monster met klauwen of de vadsige Verkoper. Hij was veilig, dat was goed. Aan de andere kant was hij misschien gek aan het worden en dat was niet goed.

Hijgend veegde hij het zweet van zijn voorhoofd. Hij masseerde zijn slapen en zocht een excuus voor zijn onbeschofte entree.

Toen Caius de winkel rond keek, viel zijn mond open van verbazing. Hij had nog nooit zoiets gezien. De winkel leek op een atelier vol merkwaardige metalen voorwerpen en wonderlijke beelden. Dit moest haast wel de meest bizarre boekhandel van de zuilengalerij zijn.

Naast de munten en beelden waren er natuurlijk boeken. De boekenkasten stonden tot de nok toe vol met een grote verscheidenheid aan titels en waren zo hoog dat ze het plafond raakten en je een trapje nodig had om bij de bovenste plank te kunnen komen.

'Natuurlijk kunt u een bestelling doen. Maakt u zich geen zorgen, onze koerier is binnen drie dagen bij u. Ja, echt, een pakje zonder afzender en zonder... Zeker, we willen de buren toch niet de stuipen op het lijf jagen?' Een nasale en bijna piepende lach. Toen werd de stem weer monotoon en professioneel. 'Drie, inderdaad. Drie dagen. En ja, we hebben ook een website die altijd up-to-date is. U hebt alleen uw creditcard nodig om iets te bestellen. Oké, tot ziens.'

De jongen achter de toonbank waarop een kassa en een spiksplinternieuwe laptop stonden, was lang en zijn schouderlange haren waren zo blond geverfd dat Marilyn Monroe ervan zou gaan blozen. Hij droeg een hoornen bril met jampotglazen en had een tevreden blik in zijn gitzwarte ogen. Achter hem puilde een boekenkast uit met verfomfaaide boeken die de jongen ieder moment konden gaan vermorzelen. Op de bovenste plank van de kast bevond zich een vergeeld skelet van een kat met in de holtes van zijn puntige schedel twee roze, sinister schitterende knikkers.

'Ik snap best dat je daar wilt blijven staan. Ik sta ook altijd graag in dat hoekje van de winkel.'

'Neem me niet kwalijk,' zei Caius verlegen en hij deed een paar stappen naar voren. De winkel overdonderde hem.

'Eerste keer?'

'Sorry?' vroeg Caius, terwijl hij naar de toonbank liep.

De boekverkoper met de geblondeerde haren keek hem lachend aan. 'Je bent hier zeker voor het eerst, hè?' vroeg hij nog een keer. Een regen van blauwe lichtjes schoot door de jampotglazen van zijn bril. 'Volgens mij heb ik je nog nooit gezien.'

Caius antwoordde nog steeds niet.

'Hier in de winkel, bedoel ik,' voegde de jongen eraan toe.

'Ja, dat klopt. Ik ben hier voor het eerst.'

De boekverkoper ging op een kruk zitten en zuchtte even. 'Alle bezoekers reageren hetzelfde als ze hier binnenlopen. Je had moeten zien hoe het eruitzag voordat ik er wat aan gedaan had.' Hij kuchte even en zag dat Caius aan zijn lippen hing. 'Ik wil niet opscheppen', hij lachte even zijn perfecte, witte tanden bloot, 'maar het was hier eerst een grote bende. Het zag er niet uit toen de oude baas de pijp uit ging. Daarvoor trouwens ook niet. Hij was niet helemaal goed bij zijn hoofd. Er waren dagen waarop hij zelfs zijn eigen naam niet meer wist.'

Hij keek even naar de boekenkasten. Een beter publiek dan Caius kon de opvallende jongen zich niet wensen. Hij merkte dat hij Caius' aandacht had en maakte er een *performance* van. Zijn bewegingen waren overdreven en tot in detail uitgedacht.

'Maar de titels van de boeken vergat hij nooit. Hij kende ze allemaal. Hij had het niet door als hij vergeten was zijn broek aan te trekken, maar als je hem vroeg een bepaald boek te pakken, sprong hij op en pakte het voor je. Hij kende van elk boek de auteur, de editie en de uitgever en wist of hij het in zijn winkel had liggen of niet. Echt ongelooflijk. Hij werkte tot zijn benen niet meer wilden. Daarna ging zijn gezondheid achteruit en hebben zijn twee kinderen, grotere schoften ken ik niet, hem naar een verzorgingstehuis gebracht. Misschien kun je je dat moeilijk voorstellen, omdat je zo jong bent, maar ooit kom je daar terecht. Hoe oud ben je?'

'Veertien.'

'Dat is een mooie leeftijd. Dan begrijp je wat ik bedoel. Hij zat dus in dat verzorgingstehuis en het enige wat hem in leven hield was zijn werk daar als bibliothecaris.' De jongen grijnsde even. 'Maar hij voelde zich er niet thuis, hij miste de boekwinkel. Daarom is hij er een paar jaar later uitgestapt. Volgens de behandelend arts waren zijn laatste woorden zijn naam, de namen van zijn ouders, zijn geboortedatum en zijn sterfdatum; alsof hij uiteindelijk de goede boekenkast had gevonden waarin hij kon sterven.'

Caius was onder de indruk en knikte.

De boekverkoper ging verder met zijn verhaal. 'Een groot man, die oude grijsaard. Jammer dat ik hem nooit persoonlijk heb gekend. Die zoon en dochter, de schoften, waren bezeten door de duivel. Ze wilden overal van af en alles naar het oud papier brengen. Ze beseften niet wat dit allemaal waard is.'

De blonde jongen pakte een dik boek uit de kast achter hem en hield het bij zijn oor. Langzaam liet hij de bladzijden door zijn vingers ritselen en sloot bezield zijn ogen.

'Ze hadden alles in slechte staat achtergelaten, dat was duidelijk. Niemand wilde de winkel kopen. Maar hier staan boeken die een fortuin waard zijn, geloof me. Het probleem was dat met de dood van de grijsaard ook het archief verdwenen was. Niemand wist meer welk boek in welke kast stond. We leven echt in een schijtwereld, weet je dat?'

Caius moest glimlachen om dat kinderlijke woord en om de manier waarop de boekverkoper het had uitgesproken. De blonde jongen beantwoordde zijn glimlach door zich voor te stellen. Hij stak zijn hand uit. 'Fernando Paixao.'

'Caius Strauss. Je hebt een vreemd...' Hij bloosde en maakte de zin niet af. Als zijn moeder erbij was geweest, had ze hem een draai om zijn oren gegeven.

'Accent? Ik weet het, dat zegt iedereen. Ik ben geboren en getogen in Coimbra. Weet je waar dat is?' Caius wilde wat zeggen maar de jongen was hem te vlug af. 'Ik weet al wat je wilt vragen. Wat doet een Portugese jongen als ik in Dent de Nuit? Dat is simpel. In Coimbra had ik een klein stripboekenwinkeltje. Ik verkocht er ook cd's, dvd's en dingen voor verzamelaars zoals de kubus van Lemarchand, *action figures* van *Star Wars*, het levensechte masker van de *Predator*... Toen hoorde ik dat je hier... Wat is er met je, Caius?'

Caius herhaalde ontdaan: 'Dent de Nuit?'

De boekverkoper lachte. 'Dent de Nuit, inderdaad. Volgens mij moet jij flink wat slaap inhalen, Caius.'

Hoewel Caius niet tevreden was met dat antwoord, liet hij Fernando verder vertellen. Hij had nog nooit van die naam gehoord: Dent de Nuit. Misschien was het wel een Portugese uitdrukking. Toen dacht hij aan de munt die steeds weer terugkwam en besefte dat er steeds meer dingen waren die hij niet begreep.

'Die twee schurken hebben me uitgezogen als vampiers. Ik moest hun al mijn geld geven, maar nu is de zaak van mij. Nadat de betaling rond was, heb ik dag en nacht gewerkt aan het catalogiseren van de titels.' Hij tikte even op de laptop. 'Nu staat alles hierin. Alles. Die oude grijsaard zou er jaloers op zijn. En na het catalogiseren heb ik de winkel in oude staat hersteld. Ik heb geluk gehad, want toen ik aan het opruimen was, vond ik een aantal foto's uit de oorlog en een afbeelding van de grijsaard in de winkel. Het was een boom van een kerel toen hij jong was, met een slechte kledingsmaak.' Op een samenzweerderige toon voegde hij eraan toe: 'Hij hield van vlinderdasjes.'

'Ik heb de foto gebruikt als model. Ik hou zelf meer van casual kleding, niet van stropdassen, laat staan van strikjes. De kasten heb ik gevonden in een klein winkeltje hier vlakbij. Het is niet te geloven wat sommige mensen wegdoen. Vast iets wat ze geërfd hadden. De lampen waren van de oude baas, die lagen op zolder. Die door de duivel bezeten schurken vonden het natuurlijk maar wat fijn dat ik die ook over wilde nemen.'

'Het is grandioos,' zei Caius vol bewondering.

'Dank je, dank je, handtekeningen deel ik later uit,' grapte Fernando. 'De zaak ging helemaal goed lopen door de website die ik gebouwd heb en elke maand update.' Hij wreef in zijn handen. 'Die twee schurken zullen zich wel voor hun kop slaan. Ze zijn...'

'Bezeten door de duivel,' vulde Caius hem aan.

Fernando lachte. 'Sorry, dat ik je tijd verspild heb. Zoek je iets speciaals of wilde je gewoon even rondneuzen?'

Caius schudde zijn hoofd en schaamde zich. 'Ik weet het eigenlijk niet, ik...'

Fernando haalde zijn schouders op. 'Je lijkt me een prima jongen. Je houdt van boeken, dat zie ik zo. Ik leek op jou, toen ik zo oud was als jij. Heb je zin om een rondje te lopen?'

4

'**E**n dit is de schatkamer.'
Her en der stonden kandelaars, die een gelig, droevig licht
verspreidden. Met het weinige licht dat ze gaven, creëerden ze schaduwen
in de vorm van afgehakte handen.

'Wauw,' zei Caius, toen zijn ogen eenmaal aan het halfdonker gewend waren. De kasten die hier stonden, hadden glazen deuren die op slot zaten. De kamer was volgepropt met voorwerpen en opeengestapelde mappen en in het midden stond een tafel, met daarop een roestige sleutelbos. Het leek een ongeorganiseerde rotzooi.

Caius vond de kleinste kasten, die leken op ijzeren en kristallen vitrines, het interessantst. Hij keek even naar Fernando en kreeg toestemming om een kijkje te gaan nemen.

Caius was teleurgesteld; het was rotzooi. Toch begon zijn fascinatie voor de objecten te groeien, naarmate hij zich probeerde voor te stellen waarom de excentrieke boekverkoper een gebroken kopje of een paar vieze dameshandschoenen zo bijzonder vond. De voorwerpen maakten op Caius een lugubere indruk, omdat ze schenen te leven. Het leek alsof hij ze hoorde sissen en ademen, als slangen in een slangennest.

Afgezien van deze bijzonderheid waren het gewone voorwerpen. Vorken met drie tanden, zakspiegeltjes met een ivoren rand, een verroest mes, een kromme vishaak, een muffe knot wol, een flesje parfum. Hij herkende zelfs een gipsen beeldje van een engel, zo'n beeldje dat maar een paar cent kost en mensen in de kerstboom hangen. Maar hij had nog nooit kerstversiering gezien met zo'n gevoelloze uitdrukking, nog nooit een parfum geroken dat zo leek op een dodelijke stof en nog nooit iemand brood zien snijden voor zijn geliefde met een mes dat eruitzag alsof er iemand mee vermoord was. Het waren bezielde en lugubere voorwerpen.

Caius stapte achteruit.

'Allemachtig,' lispelde hij.

'Griezelig, hè?'

Caius voelde zich ongemakkelijk. 'Ja. Wat zijn het?'

Fernando keek geamuseerd. 'Manufacten, natuurlijk. Je gaat me toch niet vertellen dat je daar nog nooit van gehoord hebt?' riep hij uit, alsof het overduidelijk was. 'Ze zijn in ieder geval gevaarlijk, zeker voor iemand van jouw leeftijd. Daarom stop ik ze achter slot en grendel. Je kunt er beter niet te dicht bij gaan staan. De schatkamer staat vol met gevaarlijke voorwerpen. Heb je nooit gemerkt dat fascinerende dingen bijna altijd gevaarlijk zijn? Manufacten, maar ook sommige boeken. En natuurlijk ook sommige vrouwen,' zei hij lachend en hij gaf Caius een geruststellende knipoog.

'Maar het mooiste moet nog komen. Kijk hier maar eens,' zei hij, terwijl hij er een kromme sleutel van de verroeste bos bij pakte. 'Ken jij verzamelaars? Mijn vader spaarde ooit postzegels, maar hield daar al snel mee op.' Fernando zette zijn bril even goed en fronste zijn wenkbrauwen. 'Hij had er geen aanleg voor. Weet je, jongen, verzamelaars zijn bijzonder vreemd. Ga maar na. Ze verzamelen Coca-Colaflesjes, of catalogi over huishoudelijke apparaten uit de jaren vijftig. Ik zweer het, zo ken ik er een stuk of tien. Anderen doen een moord voor de handtekening van overleden beroemdheden die allang weer vergeten zijn. Mensen zijn op zoek naar mysteries.' De boekverkoper veegde een pluk haar uit zijn gezicht, terwijl hij van de ene kast naar de andere liep. 'Waar heb ik het verdorie gelaten? Weet je, Caius, heel lang geleden waren er al verzamelaars. Herinner je je nog die vreemde ontwerper die een colafles ontwierp in de vorm van een vrouwelijk lichaam? Hij kreeg dit idee door Ava Gardner, die tijdens een romantische nacht de ketting van Marie Antoinette droeg, overvallen werd en nu nog steeds in haar geheime tombe ligt te wachten tot de ketting bij haar terug komt. Prachtig verhaal! Wacht even, volgens mij ligt het hier.' Hij ging door zijn knieën en zei: 'Ik wil je mijn muntenverzameling laten zien.'

'Wat voor soort munten heb je?'

Fernando keek omhoog en lachte. 'Hebben wij misschien dezelfde passie? Naast boeken, bedoel ik. Hou je van munten?'

'Daar heb ik eigenlijk nooit over nagedacht.'

'Dat moet je ook niet doen, je wordt altijd per ongeluk verzamelaar. Wil je weten wat ze zeggen over de numismatici?'

'Ja,' antwoordde Caius volmondig.

'Ze weten wie de munten hebben gesmeed, wie ze heeft aangeraakt, wat ze waard zijn, wat hun imperfecties zijn, hoeveel ze wegen, hoeveel er nog van over zijn en wie ze verzamelen. Je kunt je voorstellen dat de numismatici de verzamelaars zijn met het beste geheugen. Dat is logisch, nietwaar?

Munten bestaan al heel lang, net als de mens. Zeldzame munten worden natuurlijk het liefst verzameld.'

Caius' hoofd begon te draaien. 'Zeldzame munten?'

Fernando gaf hem een knipoog. 'Verstijfd op de weg naar Damascus. Je bent net als Paulus, of Petrus. Ken je dat verhaal? Zeker, zeldzame munten. Zoals de munt met het hoofd van Caesar, waardoor Brutus gek werd van spijt. Die van het Derde Rijk, die maar aan één kant bedrukt was vanwege de enorme inflatie. De roebel, waar door een fout tijdens het opdrogen geen rode ster op stond, maar een pentagram en het hoofd van een vampier in plaats van dat van Stalin. Die zijn een fortuin waard. Dan zijn er de munten van het late Romeinse Rijk, munten uit de schat van Djingiz Chan. De geluksmunt van Napoleon. Munten die ongeluk brengen, vervloekte munten. Gouden munten, bronzen en stenen munten. Primitief geld, maar nog steeds muntgeld.'

'En zilveren munten?'

Fernando verstomde en keek hem doordringend aan. Hij durfde haast niet verder te gaan met zijn verhaal. 'Natuurlijk, die bestaan ook. Er zijn verschillende soorten: koper, goud, brons en natuurlijk zilver. Waarom zouden die niet bestaan?'

'En wat weet je daarover? Zijn er ook bijzondere zilveren munten?'

Fernando knikte langzaam en bleef hem aankijken. 'Hoe bedoel je, bijzonder?'

'Je weet wel,' zei Caius onhandig, 'vreemd.'

'Die zijn er wel.'

'Vertel me daar eens wat over.'

Fernando trommelde op een stoffig kistje. 'Wil je echt meer weten over die... vreemde munten? Ik kan je zat leukere verhalen vertellen, hoor. Bijvoorbeeld dat verhaal over...'

'Ik wil meer weten over die zilveren munten.'

De boekverkoper wist niet wat hij moest doen. Na een lange stilte, die voor Caius eeuwig leek te duren, begon hij toch te vertellen. 'Zoals je wilt. Vreemde, bijzondere munten... Er zijn bijvoorbeeld munten die gemaakt zijn van de klok die luidde toen Giordano Bruno op de brandstapel op het Campo dei Fiori werd gelegd. Deze klok werd door een dief op de zwarte markt verkocht aan een Venetiaanse edelsmid. Deze edelsmid had er dertig zilveren munten van geslagen, voordat hij dronken in het Canal Grande viel. De munten waren rond en heel glad. Zo glad dat je jezelf er in kon zien.'

Caius huiverde.

31

'We weten weinig over het dertigtal, zoals wij verzamelaars ze noemen. Waren het de munten die Crowley weigerde aan te raken toen een smokkelaar ze hem aanbood? En de munten die Goebbels ertoe aanzetten zijn twintig naaste assistenten te laten vermoorden en de Bibliotheek van Warschau te laten bouwen? En de munten die Anatoli Boekrejev verloor aan de voet van de Annapurna? Waren het dezelfde munten die Poe had gestolen en hem aanzetten tot zelfmoord? De numismatici zeggen van wel.'

Fernando stak de sleutel in het slot van het metalen kistje en besloot lachend: 'Maar numismatici liegen, net als alle andere verzamelaars.'

'Het zijn er...'

Opeens begon het hoofd van Caius te tollen en werd hij overweldigd door het vreselijke gevoel dat de schatkamer van boekhandel Beestachtige Literatuur volliep met water. Hij stond niet echt in het water, het enige water in de kamer was de condens op de ramen, maar Caius had het gevoel dat hij verdronk.

'Caius? Wat is er?'

De jongen hief zijn hand om Fernando, die hem aanstaarde, de mond te snoeren. Het bloed was uit zijn gezicht weggetrokken. Hij zag spierwit en de pijn in zijn hoofd maakte hem duizelig.

'Het zijn er negenentwintig,' fluisterde hij, terwijl hij naar het kistje wees. 'Er ontbreekt er één.'

Het kistje zat nog op slot. Fernando, die nu ook lijkbleek was, had de sleutel in zijn trillende hand.

'Hoe weet je dat?'

'Ik weet het gewoon,' antwoordde Caius. Hij voelde hoe het zweet over zijn rug liep en aan zijn overhemd bleef plakken. Het voelde niet meer alsof hij verdronk, maar zijn hoofd gonsde nog.

'Maak 'm open.'

Fernando draaide de sleutel in het slot. Eén lichte beweging was genoeg om hem open te klikken. Er zaten negenentwintig vervaarlijk glimmende munten in het metalen kistje.

Caius viste zijn eigen munt uit zijn zak en legde hem bij de verzameling. Hij paste perfect op de laatste lege plek.

'Waar heb je die vandaan?' vroeg de boekverkoper verbouwereerd. 'Hoe wist je dat er één ontbrak?'

Caius deinsde een paar stappen terug... Alle munten waren een exacte replica van het gezicht van de Verkoper. Toen stopte het gebonk en gedraai van zijn hoofd en kreeg hij weer wat kleur in zijn gezicht.

'Dat is niet belangrijk, nu is hij van jou.'
'Dat kan ik niet...'
'Hij is van jou.'
'Maar...'
'Op één voorwaarde.'
'Welke?'
'Je moet het kistje goed op slot doen.'

5

Het was ook intrigerend aan grote, oude steden dat er overal onbekende, verborgen plekken waren die op geen enkele kaart stonden aangegeven. Sommige van deze plekken hadden een naam, andere niet. Soms waren het stukken stoep waar nog nooit iemand een voet op had gezet. Of nissen, waar nog nooit iemand op zijn knieën voor was gaan zitten om te bidden. Of onafgemaakt stucwerk, of verborgen tuinen, of standbeelden zonder ogen en voeten.

Dent de Nuit was geen uitdrukking, zoals Caius dacht, maar de naam van een van deze verborgen plekken. Het was een donkere zone op de kadastrale kaarten en een grijs gebied in de herinneringen van degenen die er langsgelopen waren. Dent de Nuit was een wijk, vlak bij Montmartre, tegen de begraafplaats aan. Het belangrijkste punt van de wijk was 'De Kikkerfontein', een groots, stenen beeld. Dat het beeld zo genoemd werd, was vreemd, omdat geen enkele inwoner van Dent de Nuit de fontein ooit had zien spuiten en het beeld niet werd beschouwd als een echte fontein.

Natuurlijk deed het grote lotusblad wel denken aan een bassin en herinnerden de kikkers met hun opengesperde monden aan barokke cherubijnen die water spoten. Ook waren er gleuven in het verder gladde gesteente, een teken van schimmel en erosie, maar niemand had ooit daadwerkelijk een druppel water uit de fontein zien komen. Het was eerder een monument dan een fontein.

Meer dan een monument was het misschien wel een raadsel. In geschriften werd alleen af en toe kort verwezen naar de Kikkerfontein. In een of ander stoffig kadaster stond dat de originele naam die de architect eraan had gegeven, 'Laatste schreeuw' was. De architect had ook het plein eromheen en een aantal zijstraatjes ontworpen, maar nadat het eigenzinnige kunstwerk onthuld was, wilde Marie Antoinette niets meer met hem te maken hebben en werd hij opgesloten in de Bastille.

Er was weinig bekend over deze kunstenaar. De enige sporen die hij had nagelaten, waren goed opgeborgen in een kast in de kelders van het Louvre: een met opalen en lazuurstenen bedekt juwelenkistje dat hij voor zijn eenentwintigste verjaardag van de koningin had gekregen, een groep zangvogels die in cederhout waren ingelegd en tot slot de koele en sombere overlijdensakte: onthoofd op het stadsplein op 15 mei 1790. Robespierre zelf had het vonnis ondertekend. De Kikkerfontein was voor de buurtbewoners al eeuwenlang een ontmoetingsplaats. Mensen vroegen, als ze iets wilden afspreken met vrienden of geliefden: 'Zien we elkaar bij de fontein?'

De zon was inmiddels ondergegaan en liet de daken in het donker achter. De wind trok aan en het werd kouder. Bijna iedereen was thuis, waar het behaaglijk warm was en zelfs café de Put was dicht. Er zat maar één man bij de fontein. Een boom van een vent die Paulus Marchand heette. Hij zat op zijn broer te wachten, die zoals altijd te laat was. Hij wachtte rustig en negeerde het groepje jongeren dat voorbij slenterde. Hij had een ruige baard en een gerimpeld gezicht. Door zijn vervaarlijke uiterlijk hoefde hij zich geen zorgen te maken om tasjesdieven, aanranders en ander gespuis en zat hij vrolijk te fluiten.

Paulus was verzot op het oplossen van raadsels en rebussen. Zodra hij tijd had, thuis, of in een café, stortte hij zich op de raadselachtige plaatjes. Hij wendde zijn aandacht niet van de rebus af voordat hij, als uit het niets, door een onzichtbare maar krachtige energiestroom, de verborgen betekenis ontrafelde. Als dat gebeurde, verscheen er een grote grijns op zijn gezicht, sloeg hij van plezier met zijn grote hand op zijn bovenbeen en grinnikte als een klein kind.

'Daar ben je.'

'Het werd tijd.'

'Dacht je dat ik je daar in je eentje zou laten zitten?' vroeg zijn broer, die zich graag 'de Cid' liet noemen, lachend met spottende ogen.

De boom van een vent haalde zijn schouders op: de Cid rustte niet voordat hij iemand kon irriteren, maar Paulus was daar allang aan gewend en trok zich er niets van aan. Het had geen zin het hem te verbieden, want het hoorde bij hem, als balken bij een ezel.

Paulus kende zijn zelfverzekerde broer beter dan wie dan ook en durfde te zweren dat hij iets van plan was.

'Vertel.'

'Ik heb een simpel klusje voor ons.'

'Simpel, zeg je?' herhaalde hij.

'Appeltje, eitje.'

Paulus sloeg zijn armen over elkaar. 'Ik ben benieuwd.'

De Cid vroeg zijn broer hem te volgen, omdat ze dan minder zouden opvallen. 'Ik zat dus vanmiddag rustig in de Obsessie een biertje te drinken, toen ik...' hij bolde zijn wangen en probeerde het zich voor de geest te halen. 'Het zullen er twee, misschien drie geweest zijn. Je kent het café wel, toch? Het is er altijd donker en je ziet er geen hand voor ogen met al die rook en...'

'Wat deed je in de Obsessie?'

De Cid wreef in zijn handen en schraapte zijn keel. 'Dat zeg ik net, ik zat een biertje te drinken en toen...'

Paulus onderbrak hem weer. 'Een biertje? Had de barman je niet verboden daar ooit nog te komen? Volgens mij was die verduivelde Suez buitengewoon duidelijk.'

'Mmm, we hebben even gepraat,' zei de Cid hoopgevend.

Paulus liet niet met zich sollen. 'Hij kreeg nog een smak geld van je.'

De Cid wreef hard in zijn ogen en vervolgde op kille toon: 'Dat kleregeld heeft hij gehad, tot op de laatste cent. Kan ik nu mijn verhaal vertellen?'

Paulus wierp hem eerst een boze blik toe, maar knikte daarna.

'Ik zat daar dus rustig een biertje te drinken toen er twee gasten die ik nog nooit eerder had gezien aan de tafel achter me kwamen zitten. Ze hadden flink wat doeken voor hun gezicht. Ik was natuurlijk nieuwsgierig. Natuurlijk, het is ijskoud en Suez is zo gierig; hij zet de verwarming alleen met kerst aan. Maar om midden op de dag, binnen, met zo veel sjaals om te gaan zitten... Je snapt wat ik bedoel, toch? Vanmiddag was het niet eens heel koud.'

'Ze vielen op.'

De Cid applaudisseerde. 'Ze vielen op, inderdaad.'

'Dus ben je ze gaan afluisteren.'

'Ik heb alles gehoord wat ze zeiden, van begin tot eind, Paulus.' De Cid stopte even en glunderde van oor tot oor.

'Ze hadden het over het verdelen van gestolen goud. Een grote schat, Paulus. En ik weet waar we die schat kunnen vinden.'

'Vertel.'

Terwijl de Cid het plan uit de doeken deed dat hij tijdens het bier drinken had bedacht, passeerden ze menige straat en steeg en kwamen ze uiteindelijk aan bij rue Félix.

Niemand hield van die straat, zelfs de mensen niet die er woonden. Die probeerden meestal zo snel mogelijk te verhuizen en de straat ver achter zich te laten. Slechts weinigen lukte dit. In de rue Félix woonde het uitschot van de stad: uitgestotenen, verslaafden, werklozen, gekken, viezeriken en paupers zonder toekomst.

Hoewel de schemering pas net inzette, was de straat uitgestorven en zaten alle luiken al potdicht.

Paulus voelde zich niet prettig; hij zag een vulgaire, huiveringwekkende muurschildering. De gebruikte verf was waarschijnlijk van slechte kwaliteit, want er zaten allemaal spetters en vegen rond de hoofdfiguur. Paulus vond dat het iets sadistisch uitstraalde.

Dit was niet de enige lugubere afbeelding in rue Félix. Bijna alle muren waren bedekt met soortgelijke taferelen. Het leek wel alsof verknipte kunstenaars de spookachtige straat als therapieruimte hadden gebruikt omdat ze bang waren om naar een psycholoog te gaan.

Verderop bemerkte Paulus weer iets opvallends. Hij hield tenslotte van rebussen en had een oog voor raadsels. Hij zag een berg bladeren waaronder iets scheen te liggen dat tegelijkertijd verborgen en getoond diende te worden. Iets wat verboden was en geheim. Iets wat uit alle macht contact probeerde te maken met Paulus' onderbewustzijn. Hij kreeg er kippenvel van.

'Weet je zeker dat het hier is?'

'Rue Félix nummer 89, ik weet het zeker. Die idioten hebben het zeker twee keer herhaald. Wil je ermee stoppen?'

'Het is deze plek die... Ik bedoel...' Paulus zocht naar de juiste woorden om zijn angst uit te drukken maar wilde ook geen lafaard lijken. 'Als ik een schat had, zou ik die niet hier verstoppen, jij?'

De Cid begon zijn geduld te verliezen. 'De schat is hier maar even, daarom moeten we opschieten. Het is maar tijdelijk dat hij op nummer 89 wordt verstopt. Snap je? Tij-de-lijk,' scandeerde hij, om snel de twijfels bij zijn broer weg te nemen. 'Ik wil maar zeggen dat...'

Bruut onderbrak Paulus hem: 'Ik snap wat je bedoelt. Wat wil je doen? Er is hier niemand.'

De Cid haalde zijn schouders op en maakte zich geen zorgen. Dit was niet het moment om ruzie te maken. Hij moest zich concentreren. Hij richtte al zijn aandacht op de grote metalen deur waarop 89 stond. Hij zag dat het slot gloednieuw was en glom, in tegenstelling tot de groezelige voorgevel van het huis. Precies wat hij had verwacht.

Zijn broer had echter gezien dat de schilderingen rond het huis nog mysterieuzer en huiveringwekkender waren dan in de rest van de straat.

'We moeten naar de achterkant,' legde de Cid uit. 'Ik heb vanmiddag een

37

rondje om het huis gelopen. Aan de achterkant is een deur waar we door naar binnen kunnen. Kom.'

Ze gingen achterom. Aan al het roet te zien, bevond de kachel zich vroeger aan de achterkant. Er zat een groot hangslot op de deur.

'Deze zit ook goed dicht,' mompelde Paulus.

De Cid, die op zijn knieën zat om beter naar het slot te kunnen kijken, draaide zich lachend om en zei: 'Maak je geen zorgen, dat heb ik zo open.'

'Ik maak me geen zorgen,' antwoordde Paulus niet erg overtuigend.

Terwijl zijn broer iets uit zijn jaszak pakte en muntjes en sleutels liet rinkelen, keek Paulus weer om zich heen, alsof hij hoopte iets verdachts te zien wat zijn vermoedens over de duistere plek bevestigde. Hij kon niet wachten daar weg te gaan. Hij kreeg de kriebels van die straat.

Toen zag hij wat zijn broer gebruikte om het slot open te maken en hij maakte een vuist. 'Wat ben je in hemelsnaam daarmee aan het doen?'

'Tijd winnen,' fluisterde de Cid, terwijl er een geforceerde glimlach op zijn rattengezicht verscheen. 'Ik heb hem bijna.'

Paulus hoorde hoe het slot openklikte. Een druppel bloed liep over het glimmende metaal.

'Zie je wel?'

Woedend greep Paulus zijn broer bij de kraag van zijn jas en tilde hem van de grond. Hij doorzocht zijn zakken tot hij vond wat hij zocht en hield het voor de neus van de Cid.

'Weet je wat dit is, Cid?'

'Ik stik, Paul... Ik stik. Verdomme, laat me...'

Paulus was niet van plan hem los te laten. 'Zeg me verdomme wat dit is.'

'Een passe-partout,' antwoordde de Cid, terwijl hij in de lucht spartelde.

Paulus schudde hem door elkaar als een lapjespop. 'Dit is geen loper waarmee je sloten openmaakt, imbeciel. Dit is geen passe-partout. Ben je blind ofzo? Dit is verdomme een Manufact.'

'Paulus, laten we naar binnen gaan. We hebben het er la...'

De enorme kerel schudde hem door elkaar en snoerde hem de mond. De Cid beet op zijn tong en vloekte zachtjes.

'Je had me beloofd nooit meer een Manufact te gebruiken. Weet je nog? Weet je niet meer hoe beroerd je er aan toe was die laatste keer? Moet ik het je soms helpen herinneren, idioot? En weet je nog wat ik moest beloven?' Zijn stem donderde vlak bij het spierwitte gezicht van zijn broer. 'Dat als jij je weer in de nesten zou werken, ik je armen zou breken. Dit wordt nog eens je dood, dat weet je, hè?'

Hij hield het Manufact voor de Cids neus. Het was een stuk zwart geworden metaal, misschien zilver, dat zo groot was als een telefoonkaart. Er stonden symbolen en teksten in een merkwaardig alfabet op. Ook zag Paulus sporen van de Cids bloed. Hiervoor moest hij bijzonder goed kijken, want het werd opgenomen door het metaal.

'Het is gewoon een speeltje, niet zo overdrijven. Er zijn er veel meer van.'

'Een speeltje? Een Manufact is nooit een speeltje. Nooit. Kijk!' bulderde Paulus woedend. Hij pakte de Cids gewonde hand. 'Het drinkt bloed. Jouw bloed! En als het jou ergens mee helpt, is dat alleen om je nog meer uit te kunnen zuigen. Een speeltje? Heb je een speeltje weleens bloed zien drinken? Verdomme, Cid, iets wat bloed drinkt is niet onschuldig!'

'Het was maar een druppeltje, niet meer...'

Paulus verkocht hem een harde dreun.

De Cid keek hem verbijsterd aan. 'Je hebt me...'

De volgende klap zorgde ervoor dat hij zijn mond hield. 'Je weet donders goed dat dit vervloekte Manufact meer van je wil dan dit beetje bloed. Je hebt dit al eens meegemaakt en dat maakt me juist zo kwaad. Je hebt zelfs de dood in de ogen gekeken. Het is altijd achterlijk om zo'n ding te gebruiken, maar als je het doet om een slotje van een paar euro open te maken, ben je echt niet goed bij je hoofd!'

Het was een wonder dat nog niemand naar buiten had gekeken, want Paulus schreeuwde keihard. Maar aan de andere kant was dit misschien een van de voordelen van wonen in de rue Félix. Je hoorde en zag er niets.

'Weet je niet meer hoeveel pijn je had de vorige keer, Cid? Al die nachten dat je moord en brand schreeuwde? Wil je zo veel risico lopen, alleen om een slotje open te kunnen maken? Het Manufact wint altijd en jij nooit.' De gigant zuchtte en zag er tien jaar ouder uit. 'Ik moest je vastbinden, Cid. Dwing me niet dit nog eens te doen, alsjeblieft.'

Hij liet zijn broer los.

'Ik... Het spijt me.'

'Geef me je hand.'

Er zat een klein, diep sneetje in de handpalm van de Cid. Het wondje was schoon. Als een Manufact een wondje veroorzaakte, was het altijd schoon en genas het snel. Terwijl Paulus naar de handpalm keek, heelde de wond. Het ging zo snel dat de kolos er rillingen van kreeg. Voorzichtig wond hij een geruite zakdoek om de hand van zijn broer.

'Da... dank je.'

'Ik wil je geen pijn doen, Cid, maar je moet begrijpen,' zei Paulus zacht terwijl hij met het Manufact zwaaide, 'dat er weinig voor nodig is om in je oude gewoonte te vervallen. Het is net als met drugs. Misschien nog wel erger.'

'Het is de eerste keer dat ik er een gebruik sinds...' De Cid slikte even. '... sinds ik gestopt ben. Ik zweer het, broertje. Alleen zou dit weleens onze laatste kans kunnen zijn.' Zijn ogen begonnen weer te schitteren. 'Geen flauwe aardappels meer drie weken achter elkaar, geen slechte whisky, geen tweedehandskleren meer, niet meer stelen, alleen nog maar het beste voor ons.'

Zijn broer knikte voorzichtig. 'Maar deze hou ik bij me.'

Zag Paulus angst in de Cids ogen, toen hij het Manufact in zijn broekzak stopte? Hij wilde er niet over nadenken.

De twee broers keken elkaar even aan en slopen toen stilletjes rue Félix 89 binnen.

6

Caius droomde over de wind. De windvlagen werden steeds harder en leken het huis van zijn grondvesten te willen rukken. De jongen droomde van slaande deuren, gebroken ruiten en schokkende, gebarsten muren. Hij droomde dat hij zo hard gilde als hij kon, maar dat er geen geluid uit zijn keel kwam. Zelfs niet toen hij zag wie die harde storm had veroorzaakt. Hij zag Herr Spiegelmann opdoemen uit het duister. Spiegelmann blies en blies en gaf Caius een knipoog.

Het raam in Caius' slaapkamer knalde in duizend stukjes uit elkaar en een overvloed aan licht kwam de kamer binnen. Caius zag een aantal bewegende figuren. Toen werd het weer donker. Donker en licht wisselden elkaar af als wapengeschut dat een hele stad probeerde uit te roeien. Caius zag alles flikkeren. Verstijfd keek hij toe hoe met een stuk gereedschap de poten onder zijn bed vandaan werden getrokken terwijl een mannelijk figuur naast zijn bed op zijn knieën zat. Het was weer donker. Een bliksemflits. Caius zag iets wat de kamer in wilde stormen en lawaai maakte alsof het vocht tegen de hele wereld. Daarna overheerste opnieuw het duister.

Caius opende zijn mond om te schreeuwen. Een tweede bliksemflits verlichtte de kamer en snoerde Caius de mond. Weer dat licht. Het wezen dat zijn kamer binnen was gestormd had lange, scherpe nagels. Het werd weer donker en Caius merkte dat hij nog steeds geen geluid voortbracht. Weer gerinkel van gebroken glas. De kou sneed in zijn gezicht. Verstijfd snakte hij naar adem.

Het was weer licht.

Hij zag hoe de knielende figuur opstond. Hij zwaaide met iets wat hij in zijn hand had en Caius eerder niet had kunnen thuisbrengen. Toen hoorde hij drie schoten en begreep hij wat de man in zijn hand had: een pistool.

Caius kon steeds meer kenmerken van de wezens met de lange nagels onderscheiden. Ze hadden een capuchon op, driehoekige oren en vlijmscherpe tanden. En dan die nagels. Caius had alleen nog oog voor die vreselijke nagels.

Eindelijk kon hij schreeuwen. Zijn geschreeuw werd overstemd door een nieuwe serie knallen.

De figuur bewoog snel. Hij was niet lang, kleiner dan Caius' vader. Hij was breed en stevig, maar bewoog soepel. Hij was in het zwart gekleed en had donkere brillenglazen die Caius' angst nog eens versterkten.

Het was weer donker. Weer vier knallen. Snel achter elkaar. Vier hoopjes ingewanden en botten. In de lucht hing de geur van kruit.

De gewapende man bulderde orders. Caius zag zijn mond open en dicht gaan en zelfs zijn speeksel in het rond vliegen, maar kon de woorden niet verstaan. Hij kon niet helder denken.

Nog meer schoten, waarop een dierlijk gebrul volgde. Nog meer wezens die verslagen werden, terwijl licht en donker elkaar afwisselden.

De grond was nat. Net als Caius' kleren. De jongen trilde van top tot teen, maar hij had het niet koud.

Het was weer donker.

Een vreemde spanning. De hijgende vreemdeling, de zacht snikkende Caius en de dolle wezens die op de dood wachtten. De stilte duurde van de ene bliksemflits tot de andere. Caius dacht dat het eeuwig zou blijven duren. Toen klonk de donder die al het gekrijs en gebrul van de schepsels overstemde.

Het was weer licht. De man had het pistool weggegooid en vocht met een wezen dat op zijn rug was gesprongen. Het drukte de man met de donkere brillenglazen en de motorlaarzen tegen de grond en maakte zich klaar om hem met zijn scherpe nagels open te rijten.

Toch won de man. Het wezen lag uiteindelijk dood op de grond, zijn hoofd op onnatuurlijke wijze gedraaid. De man zat weer op zijn knieën. Het druppelde onder zijn jas. Bloed, dacht Caius. In het licht van de bliksem leek het wel teer.

Het was weer donker.

Caius liet zich op de natte grond glijden, kreeg glassplinters in zijn handen en knieën, maar voelde niets. Toen stond hij op, liep langs de geknielde man en struikelde over één van de dode wezens. Hij had nog maar net genoeg kracht om te ademen door de walging die hij voelde.

Het was nog steeds donker. Het leek wel alsof het weer nacht was geworden. Caius liep op de tast verder. Hij was in dit huis geboren en kende het op zijn duimpje.

Over zijn schouder zag hij hoe de man hijgend opstond en hem wilde grijpen. Caius kon ontsnappen. Op blote voeten rende hij de gang in, maar hij gleed uit en viel hard met zijn schouder en hoofd tegen de muur.

Donker.

Licht.

Caius stond op en zag het. Het wezen siste naar hem. 'Wat is dit?' gilde Caius. 'Wat is dit in hemelsnaam?' Caius kreeg antwoord. 'Een Aanvreter. Ga liggen, jongen.' Op dit bevel volgde een klap die Caius deed neerploffen. De Aanvreter had zich voor de helft uitgerold en raakte nu al bijna het plafond. Hij was gigantisch groot. Hij draaide met zijn hoofd als een slang, had geen oogkassen, maar wel een enorme mond.

Het is een aal, dacht Caius. Het beest leek op een reusachtige aal en stonk naar afvalresten en uitwerpselen. Zijn vleugels glommen als die van een vlieg. De man in het zwart had het beest Aanvreter genoemd. Caius moest kokhalzen van dat woord.

Tussen Caius en de Aanvreter verscheen de man die het raam van Caius' slaapkamer had stukgeslagen.

'Liggen, zei ik!' Zijn stem was kil en rauw, als die van een kettingroker die niet gewend was zijn bevelen te herhalen. De man zette zijn benen gespreid en stevig op de grond en sloot zijn ogen. Hij maakte zich niet druk over de andere beesten met lange nagels, die door het raam naar binnen kwamen.

De Aanvreter was klaar om toe te slaan en richtte zich op.

'Liggen!'

De lucht leek in brand te staan. Een vurig ochtendgloren vulde de gang met geel licht. Toen veranderde het in violet en uiteindelijk in felrood.

Caius voelde hoe al zijn haren overeind gingen staan. Zijn tanden deden pijn en het bloed trok weg uit zijn gezicht, waardoor hij duizelig werd. Zijn lichte hoofd en het sissen van het kokende beest maakten hem opnieuw misselijk.

De man slaakte een kreet van pijn en de Aanvreter siste.

Opeens werd de zon feller en dijde uit. Hij verspreidde fonkelende, rode zonnestraaltjes die brandsporen achterlieten.

De man hijgde. Hij was uitgeput. Van de Aanvreter was alleen nog een zwartige, stinkende en kokende massa over die naar uitwerpselen, bloed, riool en verbrand vlees stonk. Caius kon het niet meer tegenhouden en gaf over.

'We moeten gaan.' De man pakte hem beet en slingerde hem moeiteloos op zijn rug.

'Laat me los!' raasde de magere jongen.

'Hou je mond.'

Caius luisterde niet. Hij schopte en riep zijn ouders.

De man vloekte en liet hem op de grond vallen. De pijn was vreselijk. Hij boog zich over Caius en zei met die koude, schorre stem: 'Je ouders zijn dood. Dood, hoor je!'

Toen zag hij iets uit zijn ooghoek wat hem deed knarsetanden.

'Die klotebeesten weten niet van ophouden.'

Hij haalde een dolk tevoorschijn en stak die in het beest dat op hen af kwam. Hij slingerde Caius opnieuw op zijn rug en zocht snel zijn pistool. Hij had het beest goed geraakt met zijn dolk. Voordat de Aanvreter het metaal kon afweren, had de dolk zijn nek al doorboord en stierf hij.

'Dat is niet waar, dat is niet waar...' jammerde Caius. Hij verzette zich niet meer. Met wijd opengesperde ogen staarde hij in het luchtledige.

'Wat jij wilt.'

De in het zwart geklede man had zijn pistool gevonden, laadde het en sprong toen met Caius op zijn rug en ondanks de pijn, op de vensterbank. Hij concentreerde zich en maakte daarna nog een reuzensprong van zeven meter, het dak van het huis van Caius' buren op. Iedere acrobaat zou al zijn botten hebben gebroken, maar hij niet.

De man rende, maar het gewicht van Caius belemmerde hem in zijn bewegingen. Hij moest zich een paar keer vastklampen aan de schoorstenen om niet uit te glijden.

De bliksem hielp hem zich te oriënteren. Doorweekt van de regen sprong hij op een dakkapel, rende over een dakrand van minder dan dertig centimeter, gebruikte een brandtrap om op een zuilengalerij te komen, sprong over een aantal daken en kwam uiteindelijk terecht op de omheining van de monumentale begraafplaats. Hier wachtte hij even om op adem te komen.

Hoewel het schemerig was en hij een donkere bril op had, zag de man uitstekend. In de verte ontwaarde hij brandweer- en politiewagens, maar hij maakte zich geen zorgen. Hij schraapte zijn keel en veegde het zweet van zijn voorhoofd. Daarna wachtte hij nog een paar seconden om zijn pijnlijke zij wat rust te geven en merkte toen dat er een klauw met lange nagels om zijn enkel geklemd zat. De man begon te schelden. Als hij die leren laarzen niet aan had gehad, zou hij nog erger gewond zijn geraakt. De wonden die Aanvreters veroorzaakten, hadden de neiging snel te ontsteken. Hij schoot het beest dat hem bij zijn enkel greep dood en het enorme wezen verging tot stof.

De knal van het schot was nog niet verstomd, of de man hoorde muziek. Hij herkende het meteen. Zijn zweet veranderde in ijs en hij sperde zijn ogen, die beschermd werden door kogelvrije brillenglazen, wijd open. Hij zette zijn kaken op elkaar en begon, zonder zich om te draaien, opnieuw te rennen. Hij ontweek een stuk cement en moest weer schieten. Hij doodde het beest dat hem opwachtte en stoof door, zonder zijn pas in te houden. De muziek klonk steeds luider en sloop zijn hoofd binnen. Het veranderde al zijn gedachten in een onsamenhangend geheel van piepende en schallende geluiden.

De muziek was zo machtig, dat ze ook Caius' hoofd binnendrong. De jongen keek om zich heen, in de hoop te zien waar die geluiden door werden geproduceerd, maar de man in het zwart hield hem tegen en schreeuwde: 'Ogen dicht! Niet kijken!'

De muziek werd almaar luider en kwam steeds dichterbij. De man voerde het tempo op. De muziek kwam van een orkestje dat bestond uit klavecimbels en tamboerijnen en werd omhuld door een rossig schijnsel. Caius' mond viel open van verbazing.

'Het is een Kalibaan. Doe je ogen dicht, jongen!' schreeuwde de man terwijl hij van de muur sprong en op het nippertje het beest kon ontwijken. Hij viel, maar stond weer op en snelde zonder naar zijn achtervolger om te kijken tussen de grafstenen door. Af en toe gleed hij uit over het natte gras en sprongen er steentjes omhoog door zijn ferme tred.

Hij was doodmoe, ademde zwaar en moeizaam, maar ging stug door tot hij aan de andere kant van de begraafplaats was. Daar hurkte hij achter een beschimmelde steen.

De muziek hoorden ze niet meer, alleen nog het kabaal van het onweer en de regen. De man zette Caius op de grond en veegde zijn gezicht droog.

Caius bekeek het brede gezicht van de man en zag dat het doorkliefd werd door littekens en rimpels. Door de donkere brillenglazen kon hij niet zien wat voor kleur ogen de man had, maar wel de platte neus die gebroken was geweest en slecht was geheeld. Verder had de man een kleine mond, rode wangen door gesprongen adertjes en de inspanning en was hij bijna kaal. Zijn glimmende schedel werd omlijst door wat haartjes met een ondefinieerbare kleur. Hij was vermoedelijk ergens in de vijftig maar zag er ouder uit, als een hooligan op leeftijd.

De man draaide grijnzend zijn hoofd naar de andere kant.

'Dat klotebeest had zwaar geschut bij zich,' zei hij grinnikend.

'We moeten hier weg. Ik kan niet nog een Kalibaan verslaan. Niet hier en niet nu. En al helemaal niet in mijn eentje.'

Voordat Caius weer als een voddenzak op de rug van de man werd gehesen, merkte hij nog een bijzonderheid aan hem op: hij had overal tatoeages. Pentagrammen van verschillende grootte met daar omheen cirkels, rozen omringd door duivels met enorm lange tongen en lieveheersbeestjes met vlekken op hun rug, als in een rorschachtest.

Maar de meest indrukwekkende tatoeages zaten toch in de hals van de man: twee zwarte kruizen die heen en weer schoten als salamanders.

7

De twee broers betraden een grote kamer, die behangen was met enorme spinnenwebben en bevolkt door kakkerlakken met zwarte schilden. Op de grond lagen stapels nat en onbruikbaar karton. De broers werden begluurd door beesten met kleine rode oogjes. 'Ratten' zei de Cid vol afschuw. Hij schopte er een die aan zijn voet knaagde tegen de vochtige muur. Zwijgend liep hij naar de deur van verrot hout aan de andere kant van de opslagplaats. Vol afgrijzen veegde hij een spinnenweb uit zijn gezicht en trok daarna met een harde ruk de deur open. Hoewel de ruimte aardedonker was, maakten de broers zich geen zorgen. Uit ervaring wisten ze dat er altijd wel een raam wat licht doorliet of dat er een scheurtje in het plafond zat dat opengebroken kon worden om een beetje licht te creëren. Ze moesten alleen even wachten tot hun ogen aan het donker gewend raakten. Ze waren op dit soort hindernissen voorbereid.

Het leek eeuwig te duren, maar uiteindelijk draaide de Cid zich toch tevreden om naar zijn broer en gaf hem een knipoog. 'Zullen we gaan?'

Het was vreemd genoeg erg warm in het huis op nummer 89. De lucht was zout en vochtig, alsof het huis vlak bij een moeras, of in een kas stond. Het hoge luchtvochtigheidsgehalte had de kozijnen en de kalk op de muren aangetast. Alles wees erop dat het huis lang leeg had gestaan. Naast ratten, enorme spinnen en een flinke hoeveelheid kakkerlakken was er geen teken van leven in het pand.

Het stof, dat zo'n beetje overal centimeters dik lag, vormde een glibberige brij waarop de broers maar moeilijk konden lopen.

Ze liepen zo zachtjes mogelijk, hun oren gespitst op elk geluid dat ze hoorden. Soms bleven ze na één piepje wel minutenlang verstijfd staan. Al snel baadden ze in het zweet door de spanning en de hitte.

Een vreemd soort echo vervormde ieder geluid dat ze maakten tot iets buitenaards en dreigends en deed hen regelmatig opschrikken. Het was zenuwslopend.

Hoe verder ze liepen, hoe minder de Cid begreep wat de functie van het pand was. Er klopte iets niet aan rue Félix 89. Aan de buitenkant leek het een gewoon huis of een pand met kantoren of studio's, maar aan de binnenkant bleek het een duister labyrint.

Toen ze de kamer met spinnenwebben verlaten hadden en een verdieping hoger kwamen, moest de Cid zijn oordeel bijstellen. Het pand was te barok om een gewoon huis te kunnen zijn. Misschien was het vroeger een hotel geweest, met zalen waar mensen konden lunchen en werken, of dineren bij kaarslicht. Maar ook dat leek het niet te zijn. Het gebouw had te veel scheve muren, te veel kamers zonder raam, te veel dichtgemetselde vensters en te veel onnodige bogen tegen het plafond dat huiveringwekkend veel gaten had, om een hotel te kunnen zijn. De Cid kon zich met geen mogelijkheid voorstellen wat de ontwerpers van nummer 89 gedacht hadden. Maar dat was zijn zaak ook niet, bedacht hij, zichzelf geruststellend. Hij hoefde alleen snel die verdomde schat te vinden en zich uit de voeten te maken.

Een wijsneuzig stemmetje in zijn hoofd begon hem de volgende vervelende vragen te stellen: 'Komt die kast je niet erg bekend voor? Kijk eens naar dat hoekje, ben je daar niet al eens langsgelopen?'

In zijn hoofd begon het pand langzaam de vorm aan te nemen van een reusachtig spinnenweb, dat zoutig rook en twee onnozele vliegen had gevangen.

Het werd steeds lichter en daardoor werden de schilderingen op de muren ook beter zichtbaar. Ze leken op de afbeelding die Paulus buiten had gezien, maar waren beter uitgewerkt en daardoor nog angstaanjagender. Bij het zien van het eerste tafereel stokte de adem van de gigant en bij het tweede draaide zijn maag zich om. Bij het derde besloot Paulus dat het beter was zich op de punten van zijn schoenen te concentreren. Zijn nieuwsgierigheid won het echter van zijn verstand. Het waren immers een soort barbaarse rebussen. Paulus volgde zijn broer op de voet, maar kon alleen maar aan de muurschilderingen denken.

Hij begreep niet wat die kunstenaars had bezield – want het waren er zeker meerdere: als alles door één kunstenaar vervaardigd was, had deze er jaren over gedaan – om hun gezichtsvermogen en gezondheid op te geven voor deze schilderingen. Ze werden er niet eens om geroemd, want de kunstwerken hingen op een duistere plek die door niemand werd bezocht.

Aan al het stof te zien, was de deur naar deze ruimte lang niet open geweest en waren de afbeeldingen erg oud. Gedachten spookten door Paulus' hoofd. De werken waren vulgair, luguber en weerzinwekkend, dat was duidelijk, maar ze hadden ook iets intrigerends. Hun obsceniteit betekende vast iets, was vast de oplossing van een mysterie, dacht hij.

'Cid!' riep hij uiteindelijk.

'Wat is er?'

'We zijn verdwaald, hè?'

'Nee, hoor. Waar heb je het over?'

Met een diepe zucht stond Paulus stil. 'We lopen in een rondje. Dat weet jij ook. Het is hier...' Hij zocht een woord dat het nare dreigende gevoel dat hij in zijn onderbuik had, verwoordde, maar kon er niet opkomen. Hij stelde zich tevreden met 'vreemd'.

'Je hebt gelijk,' bromde de Cid, in gedachten. 'Verdomme nog aan toe,' voegde hij er bijna opgelucht aan toe. 'Laten we die kant op gaan.'

Al snel merkten ze dat dat makkelijker gezegd was dan gedaan. Ze kwamen de ene grote, brede trap na de andere tegen. Lage plafonds maakten de ruimtes nauw en enorm lange gangen gingen vooraf aan kamertjes die zo klein waren dat de twee broers moeite hadden met ademhalen als ze er samen in stonden.

Nog meer lange gangen.

Paulus hijgde, pufte en gebruikte zijn knoestige hand als waaier in de hoop wat meer lucht te krijgen. Ook de Cid was buiten adem na het bestijgen van al die trappen.

Bogen veranderden in lange gangen en gangen kwamen uit in bergruimtes vol vermolmde spullen.

Terwijl de Cid liep, liet hij zijn concentratie niet verslappen. De kaart die hij van nummer 89 in zijn hoofd had, begon steeds meer vorm te krijgen. Het gebouw leek verdorie wel een spiraal, of een schelp. Geen spinnenweb gelukkig, dacht hij.

Spiraal of schelp, het had een vreemde vorm, het woord dat Paulus gebruikt had, sloeg de spijker op zijn kop. Het was een vreemdvormig labyrint dat van binnen groter was dan van buiten. Geen enkele wiskundige zou een schatting kunnen geven van de grootte.

De Cid sidderde. Het beeld dat hij begon te krijgen van de nare situatie waarin ze verzeild waren geraakt, beviel hem niets.

Plotseling zagen de broers een fel licht.

'Er brandt licht daar beneden.'

'Denk je dat daar de uitgang is?' vroeg de Cid aan Paulus.

'Misschien wel.' Ze liepen steeds dichter naar het licht toe.

'Nog even volhouden,' zei de Cid, terwijl hij het zweet van zijn voorhoofd veegde en zijn pas versnelde.

De vloer van de gang waarin ze liepen, helde soms naar links en dan weer naar rechts en wekte de indruk dat de broers op een schip zaten midden in een storm. Toch liepen ze verder. Ze hadden er geen van beiden enig idee van hoelang ze al aan het lopen waren.

Toen ze aankwamen bij de plek waar het groenige licht vandaan kwam, konden ze hun ogen niet geloven. Zoiets absurds en overweldigends hadden ze nog nooit gezien. Toen de Cid zijn broer over een 'schat' had verteld, had hij gedacht dat dat enigszins overdreven was, maar dat was niet zo. Het was echt een schat.

'We zijn er.'

In de reusachtige zaal voor hen lagen stapels goud en juwelen, bekers in de gekste vormen en groottes, edelstenen, kisten vol met diamanten en zilverwerk, lazuurstenen, ringen bezet met turkooizen en opalen zo groot als eendeneieren en allerlei soorten munten en cheques.

Maar om de stapels goud en zilver, cheques en glimmende juwelen hing een vieze, groene en stoffige nevel.

Het hoge luchtvochtigheidsgehalte en de enorme hitte waren niet te harden.

'We zijn er. We zijn...'

Als versteend bleef de Cid staan. Zijn handen trilden en zijn mond viel open van verbazing. Hij kon zijn ogen niet afwenden van die berg goud. Dit was de schat waar de vreemdelingen in de Obsessie over hadden gesproken en hij was groter dan hij ooit had durven dromen. Hij moest er om schaterlachen. Zijn lach was scheller, hysterischer en zenuwachtiger dan Paulus ooit had gehoord.

'Cid,' riep hij. 'Het is ons gelukt.'

Goud, dacht de Cid, goud, goud, goud! Kilo's, tonnen, heerlijk en geweldig goud! Hij had niet door dat zijn broer hem aan zijn shirt trok en verbijsterd naar hem keek.

'Cid.'

Het groenige schijnsel werd zwakker. Schaduwen werden langer. De nevel werd dikker, alsof hij stolde.

'Maak je zakken leeg, Paulus, we moeten zoveel meenemen als...'

'Cid!' drong Paulus aan.

De Cid schrok. 'Wat is er?'

Hij was boos omdat Paulus zijn aandacht van dat hemelse goud afleidde.

'Wil je echt deze hele bende meenemen?' vroeg Paulus vol verbazing.

'Deze bende?' antwoordde de Cid nijdig. Hij begreep niet waarom zijn broer twijfelde. Ze stonden voor een immense schat waar ieder mens alleen maar van kon dromen. Waar Schliemann, de ontdekker van Troje, van zou gaan blozen, Djingiz Chan van zou gaan watertanden en alle Romeinse keizers voor zouden knielen. Wat viel er te twijfelen?

'Zie je niet dat...'

Hij wees naar de stapels goud en verstomde.

De juwelen lagen er niet meer, de munten, de smaragden en de robijnen die zijn hart zo-even hadden vervuld van vreugde waren verdwenen. Misschien hadden ze wel nooit bestaan. In de plaats van al deze rijkdom waren treurige voorwerpen verschenen: kapotte wekkers, oude ingedeukte transistorradio's, gebroken spiegels, gebarsten borden, protserige kettinkjes van plastic, verroeste wasmachines, boeken met versleten kaft, stapels sokken, gescheurde kleding, oude kapotte huishoudelijke apparaten, schoenen die geen paar vormden, fotoalbums, flessen en andere rotzooi waar de afkomst niet van te herleiden was. Het leek wel een illegale stortplaats, of de opslag van een getikte voddenboer.

'Nee...' prevelde de Cid. 'Dat kan niet!' schreeuwde hij met het laatste beetje energie dat hij in zich had. Hij gooide een piramide van blikjes om en begon er tegenaan te schoppen. De blikjes schoten alle kanten op en maakten een enorm lawaai. Toen hij al dat kabaal hoorde, sprongen de tranen hem in de ogen.

Hij greep een paar aangevreten winterjassen en rukte ze woedend uit elkaar. Vervolgens smeet hij ze weg en schreeuwde als een bezetene. 'Waar is mijn goud?'

'Laten we hier weggaan, Cid. Deze plek bevalt me niets,' zei Paulus met zachte stem.

'Idioot die je bent! Het is jouw schuld. Jij hebt mijn goud laten schrikken,' brieste de Cid met rooddoorlopen ogen. 'Het is verdwenen door jouw gezeur!'

Paulus opende een paar keer zijn mond, zonder iets te zeggen. Uiteindelijk fluisterde hij: 'Rustig maar, Cid, ik smeek je, hou op. Niet boos worden, ik...'

Ze hoorden een honend gelach.

De Cid draaide zich langzaam om.

De hitte had plaatsgemaakt voor een ijzig koude nevel. Hun adem vormde wolkjes en hun zweet ijspegels. Even stond alles stil.

Op dat moment doemde er een vreemde figuur op uit de mist, klein en log. Hij deed Paulus denken aan een pinguïn met overgewicht. Maar hij lachte niet om deze dwaze gedachte. Zijn maag trok pijnlijk samen. De Cid wees naar de schim. 'Jij was het,' zei hij met tranen in zijn ogen. 'Jij hebt mijn goud weggejaagd.'

'In zekere zin wel,' antwoordde de figuur. Zijn stem klonk buitenaards, metaalachtig en onnatuurlijk. Hij klonk vijandig en tegelijkertijd mierzoet, beleefd, maar bovenal belezen. Een stem waardoor de broers de neiging kregen hun oren te bedekken en in een hoekje op de grond te gaan zitten.

Paulus twijfelde geen seconde. Ze moesten vluchten. Hij greep zijn broer, nam hem op zijn rug en draaide zich om. Hij nam zich voor de Cid bewusteloos te slaan als hij tegen zou spartelen.

De deur waardoor ze naar binnen waren gekomen, was er niet meer. Verdwenen, alsof hij nooit had bestaan. In plaats van de deur stond er nu een gladde muur, waarop een schouwspel van dansende schimmen te zien was. Ook op deze muur stond een schildering. Het leek een ode te zijn aan alle andere schilderingen in rue Félix. Paulus' adem stokte.

Het was alsof er een leger van gestoorde miniatuurschilders aan gewerkt had. Elk met een wimpertje van een pasgeboren baby in plaats van een penseel en elk een klein stukje van het oppervlak om op los te gaan. Alleen op die manier was het mogelijk om zo'n gedetailleerd spektakel neer te zetten. Een schip. Een galjoen. Een galjoen waarvan de romp bestond uit de skeletten van wezens met lange tanden, slagersgerei en metalen kwallen. De vreemdsoortige romp doorkliefde een sterrenzee en werd geteisterd door een storm.

Paulus kreeg pijn in zijn hoofd bij het bekijken van al die details. In elke golf zag hij honderden verwrongen gezichten. In elke druppel en ieder stuk schuim een grijnzend spook. In elke hoek van de donkere hemel waren vluchten alpenkauwen en vleermuizen te zien. Voor op de boeg stond een geschift ogende man die een sabel tevoorschijn haalde en schreeuwend de oceaan uitdaagde. Paulus kon niet met zekerheid zeggen dat het een man was, omdat de figuur belicht werd door een bliksemflits en eruitzag als een gekwelde demon. Vooral aan deze demonische figuur was te zien hoe waanzinnig de kunstenaars waren. Paulus stond bevend naar de schildering te kijken.

De metaalachtige lach van de vreemdeling klonk opnieuw en was dichterbij dan zo-even. Hoe hij zich zo snel had kunnen verplaatsen, zonder geluid te maken in die enorme chaos, was Paulus een raadsel.

'Gaan jullie al weer weg? En dat terwijl jullie zoveel moeite hebben gedaan om hier beneden te komen. Is dat niet bijzonder stom en ook nog eens onbeleefd?'

De schimmige figuur had iets in zijn hand geklemd wat glom en licht gaf. Paulus voelde direct hoe het lichaam van zijn broer zich ontspande. 'Het is prachtig,' zei de Cid geïntrigeerd. 'Kijk, broertje.' Maar Paulus wilde niet kijken. Hij wilde vluchten. Weg uit rue Félix 89 en alles vergeten.

'Wij weten wel dat het geen zin heeft om te proberen weg te komen, hè, Cid?' vroeg de schim, alsof hij zijn gedachten kon lezen.

'Jaaaaa,' antwoordde de Cid.

Nogmaals die afschuwelijke lach. Paulus huiverde. 'Laten we gaan, Cid.' Maar zijn broer had zich losgerukt uit Paulus' greep en liep met een grote grimas richting de schim.

Paulus zette de achtervolging in, maar stopte toen hij iets rond zijn nek voelde kronkelen. Hij schreeuwde het uit. Eerst van schrik en vervolgens van walging. De stilte die volgde op het geschreeuw bracht de Cid weer bij zijn positieven. Met een ruk draaide hij zich om en zag vol afschuw hoe Paulus vocht met iets wat over hem heen kroop en hem probeerde te overmeesteren. De Cid verstijfde; zoiets had hij nog nooit eerder gezien.

Wormen zo dik als lianen draaiden zich om het lichaam van Paulus en probeerden hem te wurgen. Blinde, huiveringwekkende wezens die leken op de wittige beesten die op de bodem van de oceaan leefden.

Het werd de Cid zwart voor de ogen en hij viel flauw.

Paulus worstelde voor zijn leven. Hij voelde dat de beesten hem niet wilden verlammen, maar juist wilden binnendringen en dit gaf hem de kracht een aantal van de walgelijke schepsels die om hem heen krioelden te doden. Maar dat was niet voldoende: het waren er tientallen en iedere keer als hij er een had gedood, verschenen er drie nieuwe. Het was een oneerlijk gevecht.

Het lukte één worm, die zo dik was als een gespierde mannenarm, zich om Paulus' nek te draaien. Het beest probeerde hem te wurgen, maar Paulus vocht terug. Hij wilde de worm van zich af trekken en worstelde en gromde, maar al snel had hij niet genoeg kracht meer in zijn armen, omdat hij geen lucht meer kreeg. De wormen zagen hun kans schoon en zetten opnieuw de aanval in.

Uiteindelijk, toen hij leek te ontploffen en tien wormen hem in hun greep hadden, kreeg Paulus een spasme dat hem dwong zijn mond open te doen en naar lucht te happen. Dit was zijn einde. De wormen gleden naar binnen en gorgelend sloeg hij tegen de grond.

8

Bij elk afscheid hoort een vluchtige kus, bij elke stad een verborgen gedeelte en bij elke wijk een begraafplaats. Daarop was Dent de Nuit geen uitzondering.

HELL IS EMPTY AND ALL THE DEVILS ARE HERE. Het was de jongen gelukt de tekst te lezen op de architraaf die leidde naar het ondergrondse mausoleum, maar niet om de betekenis te ontcijferen. De vreemdeling had de massief houten deuren wijd opengegooid en Caius werd bedwelmd door de geur van schimmel en stof.

De lucht in het mausoleum stond stil. De man hijgde zachtjes. Hoewel het schemerig was, bewoog hij zich zonder aarzelen voort. Hij kende elke hoek en bijzonderheid van de graftombe, alsof hij er al jaren woonde.

Met ferme tred liep hij naar de hoek precies tegenover de ingang. Daar zette hij Caius op een jutezak en stak een tiental kaarsen aan. Het waren geen gewone kaarsen, maar toortsen die de man uit de graven had gestolen.

De flakkerende vlammen onthulden steeds meer van het mausoleum: urnen in de vorm van draken op een zwartmarmeren trap en wanden versierd met gorgonen en sirenen. Als het een tombe was, wat de doodskist in het midden deed vermoeden, was het zeker geen christelijke tombe. Er hingen nergens kruizen en als ze er al hadden gehangen, dan waren ze nu verwoest. Heidens of christelijk, één ding stond vast: het was er ijskoud.

Caius trilde en wreef over zijn armen in de hoop het wat warmer te krijgen. Zijn lippen waren paars. De man gooide een deken naar hem toe. 'Hier.' Caius sloeg hem om zijn schouders.

'Nog even geduld, het wordt zo warmer,' bromde de in het zwart geklede man, terwijl hij een oude kachel aanstak.

'We genieten eerst even van de warmte, maar dan moet ik de deur opendoen. We willen natuurlijk niet stikken door het gas.'

'Die beesten... Die met die nagels...' begon Caius.

'Caghoulards.'

'Wat zijn dat?' vroeg de jongen.

De man negeerde zijn vraag en trok uit een nis een enorme hutkoffer tevoorschijn. Hij graaide erin en gooide daarbij allerlei kleding en steek-wapens op de grond.

Caius' hart klopte in zijn keel. 'Wie ben jij?' vroeg hij abrupt.

De man wreef in zijn handen en draaide zich om. Hij had een naargeesti-ge blik in zijn ogen. Even vreesde Caius dat de vreemdeling hem zou grij-pen, maar zag toen tot zijn opluchting dat de woede van de man wegebde.

'Ik ben Gus. Van Zant. Zoals die van de band Lynyrd Skynyrd. Draai je nu om,' beval hij.

Caius was met stomheid geslagen.

Gus werd opnieuw woedend en begon te schelden. 'Ben je doof ofzo? Draai je om naar de muur. Ik moet het verband verschonen en dat is geen prettig gezicht.'

De man deed zijn leren jas uit en gooide hem op het hoofd van een mar-meren sater. Zijn T-shirt was doordrenkt met bloed en liet sporen achter op zijn arm. Caius gehoorzaamde en draaide zich om. Hij hoorde hoe de man iets lostrok en kreunde van de pijn.

'Doet het pijn?' kon de jongen niet laten te vragen. Hij hoorde een geluid dat veel weg had van een lach.

'Pijn? Nogal, maar maak je geen zorgen. Ik heb hier mijn medicijn.' Caius hoorde duidelijk het geluid van het ontkurken van een fles. 'Leeg, verdom-me.' Geërgerd smeet Gus de fles tegen de muur.

Van schrik draaide Caius zich om.

'Niet bewegen, had ik je gezegd,' brieste Gus.

Caius kroop onder de deken en hoorde het geklik van een aansteker. Hij herkende meteen de penetrante geur van tabak.

Uiteindelijk begon hij de warmte van de kolenkachel te voelen. Een vlieg vloog bij hem vandaan en hij voelde zich op slag alleen. Hij dacht aan het gezicht van zijn moeder en aan de lach van zijn vader. Hij slikte zijn tranen in maar had zijn trillende stem niet onder controle. Nog steeds met zijn ge-zicht naar de muur vroeg hij: 'Word ik... gegijzeld?'

'Gegijzeld?' Gus graaide in zijn koffer en maakte flink kabaal. Caius her-kende het geluid van ijzer op ijzer en bedacht dat er misschien wel een heel wapenarsenaal in de koffer zat.

'Heb je me ontvoerd?'

Even was het stil. Het leek alsof de lucht dikker werd en de temperatuur daalde. De vlammen flakkerden.

'Luister goed naar me, mannetje,' zei Gus, die met moeite zijn woede kon bedwingen. 'Ik sta aan jouw kant. Jij leeft nog omdat ik je met gevaar voor eigen leven heb gered. Dus hou op met die onzin. Nu mag je je omdraaien. Ik ben klaar.'

Caius gehoorzaamde. Gus had zijn verband verwisseld en zich omgekleed. Er sijpelde al snel bloed door zijn schone overhemd. De wond was nog open.

'Ik heb niets in jouw maat, maar ik kan misschien wel wat regelen voor de nacht. Morgenochtend gaan we op zoek naar kleren die je passen.'

'Morgenochtend?' vroeg Caius angstvallig.

'Ja.'

'Betekent dat dat ik hier morgen ook moet blijven? Mijn ouders...'

Gus snoerde hem de mond en gooide zijn sigaret op de grond. 'Charles en Emma,' bromde hij terwijl hij een vuist maakte.

'Mama en pa...' Caius kon zijn tranen niet langer in bedwang houden.

'Hou op met jengelen.'

'Zijn ze...'

'Ik heb gezegd dat je op moest houden.'

'... dood? Ze zijn toch niet echt dood?'

Gus gaf geen antwoord.

Woede knaagde aan Caius' binnenste toen Gus onverschillig bleef zwijgen. Hij stond op, smeet de deken aan de kant en wierp zich op de man. 'Jij hebt ze vermoord! Jij hebt ze vermoord!' raasde hij, terwijl hij met zijn vuisten op de man in sloeg. 'Jij hebt het gedaan! Jij!'

De klap kwam onverwacht. 'Ik zei dat je je bek moest houden.'

Caius lag op de grond. Zijn wang gloeide. Hij keek de man recht in zijn ogen en beschuldigde hem nog een laatste keer: 'Jij hebt ze vermoord.'

Er verscheen een gepijnigde grijns op het gezicht van de donkerharige vandaal. De pijn sloeg om in razernij. Gus greep Caius bij zijn nek en tilde hem van de grond. De jongen voelde hoe de ijzige punt van een dolk links in zijn borstkas prikte, aan de kant van zijn hart.

'Het klopt,' zei Gus.

Caius kon slechts met moeite ademhalen.

'Je hart klopt,' bromde de man met zo'n lage stem dat Caius hem bijna niet kon verstaan. 'En weet je waarom het klopt? Omdat Charlie en Emma zich hebben opgeofferd voor jou. En jij, rotventje, zal je wel in de nesten hebben gewerkt, anders waren ze je niet uit het oog verloren en was het niet zo ver gekomen. Heel handig van je. Heel handig.'

Caius bloedde. Een klein druppeltje bevlekte zijn pyjama.

'Ik heb de dood in de ogen gekeken, maar ik leef nog. En jij leeft nog. Charlie en Emma waren mijn vrienden. Weet je wat dat betekent? Nee, hoe zou je dat moeten weten,' antwoordde Gus zelf, terwijl hij de dolk wegstopte. 'Je bent maar een snotneus, die niets begrijpt. Hou op met huilen, dat is nergens voor nodig.'

'Ik huil... niet,' loog Caius.

De man grijnsde zijn tanden bloot als een dobermann. Caius dacht op slag weer aan de koude punt van de dolk die hij in zijn borst had gevoeld. Gus liet hem los. De jongen greep naar zijn keel en hijgde.

'Charlie en Emma hielden van elkaar. Het waren de twee sterkste Wisselaars die ik ooit heb gekend. En ik ken er veel, geloof me.'

Caius had geen idee waar Gus van Zant het over had, maar wat hij vervolgens toevoegde deed hem verstijven. 'En ze hielden van jou. Ik weet niet waarom, maar ze hielden veel van jou. Als dat geen leugen is natuurlijk. Dat weet je nooit. Maar één ding weet ik honderd procent zeker, jongen, Charlie en Emma hebben nooit kinderen gekregen.'

'Ik...'

'Nu hou je je mond.'

Caius ging zitten, met zijn hoofd naar beneden en zijn armen slap langs zijn lichaam. Zijn haren plakten aan zijn voorhoofd. Hij luisterde naar het doffe gedreun van de donder en herhaalde in zichzelf de laatste woorden van Gus. Hij herhaalde ze zo vaak en langzaam, dat het leek alsof ze werkelijk werden en een nare smaak van angst in zijn mond achterlieten. Het moest een leugen zijn, dacht hij.

Caius' angst veranderde in boosheid en die boosheid weer in furie. Hij kneep zijn ogen samen en sprong op Gus af.

'Je... je liegt!'

'Ze zijn dood. Het heeft geen zin het erover te hebben. Niet hier. Niet nu. Dus hou je kop.'

Op dat moment ging Caius echt door het lint. Hij liet zich niet zomaar afschepen.

'Die beesten hadden jou moeten vermoorden en niet mijn ouders.'

Die woorden raakten Gus diep. 'Ze waren al dood toen ik aankwam,' fluisterde hij. 'Het was allemaal zo gepland.' Zijn stem sloeg over en verraadde zijn verdriet.

'Door wie? Wiens plan was het?'

Gus sloot de koffer. 'Dat is niet belangrijk. Daar hebben we het ook een andere keer over. Morgenochtend. Nu moeten we uitrusten. Ik ben moe.'

Dreigend zette Caius een stap richting Gus. De man zette zijn donkere bril af en zijn kleine, blauwe, bloeddoorlopen ogen kwamen tevoorschijn. 'Ga je me slaan, mannetje?'

'Dat wat jij...' Caius zocht naar het juiste woord, '... een Aanvreter noemde, hoe heb je dat beest gedood? Ik zag een heel groot licht en toen...'

'Met een Wissel.'

Geërgerd keek Caius hem aan. 'Geef nou eens één keer normaal antwoord op mijn vragen! Ik hou niet van raadsels, ik...' Opeens schoot de gedachte aan de zilvermunt door zijn hoofd en werd hij nog giftiger. 'Ik hou niet van breinbrekers!'

'Het heet een Wissel, echt waar. Niet dat het je wat aangaat.'

'Is het magie?'

Gus lachte honend en zette zijn zonnebril weer op. 'Wat jij wilt, jongen. Als je Merlijn de Tovenaar ziet, doe hem dan...'

Caius was kwaad en wilde uithalen. Zonder enige moeite onderschepte de man Caius' benige hand en liet de jongen een pirouette draaien. Caius slaakte een kreet van schrik. Gus draaide vervolgens hardhandig de arm van de jongen op zijn rug, waardoor zijn schouderblad pijnlijk kraakte. Nu gilde de jongen van de pijn.

Gus duwde hem tegen de grond. 'Wil je met me vechten?'

Hij wist niet van ophouden. 'Of wil je dat ik je achterlaat bij de Caghoulards, met hun scherpe nagels?'

Caius schuimbekte van woede en begon uit frustratie te schreeuwen.

Gus liet hem niet los. 'Of heb je misschien liever de Aanvreter, het beest dat Emma heeft vermoord?'

'Hufter,' schold Caius.

'Weet je wat Aanvreters doen? Weet je dat?'

Hij greep de jongen nog steviger vast. De pijn in zijn schouder straalde uit naar zijn elleboog en hand. Caius kneep zijn ogen dicht, maar bleef zich verzetten.

'Een Aanvreter geeft een kus. Een kus, jongen. Maar niet zomaar een kus.'

Op de achtergrond klonken steeds meer boosaardige geluiden, die langzaam door de zachte grond van de begraafplaats het mausoleum binnendrongen, maar ze waren niets vergeleken met wat er in Caius' hart gebeurde.

'Met die kus vergiftigt hij zijn prooi. Het gif stroomt meteen door het hele lichaam. Er is geen ontsnappen aan.'

'Hou op!'

Maar Gus bleef hem pijnigen. 'Botten en spieren lossen op, maar zenuwen niet. Weet je wat dat inhoudt? Dat houdt in dat het gif je vlees aantast als zoutzuur terwijl je zenuwen nog werken. Het is afgrijselijk... Het slachtoffer schreeuwt het uit van de pijn.'

'Gus!' riep een zware stem. 'Laat hem met rust.'

Gus liet hem los.

Caius snakte naar adem.

'Hoe heb je me gevonden?' vroeg Gus.

'Belangrijker is: hoe hebben zij je gevonden? Ruik je het niet?'

Gus merkte opeens de benzinelucht op.

'Ze willen ons als ratten in de val laten lopen.'

Gus stond meteen op. 'De wapens, Buliwyf...'

'Ze zeiden dat je dood was.'

'Geloofde je dat?'

'Geen seconde.'

Gus lachte schaapachtig.

De vreemdeling was erg lang, rond de één meter negentig. Hij raakte met zijn hoofd de spinnenwebben die aan het plafond hingen. Hij droeg een lange, scharlakenrode jas met zwarte stiksels en een kapot, leren gilet. Hij was fors en gespierd en droeg zijn dikke bos lange, donkere haren los over zijn schouders. Op het brede gezicht van de imponerende man was een uitdrukking van opwinding en bezorgdheid te lezen.

Caius was onder de indruk van de man en bestudeerde hem aandachtig. Toen de vreemdeling hem aankeek zag Caius dat zijn ogen zo diep zwart waren, dat hij de pupillen niet kon onderscheiden.

'Hoe gaat het met je arm?'

Caius wist niet wat hij moest antwoorden.

De man draaide zich naar Gus. 'Is hij het?'

'Emma en Charlie zijn dood.'

'Je had me moeten oproepen.'

Gus laadde een enorm pistool en stopte het in de holster aan zijn riem. 'Je had niets kunnen doen. Ze waren hoe dan ook gestorven, het was een val.' Hij testte de scherpte van een bijl.

'Jammer dat ik dit allemaal achter moet laten.'

'Ze komen hierheen. Ik hoor ze, de Gruwelaars.'

'Klote-Gruwelaars,' schold Gus.

'Wat doen we met de jongen? Is hij vervelend?'

'Ik ontferm me over de jongen.'

Caius keek geschrokken omhoog. Gus legde zijn hand op de schouder van de jongen en keek hem recht in zijn ogen. Onverwacht zachtaardig sprak hij: 'Charlie en Emma hebben zich opgeofferd om jou te redden. Je krijgt de antwoorden die je zoekt, maar voor nu moet je even op mij vertrouwen. We moeten opschieten als we die Gruwelaars niet tegen willen komen. Sla de deken om je heen en wees stil. Doe je ogen dicht en vertrouw op ons.'

Hij knipoogde naar Buliwyf, die knikte. 'Wij beschermen je, Caius.'

De jongen gehoorzaamde. Nadat hij de deken stevig om zich heen had gewikkeld, tilde Gus hem op en hees hem op zijn schouders. Hij hield zijn pistool voor zich uit.

'Doe die verdomde deur open, Buliwyf.'

Caius was getuige van slechts een klein gedeelte van het gevecht dat die nacht op de begraafplaats van Dent de Nuit plaatsvond. Hij kreeg alleen flarden mee. Het begin, niet het eind. Hij was er niet bij met zijn hoofd. Het gevecht was een caleidoscoop van gebroken botten en bloed dat uit lijken stroomde.

Caius voelde een aantal keer een paar scherpe klauwen langs zijn nek scheren, maar merkte dat Gus en Buliwyf mannen van hun woord waren en hem beschermden.

Een menigte smerige wezens slaakte oorlogskreten en stierf door het pistool van Gus. Klappen. Geschreeuw. Bloed. Rood, maar ook zwart, als van een patiënt met een tumor.

Buliwyf was de eerste die het mausoleum uit kwam. Caius had hem horen janken als een gewond dier en zich bijna met genoegen in het gevecht zien storten. Hij had ledematen gebroken en buiken opengereten alsof hij niets liever deed. Het lichaam van Buliwyf was besmeurd met het bloed van al die wezens, die Gus eerder Caghoulards had genoemd. Buliwyf had er tientallen verwond met zijn zilveren zwaard en ze uiteindelijk doen inzien dat zij de mindere partij waren.

Even was het stil.

Met een grijns hief Buliwyf zijn hoofd naar de bewolkte hemel en begon zo huiveringwekkend te lachen, dat Caius ervan begon te trillen. Hij voelde in zijn buik en in zijn benen dat er iets verschrikkelijks was met die lach. Iets dierlijks en afschrikwekkends.

Toen Buliwyfs lach veranderde in gehuil en ook zijn lichaam transformeerde, hield Caius het niet meer. Hij prevelde dat wat hij zag niet echt gebeurde: Gus, de Caghoulards en de Aanvreters waren niet echt en boze wolven bestonden alleen in sprookjes. Het werd hem te veel en hij viel flauw.

9

De Cid had een smerige smaak in zijn mond. Hij vreesde dat hij zijn eigen vlees proefde en moest kokhalzen. Hij probeerde zich te bewegen maar merkte dat hij zat vastgebonden. Zijn handen voelden als twee abcessen en veroorzaakten spasmen. Hij was verward en misselijk. Het duurde even voordat hij de moed had verzameld zijn ogen te openen.

De Cid deed zijn uiterste best elk klein geluidje dat hij hoorde op te vangen en te interpreteren en concludeerde dat hij op een naargeestige plek was beland.

Hij ontdekte een redelijk grote kier in zijn blinddoek waardoor hij iets meer van zijn omgeving kon zien. Het enige wat hij zag was een grote verzameling prullaria.

Zodra hij zich probeerde te herinneren wat er was gebeurd en waarom hij daar vastgebonden en geblinddoekt zat, begonnen zijn slapen zo hard te kloppen dat hij het wel uit wilde schreeuwen. Een deel van hem wilde niet herbeleven wat er in de kelders van rue Félix was gebeurd. De Cid probeerde dit laffe en onnozele deel te negeren. Het oprakelen van het moment waarop zijn wereld instortte zou hem juist helpen de situatie te begrijpen en hem van dit afschuwelijke gevoel afhelpen. Daarom bereidde hij zich voor op het ergste en concentreerde zich.

De pijn stak meteen weer de kop op. Hoewel het voelde alsof hij zijn hoofd in een hete oven had gestopt, hield de Cid vol. Hij herinnerde zich dat het goud veranderde in rommel en dat een man met overgewicht en een cilindervormig hoedje hem iets liet zien. Hij probeerde zich te focussen op dit glimmende voorwerp, maar net toen het hem bijna lukte het voor zich te zien, werd de pijn in zijn hoofd onverdraaglijk. Hij moest even bijkomen.

Hij wist niet dat hij zo'n lafaard was. Hij moest het voorzichtig aanpakken en stukje bij beetje reconstrueren wat er gebeurd was. Hij was immers zelf een oplichter. Misdaad was zijn terrein.

Hij concentreerde zich opnieuw en liep de dag door, vanaf het moment waarop hij met Paulus had afgesproken bij de Kikkerfontein. Hij dacht aan de schilderingen in het pand op nummer 89, aan het Manufact, aan de tirade van zijn broer, aan zijn eigen excuses, aan de vreemde geluiden, aan de hitte, aan de lange weg die ze hadden afgelegd, aan het gevoel te zijn beland in een labyrint, aan de schat. En toen wist hij het opeens weer. Hij wist weer hoe de witte wormen Paulus hadden aangevallen en hoe hij geschreeuwd had. Daarna herinnerde de Cid zich hoe het zwart was geworden voor zijn ogen en begreep hij dat hij was flauwgevallen. Hij herinnerde zich dat iemand hem een klap had gegeven en hem had uitgescholden. Dat hij had gevochten en geschopt. Dat de Caghoulards hem hadden vastgebonden en uitgelachen. En hij herinnerde zich de onnatuurlijke stijfheid van het levenloze lichaam van zijn broer, Paulus.

Paulus.

Iets in hem vocht tegen het beeld van de dode Paulus. Het was het deel van de Cid dat zich niets wilde herinneren. Hij moest vechten tegen de maagsappen die omhoog kwamen. Hij verzette zich uit alle macht tegen de neiging om over te geven en het uit te schreeuwen. Het lukte hem ternauwernood. Hij kon alleen maar denken: Paulus is dood. Vermoord door walgelijke schepsels die onder leiding stonden van een of andere verkoper, wiens gezicht hij zich niet goed voor de geest kon halen. Hij wist alleen nog dat hij bang was geweest voor de man. Hij kreeg weer de neiging om te schreeuwen, maar deed het niet. Hij was bang dat hij anders niet meer op zou kunnen houden.

Paulus.

Dood.

Nee, zijn broer kon niet dood zijn. Als dat zo was, zou hij het wel hebben gevoeld, daar was hij zeker van. Hij zou het in zijn hart en in zijn buik hebben gevoeld. Paulus moest ergens bij hem in de buurt zijn. Gewond misschien, maar niet dood.

Nu was niet het moment om te gaan huilen of stomme dingen te doen als schreeuwen. Hij moest nadenken. Maar om dat te kunnen doen, moest hij zich niet bewegen, niet schreeuwen en niet in paniek raken. Paniek was zijn grootste vijand. Een paniekaanval zou hem zeker niet helpen daar weg te komen.

Iemand hield hem gevangen. Maar wie? Misschien die verkoper met dat gekke hoedje die hem zelfs in zijn herinnering de stuipen op het lijf joeg. Hij kon zich beter op iets anders concentreren.

De Cid keek opnieuw door de kier in zijn blinddoek en probeerde zich te oriënteren. Aan de stapels rotzooi te zien was hij nog steeds in rue Félix. Hij ving een glimp op van een aantal bewegende figuren maar kon zijn hoofd niet draaien om ze beter te bekijken. Eigenlijk durfde de Cid dat ook niet. Hij besloot dat hij beter kon wachten tot zijn hoofdpijn wat gezakt was. Hij draaide voorzichtig zijn armen in de hoop te kunnen voelen waarmee hij vastgebonden zat, maar verstijfde toen hij het geluid van bewegende kettingen hoorde.

Een afschuwelijke stem deelde een bevel uit. Andere vreselijk krassende stemmen antwoordden in koor, als een groep hongerige hyena's. De Cid wist dat hij dit eerder had gehoord. Hij wist zeker dat hij eerder een beest zo'n geluid had horen maken, maar hij wist niet meer waar of welk beest het was. 'Denk na, denk na,' zei hij tegen zichzelf.

En toen wist hij het weer.

Die brede venijnige ogen. Die slierten speeksel die langs hun brede bek met scherpe tanden hingen en die ruwe huid. Schepsels met gelige ogen en een platte neus in het midden van hun ruitvormige kop.

De Cid voelde zijn maag samentrekken. Hij herinnerde zich de Caghoulards, of wat anderen de Zwartgekapten noemden.

Ze hadden lange, benige vingers die bedekt waren met schubben en dikke zwarte haren, en die te lang waren vergeleken met hun magere armen, lange scherpe nagels en skeletachtige benen. Ze hadden iets weg van een slang. Zowel hun kleur als het voortdurend uitsteken van hun tong deed vermoeden dat het om een reptielsoort ging.

De Caghoulards droegen graag zwarte capuchons met twee gaten aan de zijkant voor hun lange, driehoekige oren, en nauwsluitende tunieken om de stank van hun dode vlees te verhullen.

De Cid begon te trillen. De Caghoulards waren wezens die geen genade of spijt kenden. Ze genoten ervan om stukken metaal in hun eigen lichaam te steken. Vooral in hun spieren. Ze stopten er spijkers, schroeven, bouten en kapotte steekwapens in alsof het trofeeën waren. Hun huid was bedekt met littekens.

Van nature hielden de Caghoulards meer van het gevaarlijke nomadenbestaan dan van het hebben van een veilige thuisbasis. Ze plunderden en vernietigden alles om zich heen. Ze hielden niet van de zon of van gezelschap en jaagden 's nachts. Op die manier deden zij hun inspiratie op voor hun wandaden.

Als ze in groepen rondtrokken, was dat omdat ze honger hadden of in de problemen zaten. Als ze iemand gehoorzaamden, was dat omdat dat met harde hand werd afgedwongen. Zodra iemand deze walgelijke wezens daadwerkelijk onder de duim had gekregen, rustten ze niet voordat ze hun opdracht hadden uitgevoerd. Iemand die hen in zo'n situatie zou observeren, zou kunnen concluderen dat de Caghoulards een zekere soort genegenheid of zelfs liefde toonden jegens hun meester. Maar niets was minder waar. Dat wist de Cid maar al te goed. Er werd veel gezegd over de Caghoulards, maar niet dat ze zachtaardig en vriendelijk waren.

De Caghoulards spraken een bijzonder primitieve taal, met een agressieve grammatica, simpel maar onbegrijpelijk. Hun hele vocabulaire was gericht op wreedheid.

De Cid slikte. Hij hoorde steeds meer stemmen om zich heen. Als iemand riep, antwoordde er eerst één, dan een tweede, tot een hele groep angstaanjagend krijste. Het moesten er honderden zijn.

Net toen het krijsconcert op zijn hoogtepunt was en de trommelvliezen van de Cid leken te gaan springen, waren alle Caghoulards ineens stil. De Cid hoorde hoe iets met flinke passen tussen de stapels rotzooi door liep. Ook hoorde hij een klagend gejengel, als van een katje dat een nachtmerrie heeft.

Hij hield zijn adem in en probeerde te zien wie of wat er aan het janken was. Op dat moment zag hij dat de zaal met het viesgroene schijnsel en de zoutige geur barstensvol Caghoulards stond.

De Cid was verbijsterd. Hij had nog nooit gehoord dat de wezens ook in groepen opereerden en samenwerkten zonder dat ze elkaar afslachtten. Hij had nooit gedacht dat ze een heel leger zouden kunnen vormen. Door de kier van zijn blinddoek kon de Cid zien dat ze stonden te wachten op hun orders. Alle ogen waren op één punt gericht.

Langzaam draaide de Cid zijn hoofd naar rechts. Stukje bij beetje, in de hoop niet op te vallen. Zijn nek, die hij Joost mag weten hoe lang niet bewogen had, gehoorzaamde gestaag maar voelde alsof er met messen in werd gestoken. De Cid zette zijn tanden op elkaar en ging door. Het was niet alleen in zijn eigen belang maar ook in dat van Paulus.

Dat moest hij niet vergeten. Als Paulus daar was, als hij gewond was, of dood, kwam dat door zíjn hebzucht. Hij was in de val gelopen, dat was duidelijk. Het was zo overduidelijk dat het een list was, dat hij zich er voor schaamde. De vreemdelingen in de Obsessie hadden bewust hard gesproken, zodat de Cid het zou horen. Opvallende vreemdelingen... Een onbewaakte buit...

Terwijl hij zijn hoofd naar het middelpunt van de groep Caghoulards draaide, zijn rug nat van zweet en angst, bad de Cid tot alle goden, alle duivels en alle demonen die hij kon bedenken. Hij werd liever voor eeuwig gestraft, dan dat hij nog één seconde langer spijt had van wat hij zijn broer had aangedaan. Paulus was de enige die ooit iets om hem had gegeven.

Eindelijk zag hij het. Een buitengewoon walgelijke Caghoulard bedekt met littekens en ijzeren voorwerpen stond op een houten kist die moest dienen als podium. Met gebogen hoofd wiebelde hij van zijn ene been op zijn andere. Naast hem, op de grond, stond een tweede grijnzende Caghoulard. Deze had een zwartige sliert slijm langs zijn stekelige kaak bungelen en een verroeste ketting in zijn handen. Het uiteinde van de ketting zat om de nek van de eerste Caghoulard gebonden. De wezens om de kist bewogen zachtjes, wreven in hun handen en schoven met hun voeten over de grond.

De steekwapens en spijkers in hun lichamen schitterden vervaarlijk bij het verplaatsten. De Caghoulards vlak bij het wezen met de ketting begonnen met hun voeten op de grond te stampen. Al snel volgden de andere hun voorbeeld. Het pand schudde op zijn grondvesten.

'Mann... Mann... Mann...' gromden ze.

'Mann... Mann... Mann...' scandeerden ze steeds luider.

'Mann... Mann... Mann...' piepten en krasten ze.

'Mann... Mann... Mann...'

Hun geroep was vervuld van pijn, maar ook van liefde, hoop en genot. Hun gekreun was orgastisch en lijdend tegelijk. Het was zo obsceen en beestachtig dat de Cids haren recht overeind gingen staan.

'Maaaaaaann!' schreeuwden ze.

Het licht werd feller, als bij een explosie. Toen verscheen de Verkoper.

De kleine, ronde, pinguïnachtige figuur met het cilindervormige hoedje en de minuscule neus, die angst inboezemde ondanks zijn stralende glimlach, stond daar voor het schavot met zijn handen op zijn rug. Hij was verschenen uit het niets.

Ondanks zijn merkwaardige uiterlijk straalde hij iets machtigs en gevaarlijks uit. Hij had rood-witte kleding aan. Zowel het rood als het wit was kraakhelder. En hij had ogen... Die waren het ergst. Hij had antieke munten als ogen. Groot en perfect rond. Zonder pupil en iris. Plat. Zo glad, glimmend en tweedimensionaal als een spiegel.

Dit was geen mens, dacht de Cid. Dat kon niet.

'Beste allemaal,' zei de man met een stem die de Cid de komende honderd jaar niet zou vergeten. 'Beste allemaal, vandaag is een bijzonder trieste dag voor ons. En toch,' vervolgde hij nog steeds lachend, 'zijn ook verdriet en angst belangrijk. Belangrijker dan jullie schepsels ooit zullen beseffen. Maar ondanks dit, ben ik diep teleurgesteld.' Hij zei het met een toon waarvan de

Cid spontaan tranen in zijn ogen kreeg. Het gezicht van de Verkoper toonde echter geen enkele emotie. Zijn glimlach was star, smalend en beestachtig, als van een moordenaar. Dit was het ware gezicht van de Verkoper. Het gezicht dat ook Caius even had gezien.

'Iedere wereld en ieder wezen heeft zijn eigen munt. Op deze regel is het hele universum gebaseerd,' vervolgde hij na een paar seconden. In dat korte ogenblik zag de Cid verbijsterd hoe gemakkelijk de Verkoper die smerige wezens onder de duim hield.

'Elke munt heeft zijn eigen prijs en ik ken elke prijs. Ik wil niet opscheppen, maar ik ken elke prijs, van elke willekeurige herinnering. Denk daar maar even over na.'

Hij wees naar het snikkende wezen op het podium. Herr Spiegelmann had bijzonder kleine handen, wit als porselein, met lange benige vingers. Zijn vingers waren, op de duim na, allemaal even lang.

'Kun je nagaan wat een eer het is voor mij, aan een van jullie broeders te geven wat hij zo begeert...'

De menigte Caghoulards was door het dolle heen en kreunde van blijdschap.

'... iets waar jullie – trouwe, bijzondere en buitengewoon liefdevolle medeavonturiers – voor zouden moorden.'

Het gekreun werd geschreeuw.

'Elkaar zouden afmaken!'

Het geschreeuw werd gegil.

'Zonder blikken of blozen!'

Een aardbeving.

Een gebaar en de aardbeving werd teruggebracht tot het geluid van klapperende vlindervleugels.

'Een naam,' fluisterde Herr Spiegelmann, 'dat is wat jullie verlangen. Jullie willen een bijzondere naam. Een die jullie verbindt met de Meester.'

De Zwartgekapten begonnen te springen, in extase.

'Een naam!' gilde Herr Spiegelmann, terwijl hij zich omdraaide naar de Caghoulard bij het schavot, de enige die doodstil stond. 'Wat is er lieflijker, nuttiger, kostbaarder, geweldiger, zeldzamer, belangrijker en mooier dan een naam?'

Hij aaide even het gebogen hoofd van de Caghoulard.

De menigte bleef stil en wachtte af wat er ging gebeuren.

'Een naam moet je verdienen. Met bloed, zweet en tranen. Door te doden en te verscheuren, maar vooral door mij te gehoorzamen.'

'Mann... Mann... Mann... Mann...' jankte de menigte opnieuw.

De man liet hen begaan en was in zijn nopjes door het geluid dat ze voor hem maakten. De Cid daarentegen, werd er kotsmisselijk van. Uiteindelijk liet de man hen met een minuscuul gebaar ophouden.

'De Meester weet altijd wie ergens om mag vragen en wie niet. Dat weten jullie Caghoulards maar al te goed, want dat staat in het pact,' sprak hij, alsof hij voor een of andere commissie met geleerden stond.

'De Meester houdt zich altijd aan het pact. Hij vergist zich nooit, dat ligt niet in zijn aard.'

Een pauze.

'Hoe komt het dan...' zijn woorden echoden door de zaal, '... dat hij niet gehoorzaamd wordt door iemand die het kostbaarste geschenk heeft ontvangen? Bellis!' bulderde hij.

Bij het horen van zijn naam, richtte de ongelukkige Caghoulard zijn hoofd op.

'Bellis...'

De Verkoper aaide over zijn smerige schedel en trok er een dot vlassig haar uit. Het maakte een vreselijk geluid. Hij toonde de bloederige dot haar aan de menigte.

'Bellis, waarom?'

Alle Caghoulards waren geschrokken en luisterden aandachtig.

De Cid kon niets anders dan staren naar dat wat opeens op die witte handpalmen was verschenen: drie speelkaarten met op alle drie een afbeelding. Eén van een vrouw en twee van een man. Een van de twee mannen had twee kruizen in zijn nek getatoeëerd. Op het gezicht van de andere man en op dat van de vrouw stond een dikke X.

'En een jongetje,' fluisterde de man met een grimas. 'Een onderkruipsel. Kostbaar, nietwaar Bellis?'

'Kostbaar,' jankte het schepsel. 'Kostbaar.'

'Drie makkelijke doelwitten.'

Stilte.

'Drie mensen die je om moest brengen.'

Opnieuw stilte.

'De fout die Bellis gemaakt heeft, beste allemaal, is ijdel zijn. Bellis heeft iets geprobeerd en dat was niet wat de Meester hem heeft opgedragen. Dat is verkeerd, beledigend zelfs.' De menigte bromde instemmend. 'Bellis heeft geprobeerd onder de opdracht uit te komen. Hij heeft niet gedaan wat ik hem heb opgedragen en is niet als lijk teruggekomen, zoals de andere Caghoulards. Bellis is gevlucht voor de vijand en dat is een belediging voor jullie en erger nog, voor de Meester.'

Een golf van geroezemoes.

'Welke straf staat er op het beledigen van de Meester? Hoe wordt iemand gestraft die, zoals Bellis, niet doet wat hem opgedragen is? Die gevlucht is? Die gefaald heeft?' Hij sprak de laatste woorden uit alsof ze vergiftigd waren.

'Hoe moet hij boeten? Moet hij zijn leven geven?' De Verkoper vervolgde fluisterend: 'Ik vind dat zijn leven te weinig waard is.'

Stilte.

Herr Spiegelmann draaide zich naar het trillende wezen dat langzaam begon te beseffen dat hij hier aan zijn einde zou komen. Hij spuugde en maakte geluiden met zijn keel.

'Bellis heeft geen naam meer. Bellis bestaat niet meer,' strafte de Verkoper. 'Ik wil dat hij iemand wordt zonder identiteit, zonder naam. En ik wil dat zijn gezicht onherkenbaar wordt. Laat hem leven, maar zonder gezicht en zonder naam.'

Toen bulderde Herr Spiegelmann zo hard dat de Cid zijn ogen dichtkneep: 'Eet zijn gezicht op!'

'Cid...'

'Nee,' jammerde hij.

Zijn blinddoek werd hardhandig van zijn hoofd gerukt. Hij keek recht in de munten zonder irissen en pupillen.

'Cid. Goed.' Hij glimlachte. 'Weet je nog hoe ik heet?'

'Nee.'

'Nee?' vroeg de ander zichtbaar teleurgesteld. 'Weet je niet meer wat we samen gedaan hebben? Weet je echt niet meer hoe ik heet?'

'Ik...' hakkelde de Cid. Het maanvormige gezicht kwam zo dichtbij, dat hij uiteindelijk zijn eigen gezicht in die afschuwelijk spiegelende munten zag.

'Ik...'

'Misschien moet ik je een hint geven.'

De Verkoper strekte zijn hand uit. Zijn hand werd een vlinder, de vlinder een duif. De Cid verstijfde. De duif werd een inktvis en de inktvis een vormloos, glibberig wezen.

De Cid wilde absoluut niet dat die hand hem aanraakte.

'Herr Spiegelmann!' schreeuwde hij toen de weerzinwekkende hand nog maar een paar millimeter van hem verwijderd was.

'Herr Spiegelman, de Verkoper. Ik weet het weer, ik weet alles weer! Raak me niet aan, raak me niet aan, raak me...'

'Ik zal je niet aanraken, of je moet er om vragen.' Hij was even afgeleid en stapte opzij. Net genoeg om de Cid een blik te laten werpen op de toegetakelde Bellis.

'Wij vertrouwen elkaar, nietwaar? Wij respecteren elkaar en zijn geen tweederangs schepsels die niet luisteren, zoals zij.'

'Ja, ja, nee,' antwoordde de Cid.

Herr Spiegelmann klapte in zijn handen. 'Goed zo. En je broer, Paulus, herinner je je hem nog?'

De Cid knikte. 'Is hij dood?' vroeg hij.

'Dat ligt eraan,' antwoordde Spiegelmann geheimzinnig. 'Wat is het leven van je broer je waard?'

De Cid voelde hoe de tranen over zijn wangen stroomden. Bittere tranen van spijt. Hij slikte een paar keer voor hij antwoordde: 'Ik... Ik begrijp het niet.'

De man met de cilindervormige hoed zette een stap dichterbij. *Do ut des.* Laten we onderhandelen. Hou je van onderhandelen, Cid?' vroeg hij. 'O, ik ben verzot op onderhandelen!' riep hij uit, zonder op antwoord te wachten. 'Het is mijn lust en mijn leven, als je het per se wilt weten.'

Hij strekte zijn hand uit en liet een munt op het topje van zijn wijsvinger balanceren. De munt straalde als een ster.

'Ik vraag het nog één keer. Het is heel eenvoudig, Cid. Concentreer je alsjeblieft.' Hij ademde diep in en herhaalde bijna zingend de vraag. 'Wat is het leven van je broer je waard, Cid?'

De Cid hoefde niet na te denken. 'Alles,' antwoordde hij in een zucht.

Herr Spiegelmann glimlachte. 'Dat is het juiste antwoord, Cid. De regels zijn eenvoudig. Volg ze op en denk niet na. Gehoorzaam en je zult je broer gezond en wel terugzien.'

De ogen van Spiegelmann rekten uit tot een hele horizon en verspreidden een penetrante geur. De Cid rilde en begon opnieuw te huilen.

'Tranen,' fluisterde Herr Spiegelmann. 'Zo kostbaar, zo waardevol. Tranen om een contract te bekrachtigen. Ja, tranen.'

'Tranen!' bulderden honderden jubelende Caghoulards.

10

Dent de Nuit was vlak bij Montmartre. Rue de Dames, de hoofdstraat van Montmartre, met haar bonte etalages, duistere kraampjes, kleine Chinese supermarkten, uitnodigende banketbakkerijen, gezellige cafés en onmisbare winkels met snuisterijen en prullaria kwam uit op de Chroniquesboulevard in Dent de Nuit. Hier was weinig meer te merken van de Boheemse gezelligheid van Montmartre.

Dent de Nuit was een wonderlijke plek vol tegenstrijdigheden. De Chroniquesboulevard was een lange straat met flatgebouwen waar mensen woonden die niet werkten, maar hun dagen aanpasten aan de tv-gids. Mannen en vrouwen die uit bed kwamen om vervolgens te gaan zitten en pas weer om zes uur 's avonds op te staan. Simpele mensen die er vaak van overtuigd waren dat ze aan de rand van Montmartre woonden, of tegen Marais aan.

De Chroniquesboulevard was een soort kleine snelweg die de stad doorkruiste. Druk en lawaaiig vanaf de aanleg in de jaren vijftig, toen een agglomeratie van kleine achttiende-eeuwse huizen omgeven door lariksen plaats moest maken voor dit gevaarte van asfalt en cement.

De Chroniquesboulevard liep dwars door Dent de Nuit, kruiste aan de noordoostkant de beruchte rue Guignon, een straat met kinderhoofdjes die voor de helft bezaaid lag met vuilnis en kwam, na de splitsing met rue Clive Barker, uit in rue Félix. De straat vol breinbrekende schilderingen.

Rue Guignon was berucht omdat Baudelaire, die syfilis had, hier zijn laatste en fatale vrijpartij had gehad. Een roddel die, net als alle andere, nergens op was gebaseerd en was bedoeld om toeristen met een slechte smaak, gekken en aanstormend dichttalent aan te trekken.

In de zevenhonderd meter van rue Guignon naar rue d'Auseil bevonden zich bijzonder veel steegjes, buiten hun oevers getreden sloten en huizen zonder nummer. Kortom, de perfecte verblijfplaats voor criminelen, einzelgängers en ander gespuis.

Rue d'Auseil nummer 13 sprong iedere voorbijganger, zelfs als hij liep te dagdromen of verzonken was in droevige herinneringen, meteen in het oog. Het was niet te missen. Het was een oud, maar niet vervallen gebouw dat meerdere malen gerestaureerd was, met vier verdiepingen en muren die nog dateerden uit de tijd van Napoleon III. Het was een opvallende mengeling van stijlen, met iets van art nouveau in de afwerking en een vleugje modernisme in het raamwerk. Ronde, zwartmetalen balkons, smalle, hoge kozijnen, aluminium dakgoten en dakramen met opvallende versieringen die leken op kerkrozetten. Onder het aflopende dak bevonden zich verlaten vogelnesten. Erboven vlogen krassende kraaien.

In het souterrain stond iemand te koken. De geur was betoverend. Het was de eerste ochtend van de winter en Caius bevond zich op een vreemde plek, die warm was maar onaangenaam. Hij mompelde nog wat in zijn slaap en deed toen zijn ogen open. Hij snoof de geur van koffie op. Zijn lichaam snakte naar energie. Het koffiearoma deed hem denken aan de zondagochtenden met zijn ouders. Zijn angst bracht hem terug in de werkelijkheid.

Door een klein raam boven zijn hoofd scheen wat licht. Het schijnsel was blauwgrijs, koud en verlichtte een brede kamer vol muurschilderingen. Het was geen echt appartement, maar een leeggeruimd souterrain dat bewoonbaar was gemaakt. Het was er muffig, maar niet vies.

Caius lag op een stretcher, onder warme, zachte dekens. Het kon zeven uur 's morgens zijn, maar ook twaalf uur 's middags. De dekens roken alsof ze pas waren gewassen. De frisse geur deed Caius opnieuw aan huis denken.

Twee mannen zaten aan tafel te smoezen en zagen er afgepeigerd uit. Buliwyf droeg nog steeds het giletje maar had zijn rode jas uitgedaan. Gus dronk het flesje bier dat hij in zijn verbonden hand had met grote teugen leeg. Gus leek het rustigst van de twee mannen. Buliwyf onderstreepte zijn woorden met gebaren en liet zijn tanden zien.

Caius rilde. Hij herinnerde zich nog levendig wat Buliwyf met die handen en tanden gedaan had en waarin ze waren veranderd. Caius wendde zijn blik af.

De mannen hadden niet gemerkt dat de jongen wakker was, de vrouw wel. Caius had nog nooit zo'n mooie vrouw gezien. Zelfs niet in modetijdschriften of Hollywoodfilms. Ze was niet alleen knap of aantrekkelijk, zoals actrices en modellen die hun oneffenheden camoufleren met make-up en de juiste poses aannemen; deze vrouw was mooi als een prachtige, wonderlijke herfst of een adembenemende zonsondergang.

Terwijl Caius naar haar keek voelde hij haar rust en sereniteit, maar ook iets breekbaars en droevigs. Ze was jong en had een eindeloze bos lange blonde haren. En dan die ogen... zoiets blauws had Caius nog nooit gezien. Maar ook nog nooit zoiets triests.

'Ik heb iets te eten voor je gemaakt. Hou je van pannenkoeken met jam?'
Haar stem klonk als het ruisen van een graanveld.
'Wie ben jij?' kon Caius met moeite uitbrengen.
De vrouw lachte.
Caius werd verlegen van haar lach.
'Ik ben Rochelle,' antwoordde ze.
'Welkom terug,' zei Buliwyf.
Gus zweeg en bleef met zijn rug richting Caius zitten.
'Ik...'
'Je bent flauwgevallen. Niet meer dan begrijpelijk,' vatte Buliwyf de gebeurtenissen van de vorige nacht samen.
'Waar zijn we?'
'Bij mij thuis. Rue d'Auseil 13,' antwoordde hij.
Caius haalde zijn schouders op. 'Nog nooit van gehoord.'
Rochelle zette een beker warme melk en een bord voor zijn neus.
'Dat verbaast me niets,' zei ze, terwijl ze ging zitten. 'We zijn in Dent de Nuit. Heb je daar weleens van gehoord?'
Caius had er eerder van gehoord, maar was moe en schudde alleen zijn hoofd. Toen stortte hij zich op de pannenkoek.
Rochelle lachte en Caius bloosde.
'Het is niet ver bij Montmartre vandaan.'

Na het ontbijt gaf Rochelle Caius wat kleren en een paar gymschoenen en wees hem de badkamer, waar hij dankbaar gebruik van maakte.

Rochelle had naar hem gelachen toen ze wegliep, maar bewaarde de rest van haar genegenheid voor Buliwyf. Die twee hielden van elkaar, dat was duidelijk. Zo'n sterke aantrekkingskracht kon niemand ontgaan en kon misschien niet ongestraft bestaan. Caius had gemerkt dat beiden verdrietig werden als ze elkaar aankeken, alsof ze aan iets tragisch dachten.

Hij schaamde zich, alsof hij zijn neus in hun privézaken had gestoken en waste zijn gezicht met koud water. Vervolgens poetste hij, zo goed als dat ging, met zijn vinger zijn tanden en wurmde zich eindelijk uit zijn pyjama, die bedekt was met modder en aangekoekt bloed. De kleren die Rochelle hem had gegeven waren bijna allemaal zijn maat, behalve het vest, dat te breed was voor zijn schouders en te lang voor zijn armen. Caius stroopte de mouwen op tot aan zijn ellebogen. De schoenen waren gelukkig wel zijn maat. Toen hij bukte om zijn veters te strikken, hoorde hij Gus en Buliwyf tegen elkaar schreeuwen. Ze maakten ruzie.

'Ik vind dat je moet gaan,' bulderde Gus nog harder dan normaal.

'Er zijn er meer die kunnen gaan.'

'Wie dan?'

'We kunnen toch even rondbellen?'

'Bellen is geen goed idee. Je kunt beter naar hem toe gaan.'

'Ik vertrouw Suez. Hij weet waar mijn schuilplaats is. Hij kan ook hier langskomen. Dat vindt hij vast niet erg.'

'Natuurlijk vindt hij dat niet erg, maar dat zou opvallen en te gevaarlijk zijn. Ze zouden elk moment kunnen komen.'

'Het is veilig hier in mijn huis,' protesteerde Buliwyf.

'Het is nergens veilig. Dat heb jij toch ook gemerkt?'

Een onaangename stilte.

Caius hield zijn adem in. Zijn hart bonkte in zijn keel.

'Ik begrijp niet hoe ze je hebben kunnen vinden.'

'Ik ook niet. Ik zweer je dat...'

'Dat weet ik toch. Ik ken je. Ze kunnen je niet zijn gevolgd.'

Gus lachte geforceerd. 'Ik verstop me nu al weken daar beneden. Ik ga alleen 's nachts naar buiten en alleen als het echt niet anders kan. Laatst vertelde je me dat iedereen in paniek was. Denk je dat dat al veranderd is?'

'Wat ik niet begrijp,' zei Buliwyf met een lage, agressievere stem, 'is waarom je mij niet om hulp hebt gevraagd.'

'Ik was halfdood.'

'Des te meer reden om mij om hulp te vragen. Wij wisten niet waar we het moesten zoeken.'

'Het scheelde weinig, maar ik leef nog.'

'Rochelle en ik hadden je kunnen helpen.'

'Het heeft geen zin om het er nu nog over te hebben.'

Buliwyf sloeg met zijn vuist op tafel. 'Juist wel! Charlie en Emma zijn dood. Jij was er ook bijna geweest. En de jongen... Weet je zeker dat hij het is?'

'Dat weet ik zeker. Hij heeft dit bij me gedaan.'

'Je moet me vertellen wat er allemaal gebeurd is. Hoe, wat en waar. Alle details.'

'Niet nu. Jij moet gaan praten met Suez. Op onderzoek uit gaan. Die diefstallen kunnen belangrijk zijn. Daar moeten we meer over te weten komen. Nu.'

'En de jongen?'

'Daar zal ik voor zorgen. Zo slecht ben ik er ook weer niet aan toe.'

'Je moet rusten. Je bent gewond.'

'Ik ga pas slapen als dit allemaal achter de rug is.'

'Misschien wel nooit dus,' zei Buliwyf somber.

'Dan moet ik er maar aan wennen.'

'De jongen zal vragen gaan stellen. We moeten met hem praten. Hem het een en ander uitleggen.'

Gus' schaterlach deed Caius opspringen. 'Wat moeten we hem vertellen, Buliwyf? Wat?'

Het duurde even voordat Buliwyf antwoord gaf.

'Ik weet het niet.'

'We hebben er geen tijd voor en hij zou het niet begrijpen.'

Weer was het stil.

Toen zei Gus: 'We moeten erachter komen wat er gaande is. Ga naar Suez.'

Rochelle liep snel van de keuken naar de kamer en liet wat brood, een blikje cola voor Caius en een flesje bier voor Gus op tafel achter. Ze nam zelfs niet de tijd om de deur achter zich dicht te doen.

Gus had die ochtend behalve een kop koffie alleen maar bier, wijn en cognac gedronken. Hij had systematisch alle alcoholische dranken uit de koelkast gehaald en een groot aantal sigaretten gerookt. De hele kamer stonk ernaar. Af en toe mompelde hij in zichzelf en sloeg hij met zijn vuist op tafel. Hij leek wel een gek die ruzie maakte met spoken. Caius hoorde een aantal keer de namen van zijn ouders voorbijkomen.

Emma en Charlie.

Caius moest weer denken aan wat er was gebeurd. Het deed pijn, alsof zijn ziel bloedde. De angst, onzekerheid en twijfel die hij eerder voelde, waren weer terug. Hij verbrak een aantal keer de stilte en stelde Gus wat vragen, maar kreeg als antwoord alleen onbegrijpelijk gegrom. Toen hij aanhield, begon de man te schelden.

Caius gaf het op.

De tijd gleed in stilte voorbij. Gus zat aan tafel te roken en van zijn biertje te nippen en Caius lag op de stretcher na te denken. Hij had niet alleen vragen en een angstig gevoel overgehouden aan die nacht, maar ook blauwe plekken en kneuzingen. Hoewel hij zich wel beter voelde door het ontbijt van Rochelle, kon hij, afgepeigerd als hij was door al dat gepeins, niet zo gemakkelijk in slaap komen als hij hoopte. Iedere kleine beweging veroorzaakte een pijnscheut. Nu eens in zijn schouder, dan weer in zijn rug of in zijn benen. Stilliggen was geen optie. Hij kon niet langer dan vijf minuten op één manier blijven liggen, omdat zijn wonden dan begonnen te branden en te zeuren, dus bleef hij maar piekeren en draaien.

Net zoals een tong altijd zijn weg vindt naar een kies met een gaatje en een nagel niet van een korstje af kan blijven (schreef een groot dichter), zo kwam hij steeds bij dezelfde herinnering uit. Bij de meest pijnlijke herinnering. Die van het onweer; het gebroken raam; de Aanvreter met zijn roze ogen, die vermoord werd door de uitdijende dageraad, de Caghoulards en het mausoleum. Hij dacht aan Buliwyf, aan zijn ouders, aan wat er op school was gebeurd, aan Pierre en Victor en aan de lol die ze altijd hadden, aan de gewone dingen die hij miste en nooit meer terug zou krijgen, en natuurlijk aan Herr Spiegelmann. Hij kon niet ophouden met piekeren en het versneld afspelen van zijn herinneringen.

Hij werd steeds droeviger en nijdiger. Uiteindelijk besloot hij actie te ondernemen. Zodra hij het sonore gesnurk van Gus hoorde, zag hij zijn kans schoon.

11

Voorbijgangers schonken geen aandacht aan de magere jongen met het veel te grote vest en als ze al naar hem keken was het vluchtig, omdat het regende en ze op moesten passen niet in kuilen of plassen te stappen. Er hing iets onaangenaams in de lucht. Iets wat de mensen haastig en paniekerig maakte. Ze liepen snel, die eerste winterdag.

Eenmaal aangekomen bij het huis waarin hij was geboren en opgegroeid, rue des Dames 1, stond Caius verbijsterd stil. Hij had genoeg detectiveseries gezien om te begrijpen dat er iets niet klopte.

Hij had er vaak over gefantaseerd hoe het zou gaan. Ontsnapt aan Gus en aangekomen in rue des Dames, zou hij de politie aantreffen. Echte politieagenten, niet Jack Bauer of commissaris Florent. Eén persoon met een uniform en een penning was genoeg. Hij zou zich alleen hoeven voorstellen en alles zou voorbij zijn. De zaak zou in handen komen van mensen die wisten wat ze deden en hij zou zijn oude leventje terugkrijgen. De politie zou alles oplossen.

De gedachte dat alles goed kwam en de angst dat Gus wakker was geworden en hem op de hielen zat, gaven hem vleugels. Hoe verder hij was verwijderd van Dent de Nuit, hoe meer hij ging geloven dat wat Gus en zijn vrienden hem hadden verteld leugens waren. Zijn ouders waren niet dood. En er bestond evenmin een wijk met zo'n vreemde naam. Aanvreters en Caghoulards? Allemaal hersenspinsels.

Er stond niemand voor zijn ouderlijk huis. Geen politieagenten of politiewagens met zwaailichten, alleen een koerende duif.

Caius gaf de hoop nog niet op. Hij zwaaide wild naar de oude vrouw in het portiershokje om haar aandacht te trekken, in de hoop dat ze haar tijdschrift neer zou leggen en de deur open zou doen. Toen dit niet gebeurde, veegde hij zijn haar uit zijn gezicht en ging buiten adem voor de grote deur staan.

'Caius Strauss,' riep de oude dame en deed de deur open.

Ze heette Maxime, was breder dan dat ze lang was en had altijd iets te snoepen bij de hand. Ze droeg elke dag een bloemetjesjurk en deed niets anders dan klagen over het weer. Het leek haast wel haar hobby. Scheen de zon, dan was het te warm. Was het winter, dan was het weer te koud. Het stelde Caius gerust dat de forse oude dame er was.

'Caius. Strauss,' kraakte de vrouw en knikte naar hem. Ze zag er slecht uit. Misschien was ze ziek.

'Gaat het wel goed met u, mevrouw Maxime?' vroeg hij geschrokken.

'Caius Strauss. Caius,' herhaalde de oude vrouw.

'Wilt u dat ik iemand voor u haal?'

Ze keek hem met lege ogen aan. 'Caius. Strauss. Caius.'

Er was geen teken van leven meer te herkennen in haar ogen.

'Mijn... ouders. Mevrouw Maxime, de politie...?'

De vrouw stonk. Voornamelijk naar zweet, maar ook naar ontlasting. 'Caius. Strauss. Caius. Caius. Strauss.' De oude vrouw wiebelde op haar kruk, terwijl ze zijn naam mompelde. 'Caius Strauss. Caius Strauss.'

De stank maakte hem misselijk. De vrouw leek alleen nog maar zijn naam te kunnen herhalen. Het had geen zin haar nog langer te ondervragen, hij kon beter boven een kijkje gaan nemen. Met twee treden tegelijk sprintte Caius de trap op. Hij kwam niemand tegen in het trapportaal. Het gebouw leek onbewoond. Hij hoorde niets. Zelfs zijn voetstappen waren geruisloos. Hij had nog sterker het gevoel dat het allemaal niet echt gebeurde dan toen hij op de begraafplaats was.

'Hou op,' zei hij tegen zichzelf en hij versnelde zijn pas.

De deur van zijn woning stond op een kier. Caius meende binnen stemmen te horen. Het was er koud en het stonk er naar rottend vlees. Net zoals mevrouw Maxime, maar dan duizend keer sterker. Niemand was de lijken weg komen halen. Caius bleef op de drempel staan. Hij rook meteen de stank van de verbrande Aanvreter en voelde de wind in zijn gezicht. De ramen waren nog open. De politie was in geen velden of wegen te bekennen. Er zaten geen sporen van modder op de vloerbedekking, de kamers waren niet afgezet met rode linten en nergens zaten sporen van een zoektocht naar vingerafdrukken. Ook lagen er nergens sigarettenpeuken of andere dingen. Het huis was precies zoals hij het had achtergelaten.

Precies.

Versplinterd hout en kalkgruis. Caius snikte.

'Mama?' riep hij. 'Papa?'

Aan het eind van de gang lag de nagloeiende Aanvreter.

'Ik ben het,' riep hij luidkeels, in de hoop zijn angst te boven te komen.

Niemand antwoordde. Zijn hart begon sneller te kloppen. Zijn lichaam wilde daar weg, maar Caius dwong zich verder te lopen. Hij moest het met eigen ogen zien.

Hij liep voorbij zijn kamer, voorbij de badkamer. Langs de studeerkamer waar zijn moeder graag zat te breien en zijn vader zich door de administratie heen werkte. Aan de muur hing een foto van het hele gezin. Alle drie lachten ze breeduit. Het was een oude foto; Caius miste zijn voortanden.

Vlak bij de slaapkamer van zijn ouders stopte Caius plotseling.

'Mama?'

Nog een stap. Hij verloor bijna zijn evenwicht over de stukken hout en glas die op de grond lagen, maar had het niet door.

Hij zag een voet op de grond liggen. Een voet die vast zat aan een zachte kuit met een kous. Zijn blik werd naar het been getrokken. Hij liep nog iets verder naar voren. Hij zag de blote knie en de blauwe adertjes op haar huid. Daarna viel zijn oog op de blauwe ochtendjas die ze aan had. Caius keek naar haar gezicht.

'Mama?'

Haar gezicht was een masker geworden waar haar pijn van af te lezen was. Haar mond stond nog open, zoals het wezen dat haar gekust had, haar had achtergelaten. Caius deed zijn handen voor zijn oren, maar herinnerde zich toen opeens wat Gus had gezegd: 'De Aanvreter geeft een kus. Een kus, jongen. Maar niet zomaar een kus.'

De huid om haar wonden lag open, als slierten algen. Er zat een soort schuimkop op. Caius kon niet wegkijken.

Opnieuw de stem van Gus in zijn hoofd: 'Met die kus vergiftigt hij zijn prooi. Het gif stroomt meteen door het hele lichaam. Er is geen ontsnappen aan.' Caius kreeg geen lucht meer.

Hoe meer hij keek, des te gruwelijker werd de scène voor zijn ogen. Met de stem van Gus in zijn hoofd vormde zich langzaam het beeld van het moment waarop zijn moeder was gestorven. Ze had geprobeerd zich te verweren en had teruggevochten. Op haar armen waren duidelijk de wonden te zien die de Aanvreter had veroorzaakt.

'Botten en spieren lossen op, maar zenuwen niet. Weet je wat dat inhoudt? Dat houdt in dat het gif je vlees aantast als zoutzuur terwijl je zenuwen nog werken. Het is afgrijselijk... Het slachtoffer schreeuwt het uit van de pijn.'

Caius reutelde als een gewond dier.

'Het slachtoffer schreeuwt het uit van de pijn.'

'Niet waar...'

Bestond dat lijk, dat stonk naar geroosterd vlees, riool en hel niet? Bestond dat lijk van zijn moeder niet? Rotte haar vlees niet? Rook het niet naar dood en verderf in zijn ouderlijk huis?

'Genoeg!' schreeuwde Caius. 'Genoeg!'

Maar het was niet genoeg. Er vielen hem steeds meer bijzonderheden op. Enorm veel vreemde en pijnlijke bijzonderheden. Hij zag hoe het bandje van zijn moeders beha van haar schouder af was gegleden en hoe ze er bijna provocerend bij lag. Zo liep ze er in zijn aanwezigheid nooit bij.

Haar vingers waren samengetrokken. Het was overduidelijk dat ze uit wanhoop haar nagels in het parket had gedrukt, want de afdrukken en krassen waren nog te zien. Hoe hevig moest de pijn wel niet zijn geweest, als ze zelfs haar nagels in de houten vloer had gedrukt? Welk lijden was zo erg dat een paar tot de wortel gescheurde nagels ook niet meer uitmaakte?

Ontkende Caius dat dit was gebeurd? Wilde hij doorgaan met ontkennen? Het was overduidelijk. Werkelijk. Wilde hij nog meer zien? Had hij niet genoeg gezien? Hij hoefde alleen zijn ogen ergens anders op te richten. Op het bloed, liters bloed. Om uiteindelijk uit te komen bij...

Caius schudde wild zijn hoofd. 'Nee.' Hij hield zijn hand voor zijn mond. 'Nee.'

Hij zag het bed. Nog meer bloed. Hij bleef het bloedspoor met zijn ogen volgen, als een adelaar. Zijn blik stuitte wederom op een vreselijk tafereel. Op het bed lag een man, Caius herkende hem slechts met moeite. Het was een dode man, met opengereten armen.

'Nee.'

Caius liet zich op de grond vallen.

'Nee!'

Al dat bloed om hem heen maakte de situatie zo werkelijk dat het voelde alsof hij zelf ook stierf. Met zijn vinger streelde hij zachtjes de huid van zijn moeder. Ze was koud. Zo onvoorstelbaar koud dat hij wilde dat hij haar niet had aangeraakt. Zijn ouders waren dood.

'Nee!'

Ze waren dood. Vermoord. Afgeslacht.

Voordat Caius bezweek onder zijn verdriet en pijn, lukte het hem in gedachten een laatste logische, koude en concrete zin te formuleren: Alleen ik ben nog over.

Toen stortte hij in.

12

Het waren twee wezens die misschien ooit mensen waren geweest, maar nu tot de categorie monsters behoorden. Net zoals de Aanvreters, de Caghoulards en de Kalibaan. Die laatste had Caius vooralsnog niet gezien.

Het zouden ooit mensen kunnen zijn geweest, want ze hadden nog steeds menselijke lichaamsdelen en verhoudingen. Twee armen, twee benen, een romp en een hoofd. Blauwige littekens doorkliefden hun ledematen.

Nu waren het geen mensen meer.

Ze belichaamden de Wreedheid en waren naakter dan naakt, omdat hun lichamen ontveld waren. Ze hadden geen uitdrukking. Ze hadden geen gezicht en geen ogen, alleen twee oogholtes. In deze oogholtes zat iets wat leek op een pauwenstaart. Dit waren de Gruwelaars waar Buliwyf en Gus over hadden gesproken.

'Caius Strauss,' riep een van de Gruwelaars uit.

Ze gunden hem niet eens een laatste moment met zijn overleden ouders. Ze staken hun nagels in zijn vlees en tilden hem op. Vervolgens sleurden ze hem door de glasscherven en over de Caghoulardkadavers die door de gang verspreid lagen. Ze vermorzelden wat over was van de voordeur en kwamen uit in het stille, lege trapportaal.

Caius probeerde de wezens tevergeefs van zich af te schoppen. De twee Gruwelaars lieten hem begaan. Zij waren zo overweldigend veel sterker, dat Caius' pogingen zich van hen los te maken haast aandoenlijk waren. Toen de twee Gruwelaars in het trapportaal stonden, twijfelden ze toch even. Caius kon hun gedachten bijna door hun hoofd horen gonzen.

Ze waren ergens van geschrokken. De jongen kon hen voelen trillen.

Opeens hoorde hij een ritmisch geluid dichterbij komen.

Doenk. Doenk. Doenk.

Er stommelde iemand langzaam de trap op.

Doenk. Doenk. Doenk.

Hout tegen steen. Het was iemand met een stok.

Een van de Gruwelaars sprak: 'Pilgrind.'

De ander herhaalde het vreemde woord: 'Pilgrind.'

Ze lieten Caius op de grond vallen. Toen hij zijn hoofd optilde, keek hij recht in het gezicht van de vreemdeling met de stok. De twee Gruwelaars knielden en smeekten de man om genade.

Veel mensen zweerden op alles wat hen heilig was, dat er iets ergs ging gebeuren als de Baardman in de buurt was. Het was duidelijk dat deze zogenaamde ooggetuigen pochten over iets wat ze nooit konden weten of gehoord konden hebben. Het waren immers dronkaards, dichters, nietsnutten en ander schorriemorrie. Niemand vertrouwde deze mensen informatie toe. Toch lukte het een slinks deel van deze groep om twijfel te zaaien.

Er werd beweerd dat de Baardman door de buitenwijken zwierf en niet gespot of lastiggevallen wilde worden. Verder werd beweerd dat hij, alleen maar door langs te lopen, het licht van lantaarnpalen en neonreclame doofde. Eén zogenaamde ooggetuige pretendeerde zelfs dat de Baardman, wanneer hij niet herkend wilde worden, de schaduwen verzocht hem als een deken te bedekken en hem op die manier onzichtbaar te maken.

Dit waren nog de minst spraakmakende legendes die over de man de ronde deden. Er waren ook mensen die verklaarden dat de man overal waar hij kwam dood en verderf zaaide. Dat beweerden de meesten, eigenlijk.

De Baardmanlegendes waren meestal niet duister of vervuld van haat, er sprak eerder respect en bewondering uit. Als de man een demon was geweest die uit de hel was opgestegen, zou zijn beeltenis gebruikt worden als schrikbeeld, als een soort boeman.

Er waren gekken die zijn naam gebruikten als mantra of gebed om van hun psychische ziektes, nachtmerries of angsten af te komen. Ze eerden zijn komst met allerlei soorten offers. Met kikkers, vergoten tranen, of door te vasten.

Het was dus niet zo vreemd dat dwazen joelden en katten jankten als de Baardman met zijn lange, natte jas en vurige blik uit het niets verscheen. Uitzinnigen noemden hem bij zijn vele namen. Baardman was er slechts één van. Pilgrind was zijn roepnaam en betekende zoiets als Redder.

Caius' hart klopte in zijn keel.

Doenk.

Hij had die enorme kerel al eens eerder gezien. Hij kende die knokige lange vingers die hij om de eikenhouten stok klemde en die groene, versleten jas. Ook die vette, vieze, rossige baard, vol klitten kwam hem behoorlijk bekend voor. En ten slotte die scheve glimlach en dat schrale gezicht.

Er verscheen een enorme grijns op het gezicht van de Baardman. Zijn rotte maar bijzonder rechte tanden glommen in het halfduister van het trapportaal. Déjà vu. Weer dat gevoel van herkenning. Hij had deze man al eens eerder gezien. Caius was bang en had het koud. Hij staarde naar Pilgrind en was, ondanks zijn dreigende uiterlijk, minder bang voor hem dan voor de geknielde Gruwelaars.

Pilgrind had een scheel oog, dat doorkliefd werd door een diep, slecht geheeld litteken. Met het andere oog, dat ijsblauw was, nam hij de twee Gruwelaars doordringend op. Hij zette zijn stok neer.

Doenk.

Toen de stok neerkwam trilde het huis op zijn fundering. Muren schoten naar achteren en veerden weer terug naar waar ze eerst stonden. Kozijnen kraakten, ramen sneuvelden en verbraken de stilte in rue des Dames.

De twee Gruwelaars lagen tegen de grond gedrukt. Hun lege oogkassen zaten vol met maden en de gekleurde pauwenstaarten waren verdwenen.

Er verscheen een grote glimlach op het gezicht van Pilgrind. 'Zo, dus jij bent nou Caius?'

'Caius Strauss.'

'Ik ben Pilgrind. Wij tweeën hebben heel wat te bespreken. Of geloof je nog steeds niets van wat je gehoord hebt?'

'Ik begrijp het niet...'

'Ik ben hier om je vragen te beantwoorden, maar voordat ik dat doe, moet jij eerst alles geloven. Heb je genoeg gezien? Ik denk van wel. Je bent rue d'Auseil ontvlucht om antwoorden te vinden. Waarom denk je dat Gus je heeft laten ontsnappen?'

Caius' mond viel open van verbazing, maar Pilgrind liet er geen gras over groeien. 'We moeten hier weg. Ik word misselijk van de stank van die twee.' Hij wees naar de Gruwelaars.

De Baardman leidde Caius naar de woonkamer, waarvandaan hij de lichamen van zijn ouders niet kon zien en dat van de Uitvreter ook niet. Hier werd Caius overvallen door een merkwaardig gevoel. Hij voelde zich verlaten, maar veilig bij deze imposante figuur.

Pilgrind zuchtte diep toen hij op de bank plofte en dat bracht Caius weer terug in de realiteit. De jongen vroeg: 'Ken jij Gus?'

'Je zou kunnen zeggen dat we al heel lang samenwerken.'

'Je zei dat...'

'Ja, hij heeft je bewust niet tegengehouden toen je wegliep.' De Baardman glimlachte. 'Of denk je misschien dat je zo'n pientere kerel als Gus te slim af kunt zijn?'

Caius werd zo rood als een tomaat. 'Ik...'

'Je hoeft je niet te schamen, Caius. Je bent geschrokken. Je ouders zijn dood en je bent helemaal alleen. Het is logisch dat je twijfelt als je in aanraking komt met...' Pilgrind krabde even peinzend aan zijn baard, '... vreemde dingen.'

'Zoals de Wissel?'

'Wil je dat ik je meer vertel over de Wissel?' vroeg Pilgrind ernstig.

Caius knikte. 'Over de Wissel en Dent de Nuit. Rochelle zei namelijk dat...'

De Baardman hield zijn hand voor de mond van de jongen. 'Eén ding tegelijk. We kunnen het niet hebben over Dent de Nuit, voordat we het over de Wissel hebben gehad en we kunnen het niet over de Wissel hebben voordat we het hebben gehad over Wisselaars. De Wissel bestaat niet zonder Wisselaars en vice versa.'

'Oké.'

Pilgrind viste een klein, donker, katoenen zakje uit zijn jaszak en haalde daar een pluk geurende tabak uit. Dit rolde hij in een stukje krantenpapier.

'De Wissel is geen magie. Misschien lijkt het zo, maar het is het niet. Magie bestaat niet. Illusies bestaan, maar magie niet. Eerst zal ik je vertellen over de Wissel van het Hier. Daarmee kunnen Wisselaars de wetten van de fysica buigen. Hoe machtiger en begaafder de Wisselaar, hoe beter en verfijnder zijn Wissel.'

Hij stopte de buidel weer terug in een van zijn vele jaszakken. 'Als je de wetten van de fysica kunt manipuleren, ben je buitengewoon machtig, dat begrijp je, hè?'

'Ja.'

Dat begreep hij maar al te goed. Hij dacht aan de uitgedijde dageraad die de Aanvreter gedood had en knikte vol overtuiging. Hij popelde om de rest te horen. Hij snakte naar antwoorden.

'Maar de Wissel eist zijn tol. Dit is een groot verschil met illusies en toverij: wie een Wissel wil produceren, moet daar iets voor opofferen.'

'Wat?'

'Het kostbaarste dat een mens bezit,' antwoordde Pilgrind theatraal.

'Het... leven?' stamelde Caius.

Pilgrind glimlachte. 'Als dat zo was, zouden er geen Wisselaars bestaan. En zonder Wisselaars bestaan er geen Wissels.' Hij stak zijn sigaret aan. De rook steeg tot het plafond en loste daarna op in het niets.

'Wat is er nog kostbaarder dan het leven?' vroeg de jongen.

Pilgrind wees naar de voordeur van het ouderlijk huis van Caius, waar de twee Gruwelaars bliksemsnel lagen te rotten.

'Gruwelaars zijn dood, maar toch bewegen ze zich voort en zaaien ze dood en verderf. Het leven wordt overgewaardeerd.'

'Dood? Nu misschien, nu jij ze hebt vermoord, maar eerst niet. Toen hadden ze mij vastgegrepen en...'

'Het is cruciaal dat je begrijpt wat de Gruwelaars zijn, als je de Wissel wilt doorgronden. En bovenal zijn prijs,' legde Pilgrind uit. 'Je bent nog jong, Caius. Misschien zelfs te jong om te bevatten wat er met je gebeurt en wat er met je gaat gebeuren in de toekomst. Ik zal het juiste antwoord geven: het kostbaarste bezit van de mens is zijn geheugen.'

Caius fronste zijn wenkbrauwen. 'Zijn geheugen?'

'Inderdaad,' bevestigde de Baardman met de sigaret tussen zijn tanden. 'Een Wisselaar kan de realiteit manipuleren in ruil voor een van zijn herinneringen. Hoe belangrijker de herinnering is voor de Wisselaar, hoe sterker en effectiever de Wissel wordt. Maar als de Wisselaar een herinnering eenmaal gebruikt heeft, dan is hij deze kwijt. De herinnering verdwijnt voor altijd uit zijn geheugen.'

Pilgrind gunde Caius even de tijd om deze informatie te verwerken en vervolgde daarna zijn uitleg.

'Als een Wisselaar een sigaret wil aansteken met een Wissel, hoeft hij alleen maar de herinnering aan bijvoorbeeld zijn ontbijt of het gesprek over koetjes en kalfjes met de caissière in de supermarkt te gebruiken. Nutteloze, onbelangrijke herinneringen die we meestal snel weer vergeten. Maar als hij een gebouw of een berg wil laten instorten moet hij daar meer voor opofferen. Geen willekeurige, onbelangrijke herinneringen, maar herinneringen die veel voor hem betekenen, zoals die aan zijn eerste liefde, of aan zijn eerste kus. En dan nog lukt het hem misschien niet een Wissel te produceren. Snap je?'

Caius dacht dat hij het begreep. 'Of de herinnering aan het gezicht van zijn moeder,' voegde hij er trillend aan toe.

'Precies.'

'Maar hij zou slechte herinneringen kunnen gebruiken!' riep de jongen plotseling uit. 'Het is juist fijn om nare dingen te vergeten, toch?'

Pilgrind hield zijn sigaret voor Caius' neus en wees er naar. 'Wil je hem even aanraken?'

'Nee.'

'Waarom niet?'

'Omdat ik mijn vingers dan brand.'

'En hoe weet je dat?'

'Omdat...'

Opeens begreep hij het. 'Omdat ik dat uit ervaring weet. Natuurlijk, daarom zijn slechte herinneringen ook belangrijk!'

'Misschien nog wel belangrijker dan goede herinneringen. Waar denk je aan, Caius?'

De jongen keek Pilgrind recht in zijn ogen en zei: 'Dat de Wissel iets afschuwelijks is.'

De Baardman knikte begrijpend. 'Veel Wisselaars kiezen ervoor hem nooit te gebruiken. Anderen daarentegen, kunnen niet meer zonder. Volg je me?'

Hij wachtte even tot Caius hem begreep. De jongen had het al snel door, bijdehand als hij was.

'Je bedoelt de Gruwelaars?'

'Ja. Gruwelaars waren vroeger ook mensen en net als jouw ouders Wisselaars. Wisselaars die al hun herinneringen hebben verbruikt, zelfs de herinnering aan de dood. Ze sterven maar weten dit niet en worden vervolgens gegrepen door andere kwaadaardige Wisselaars en gebruikt als slaven. Omdat ze al dood zijn, kennen ze geen pijn.'

'Gus heeft er vannacht twee gedood.'

'Ja, ik weet het. Hij is gewond.'

Een traan liep over Caius' wang. 'Gus zei, net als jij, dat mijn ouders Wisselaars waren. Waren ze dat echt?'

'Ja, dat waren ze zeker.'

'En ik?' vroeg Caius, terwijl hij naar zijn handen keek. 'Ben ik ook een Wisselaar?'

'Dat weten we nog niet. Er zijn manieren om daar achter te komen, tests, maar op dit moment kun je beter geen Wissel van het Hier proberen te maken. Het is te gevaarlijk.'

Caius zuchtte. Hij vond het niet erg dat hij geen Wissel mocht proberen te produceren. Hij dacht aan de Gruwelaars. Toen vroeg hij: 'Waarom heet het eigenlijk de Wissel van het Hier?'

'Omdat er ook een Wissel van het Daar bestaat, die nog gevaarlijker is. Alleen de meest onbezonnen, perverse Wisselaars produceren hem. Ze hebben hier voorwerpen voor nodig, zogenaamde Manufacten.'

Caius schrok hevig.

'Heb je daar al eens van gehoord?'

'Misschien. Ik weet het niet zeker.'

Beestachtige Literatuur. Natuurlijk, de boekhandel!

'Daar kom je zo wel achter. Een Manufact is een verwisseld voorwerp. Dit kan elk willekeurig voorwerp zijn: een dolk, een horloge of een veren poppetje. En het wordt alleen gebruikt voor akelige doeleinden.' Pilgrind maakte een gebaar in de lucht, waardoor wat as op de vloerbedekking viel.

'Stel je eens voor dat je een moordenaar bent,' ging hij verder, 'en je iemand wilt vermoorden maar niet in de gevangenis wilt eindigen, dan kun je, als je genoeg ballen hebt en een Wisselaar kent, zo een Manufact regelen. Stel, je wilt een vrouw vermoorden, dan kun je bijvoorbeeld een Manufact bestellen in de vorm van een lippenstift. De Wisselaar kan dan de Wissel van het Daar gebruiken om een eenvoudig cosmetisch product te veranderen in een perfect wapen. Alleen een Wisselaar zou de moord kunnen herleiden tot een Manufact, maar dat gebeurt niet, want er zitten geen Wisselaars bij de politie.' Pilgrind stopte de gedoofde peuk in zijn jaszak.

'Er is nog een verschil tussen de twee Wissels: waar de Wisselaars voor de Wissel van het Hier een herinnering moeten opofferen, moeten ze voor de Wissel van het Daar bloed geven en dit werkt verslavend.'

'Verslavend?'

'Ja, het werkt als een drug. Wisselaars kunnen moeilijk stoppen als ze eenmaal hebben geprobeerd een Wissel van het Daar te produceren, dus verzwakken of sterven ze bijna. Deze Wissel werkt op een slinkse manier: hij put de Wisselaars uit, maar vermoordt hen niet.' Pilgrind krabde even in zijn baard.

'Als je een Manufact gebruikt, zuigt hij een deel van je bloed uit je. Je gebruikt het omdat het enorm handig en voordelig is, maar ondertussen drinkt het Manufact jouw bloed en verzwakt je. Tot je er zo slecht aan toe bent dat je uitgeblust en broodmager op bed ligt en je geen Manufacten meer kunt produceren. Dan heeft het Manufact jou in zijn macht en word je wanhopig, totdat...'

'Totdat wat?' vroeg de jongen ongeduldig.

Pilgrind keek hem veelbetekenend aan. 'Totdat je er een eind aan wilt maken. Maar dan ben je er wel bijzonder slecht aan toe en heb je al veel Manufacten geproduceerd.'

'Vertel me nu meer over Dent de Nuit,' zei Caius.

'Dent de Nuit is hier in Parijs het toevluchtsoord van de Wisselaars.'

'Maar het staat op geen enkele kaart aangegeven. Ik had er nog nooit van

gehoord, terwijl ik er vlakbij geboren ben en gewoond heb. Hoe kan dat?'
Pilgrind keek nors. Het leek alsof zijn ogen het weinige licht in de kamer hadden opgezogen.

'Jij bent de laatste persoon op deze aardbol die zich daar druk over moet maken, Caius.'

'Maar Dent de Nuit is niet onzichtbaar. Je kunt er gewoon doorheen lopen.'

'Precies. En er wonen ook gewone mensen, arbeiders, kantoorlui en straatvegers. Dat is de grootste groep inwoners. Het geniale van Dent de Nuit is dat het bestaat, maar toch ook niet.'

Het bestaat, maar toch ook niet, dacht Caius. 'Ik heb er verschillende wezens gezien. Niet alleen Gruwelaars, maar ook Caghoulards. En een...' Alleen al de gedachte eraan deed afschuwelijk veel pijn. Hij moest zijn best doen zijn tranen te bedwingen. 'Een Aanvreter. Het schepsel dat...'

'Ik weet het.'

'Komen zij ook uit Dent de Nuit? Wat zijn het? Hebben zij ook iets met de Wissel te maken, net als de Gruwelaars?'

'Nee, de Caghoulards komen overal en nergens vandaan. Het zijn net ratten of kakkerlakken,' legde Pilgrind met donkere stem uit. 'Wij Wisselaars noemen de Caghoulards de Zwartgekapten. Het zijn smerige beesten, die geen idee hebben van hun eigen wanhoop en daarom extra gevaarlijk zijn. Het zijn eigenlijk net mensen. Misschien vinden we ze daarom wel zo walgelijk. Ze zijn vraatzuchtig en leven voor geweld. De Aanvreters daarentegen...' Pilgrind gebaarde met zijn handen, terwijl hij naar de juiste woorden zocht. 'De Aanvreters zijn wapens. Het zijn geen wezens. Ze zoeken elkaar niet op in de natuur en worden onder de duim gehouden door Wisselaars. Ze bestaan uit rottend vlees, vliegenvleugels, oud brood, ranzige melk en spuug. En uit herinneringen natuurlijk. Ze zijn het resultaat van een enorm moeilijke en duistere Wissel en worden slechts voor één doel gebruikt: om te doden.'

'Dat doen ze door hun prooi te kussen, toch?'

'Ja, met een kus.'

'Doet dat pijn?' vroeg de nieuwsgierige Caius.

Pilgrind loog niet. 'Ja, dat doet enorm pijn. Maar daarna is het afgelopen,' zei hij terwijl hij Caius over zijn bol aaide. 'Ook aan de pijn komt een einde, geloof me. Overal komt ooit een eind aan. Dat weet ik maar al te goed.'

Caius droogde zijn tranen. 'Ik heb ook een... weerwolf gezien.'

Pilgrind lachte luid. Hij sloeg met zijn handen op zijn enorme bovenbenen en liet de hele bank schudden. 'Je hebt zeker kennisgemaakt met Buliwyf?'

'Ja.'

'Buliwyf is geen weerwolf. Het is net als met magie. Weerwolf is niet de juiste benaming. Buliwyf is een Lykantroop, een wolf in de vorm van een mens, een hybride wezen. Er wordt gejaagd op de Lykantropen, daarom zijn er nog maar weinig van. Gelukkig vallen ze niet op en weten weinig mensen van hun bestaan. Buliwyf is dus een van hen. Een echte strijder,' zei de Baardman vol bewondering. 'Heb je gezien waar hij toe in staat is?'

'Ja,' antwoordde Caius kortaf.

'Mooi. Geef hem het respect dat hij verdient. Ik neem aan dat je dan ook Rochelle hebt ontmoet?'

'Rochelle... Ja.' De jongen bloosde.

'Wat vind je van haar?'

Daar hoefde Caius geen twee keer over na te denken. 'Ze is de mooiste vrouw die ik ooit gezien heb.'

'Alleen de mooiste?'

'Nee, ook de droevigste. Ze lijkt heel verdrietig.'

'Ze is een Splendide. Ze heeft je zeker nog nooit aangeraakt, of wel?'

Caius dacht aan alle keren dat ze vlak bij hem stond en schudde het hoofd. 'Nee, nooit.'

'Dat is omdat ze dat niet mag. Een Splendide mag geen levende wezens aanraken, alleen levenloze voorwerpen.'

Caius greep naar zijn hoofd, dat op ontploffen stond. Hij moest nog één vraag stellen. 'En mijn ouders...'

'Charlie en Emma.'

'Kende jij ze?'

'Ja, het waren vrienden van mij. Ik ben niet zo'n sociaal persoon, maar het waren mijn vrienden. Het waren zeer talentvolle Wisselaars.'

Caius balde twee vuisten en glimlachte droevig. 'Wie heeft ze vermoord?' vroeg hij.

'Hij heeft vele namen. Een daarvan is Herr Spiegelmann. Maar we kunnen het beter niet over hem hebben nu we niet in Dent de Nuit zijn.'

'Herr Spiegelmann.' Verbouwereerd sperde Caius zijn ogen wijd open. Herr Spiegelmann. De Verkoper...

Hij voelde in zijn zakken. De munt was er niet.

'Ik wil meer over hem horen.'

Pilgrinds gezicht betrok. Hij zag er opeens buitengewoon angstaanjagend uit met zijn vlammende ogen. Caius begreep waarom de Gruwelaars bang voor hem waren.

'Niet hier.'

Caius bleef hem aankijken. 'Waren het mijn echte ouders?'

'Wat zijn echte ouders? Biologische ouders of de mensen die jou de hele wereld zouden willen schenken en je hebben opgevoed?'

Caius gaf het nog niet op. Hij was niet tevreden met het antwoord. Er spookten woorden als adoptiekind en wees door zijn hoofd. Hij dacht aan het gezicht van zijn moeder en aan dat van zijn vader. Aan hoe fris het in de badkamer rook als hij zich net geschoren had en aan haar lieve mond, waarmee ze hem op zijn voorhoofd kuste als hij koorts had. Hij dacht aan hoe ze hem sprookjes voorlas voor het slapengaan. Aan hoe hij tussen zijn ouders in op pompoenpitjes zat te knabbelen als ze een film keken. Hij dacht aan zijn moeder die hem altijd naar school bracht. Aan hoe ze urenlang bij zijn bed zat toen hij in het ziekenhuis lag en zijn longen het leken te begeven. Wat waren ze bang geweest. Kortom, hij dacht aan hoeveel ze van hem hielden en hem dat altijd op ontelbare manieren lieten zien.

Ja. Emma en Charlie waren zijn echte ouders.

Hij voelde weer even in zijn zak. De munt zat er niet in. Hij dacht aan het maanvormige gezicht en de zoete stem van Herr Spiegelmann en sloot zijn ogen. Hij zou hem willen wurgen en zijn leven geven voor zijn ouders.

Pilgrind mompelde iets.

'Wat... wat moet ik nu doen?' vroeg Caius.

'Je hebt je ouders gezien. Je hebt ze aangeraakt. Je bent zelfs gewond geraakt. Kijk me aan, Caius, en zeg of je alles nu gelooft.'

'Ja, ik geloof alles.'

Pilgrind leek tevreden. 'We moeten terug naar Dent de Nuit, we hebben nog veel te bepraten. Verder moeten we gevechten voorbereiden en informatie uitwisselen. Maar eerst kan ik nog iets voor je doen, als je wilt tenminste. En als je er sterk genoeg voor bent.'

'Wat dan?'

De Baardman richtte zich in al zijn reusachtigheid op. Caius voelde zich klein.

'Ik kan je naar de laatste gedachten van je moeder laten luisteren.'

'Haar laatste... gedachten?'

'Ze is nog maar kort geleden overleden, dus ik kan het doen. Ik kan je laten praten met haar laatste gedachten. Daarvoor moet ik een bijzonder lastige Wissel produceren, maar dat kan ik wel. Als jij het wilt en er sterk genoeg voor bent. Het kunnen gedachten zijn waar je geen touw aan vast kunt knopen. Vergeet niet dat ze is gedood door een Aanvreter en veel heeft geleden.'

Caius stond resoluut op. Al kreunde ze alleen van de pijn, dan nog wilde hij naar haar luisteren. Hij zou alles in zijn geheugen opslaan, alsof het om de Tien Geboden ging. Hij zou naar haar luisteren en opnieuw in zijn hoofd afspelen wat ze had gezegd, om zich te blijven herinneren wat zijn taak was: hij moest Herr Spiegelmann doden. De Verkoper.

'Ik wil het.'

13

Er zat een groene, vlezige vlieg in de T-vormige jaap in zijn vaders arm. Caius meende dat de vlieg slinks naar hem knipoogde, alsof hij een geheim met hem wilde delen. Het geheim van leven en dood. Jammer voor jou, fijn voor mij.

Caius bleef met zijn hart in zijn keel herhalen dat hij sterk moest zijn. Als hij de moord op zijn ouders daadwerkelijk wilde wreken, moest hij leren sterk te zijn.

Hij liep langs het lichaam van zijn moeder, zonder de moed te hebben ernaar te kijken. Hij probeerde de vlieg bij zijn vader weg te jagen, maar deze vloog een rondje en keerde terug naar zijn plek.

De lucht was benauwend. Dit kwam niet alleen door de geur van bloed en de donkere, glimmende as van de Aanvreter. Het was alsof de muren het leed van de gestorvenen weerkaatsten. De kamer schreeuwde in stilte.

Ook dit was een geheim dat de vlieg en de jongen deelden. Het kwaad echode na in de eeuwigheid. Het bespotte de levende wezens op een geraffineerde en wrede manier. En waar het kwaad dood en verderf had gezaaid, waren vliegen die knipoogden en de geheimen van de overledenen onthulden.

Nadat de vlieg deze geheimen aan Caius onthuld had, was hij eindelijk tevreden en zoemde rustig weg. Hij zou de jongen in de toekomst nog wel meer onthullen.

Caius keek vragend naar Pilgrind. Deze knikte. Hij pakte zijn stok met beide handen beet en hield hem geconcentreerd tegen zijn voorhoofd.

Eerst zag de jongen niets. De lucht werd koud en het begon buiten opnieuw hevig te onweren. Ver weg, heel ver weg. Het gebrom van de vlieg klonk harder dan de klappen van de donder.

Het eerste teken was het beslaan van de ruiten. De condens bedekte de ramen met een sluier, totdat deze bijna geheel verduisterd waren. Minuscule druppels vormden patronen en krabbels en uiteindelijk gezichten. Driehoekige gezichten die eruitzagen alsof ze haastig getekend waren, waarbij het belangrijker was dat ze er snel stonden, dan dat ze er natuurgetrouw uitzagen. Andere gezichten waren tot in detail uitgewerkt: neuzen, nijdige monden, wapperende haren. Weer andere waren incompleet, maar hadden duidelijk tranen over hun wangen lopen. Bijna alle gezichten huilden.

Opeens voelde Caius iets in zijn nek blazen en hoorde hij een stem.

'Caius.'

De jongen draaide zich abrupt om. Pilgrind was in zichzelf gekeerd, bezig met de Wissel. Stof danste in het rond, op zoek naar as. Stof en as plakten aan elkaar, gingen in elkaar op en lieten elkaar weer los. Steeds opnieuw.

Een grote vlok as landde als een nachtvlinder op Caius' onderlip. Vol afgrijzen veegde hij hem weg, tot zijn lip begon te branden.

Hoewel er niemand achter hem stond, hoorde hij toch een klagende, ijskoude stem.

'Caius.'

Het werd licht om Caius heen. Het was geen gezichtsbedrog en het kwam niet door de condens op de ramen. Zijn haar was statisch en zijn adem vormde witte wolkjes. Iets streelde zijn nek.

'Caius.'

Hij draaide zich om, maar zag niets. Alleen de boekenkast, de muur. Pilgrind in de hoek van de kamer. Het toegetakelde lichaam van zijn moeder. Hij moest ernaar blijven kijken. Naar de sporen die de kussen hadden achtergelaten. Naar het bloed, dat inmiddels bruin was geworden en nog donkerder leek omdat het licht minder fel werd. Het bloed kreeg de kleur van de nacht.

'Caius.'

Hij hoorde daadwerkelijk een stem, die piepend, metaalachtig en gedempt was, alsof hij van mijlenver kwam.

'Mama?' fluisterde Caius.

Uit zijn ooghoek zag hij een reflectie. Deze verdween weer zodra hij zich omdraaide.

'Mama?' riep hij nu harder.

Niets.

'Mama, niet boos op me zijn. Ik... ik wist nergens van.'

De lucht begon te knetteren. Kleine, blauwe vlammetjes schoten door het donker.

'Mama, ik smeek je. Mama.'

Een ijzige aanraking in zijn nek.

'Mama?'

'Caius.'

Caius kon zijn tranen niet bedwingen. 'Mama…'

'Draai je niet om.'

'Ik wil je nog een laatste keer zien.'

'Ben ik dood?'

Caius wist niet wat hij moest zeggen.

'Ben ik dood, Caius?'

Ze bleef aandringen.

'Ben ik dood?'

'Ja…'

Gekreun. Of was het alleen het gezoem van die rotvlieg?

'Hoe is het gebeurd?'

'Ik weet het niet. Je bent vermoord door…'

'Ik weet door wie ik ben vermoord.'

Die kille zin was voor Caius de aanleiding zich om te draaien. Zijn poging was tevergeefs. Hij werd tegengehouden door een ijzige hand. 'Niet doen.'

Hij wilde haar nog eenmaal omhelzen, haar geur opsnuiven en met haar huilen. Hij snakte naar haar geur, niet naar die van haar dode lichaam, maar naar de geur van zijn moeder.

'Ik hou van je, Caius.'

'Ik ook van jou, mama.'

'Ik ben niet echt hier, dat weet je toch, hè?'

'Ja.' Toen schudde hij zijn hoofd. 'Nee.'

Weer die ijskoude aanraking.

'Mama?'

'Ja?'

'Niet boos op me zijn.'

Zijn moeder kriebelde in zijn nek. Haar koude handen op zijn warme huid.

'Ik ben niet boos.'

'Ik ben bang.'

'Dat hoef je niet te zijn. Ik hou van jou, kleintje.'

Aarzelend bewoog ze haar vingers door zijn haar.

'Ik zal je wreken. Ik zal papa wreken.'

'Dat moet je niet zeggen, Caius. Je vader was een sterke man.'

'Ja…'

De ijzige kou van haar handen drong door tot in zijn bloed, steeg naar zijn hoofd en omklemde zijn hart.

'Het was een man die wist wat er moest gebeuren, snap je dat?'

Caius hoestte. 'Je doet me... pijn.'

De lucht werd ijl en de temperatuur daalde nog meer. Caius hoorde Pilgrind geërgerd iets mompelen. Misschien was hij net zo geschrokken als hijzelf.

'Doe ik je pijn?' vroeg de stem. 'Ga jij mij vertellen wat pijn is?'

'Mama...' jammerde Caius.

Opeens sloeg zijn moeder door. Een ijzige wervelwind omringde de jongen, terwijl Emma's levenloze lichaam kronkelde als tijdens een epileptische aanval. Haar armzalige omhulsel vulde zich met woede. Haar armen en benen bewogen wild als die van een spin en haar spieren trokken zich voortdurend samen, waardoor haar lichaam er steeds onnatuurlijker bij kwam te liggen.

Het vriendelijke gezicht van Caius' moeder was onherkenbaar geworden door de hatelijke grimas die erop was verschenen. Ze keek alsof ze de hele wereld wilde verzwelgen.

'Doe ik je pijn?' snoof het kadaver. 'Ik ben dood, maar heb nog steeds vreselijk veel pijn. Ik ben dood en heb nog steeds pijn! De pijn gaat niet weg!' raasde Emma, terwijl ze met haar ogen rolde en Caius bij zijn nek greep. 'Het zal nooit ophouden! Nooit!'

Nog een schreeuw. Toen bonkte iets tegen de grond.

Kaboem!

Het lijk zweeg.

'Nu is het genoeg, Emma!' beval Pilgrind. 'De pijn is weg en werd niet veroorzaakt door Caius. Je zoon heeft nergens schuld aan.'

Het lijk reageerde door te sissen als een slang. Er spoten kleine druppeltjes karmijnrood bloed uit haar mond, in het gezicht van Caius.

'Wat doe je, oude vent?' tierde het kadaver, terwijl ze de Baardman probeerde te grijpen. 'Wat doe je in hemelsnaam met me?'

'Vergeef me, vergeef me,' smeekte Caius.

Zijn moeder grijnsde manisch en zette opnieuw de aanval in. 'Vlieg op, ouwe!' balkte de dode vrouw, zo luid dat haar lippen opensplijten. 'Ik weet waar jij mee bezig bent! Waag het niet mijn hoofd binnen te dringen, rotzak! Je wilt toch niet dat je pupil...'

Pilgrind bonkte opnieuw met zijn stok op de grond.

Doenk!

Emma's handen schokten en ploften toen langs haar lichaam op de grond.

Caius bleef roerloos staan.

'Nu is het genoeg. Er zijn ergere dingen dan de dood, Emma.'

'Wat weet jij daar nou van, ouwe vent?' fluisterde ze moeizaam en boog zich in de richting van de imposante Baardman, die honderd jaar ouder leek te zijn geworden. Pilgrind werd omringd door roze vlammen en lichtblauwe lavastenen.

'Ik weet meer van pijn en dood dan jij,' zei Pilgrind. 'Ik weet wat genade is en wat er gebeurt.' Vervolgens zei hij op een vriendelijker toon: 'Caius is hier voor jou. Wil je dat hij zich alleen jouw wrok en angst blijft herinneren? Wil je je zoon zoveel verdriet doen, Emma?'

Het kadaver begon opnieuw te schudden.

'Hou daar mee op! Laat dat!' smeekte Emma verscheurd.

'Emma, wil je alsjeblieft nog één laatste keer met Caius praten?'

Haar gezicht vormde een gepijnigde grimas en uit haar huid etterde een vloeistof die meer weg had van wijn dan van bloed. Uiteindelijk ontspande ze zich. Als haar ogen niet dof en leeg waren, had Caius durven zweren dat zijn moeder leefde. Hij rook haar herkenbare, fijne geur. Eindelijk.

'Caius.'

Het was haar eigen stem. Niet die van haar lijk.

'Mama?' mompelde hij vragend.

'Het spijt me. Het spijt me. Ik wilde je geen pijn doen.'

'Het geeft niet.'

'Ik ben in de war. Charlie en ik houden van jou. Wij houden van je. Dat moet je niet vergeten.'

'Ik zal het niet vergeten.'

Warme tranen biggelden over zijn wangen. Als vanzelf pakte hij de hand van zijn moeder en hield deze tegen zijn hart. Haar hand was koud.

'Pilgrind en Gus zullen je helpen. Ze zijn vrienden van ons.'

'Ja.'

'Vind je het goed als ik nu ga?'

'Nee, blijf bij me,' snikte Caius.

'Ik moet gaan.'

Ze streelde liefdevol zijn gezicht en droogde zijn tranen. Ze fluisterde woordjes tegen hem die hij wel kon dromen. Geheime woordjes die hem altijd opbeurden en zijn nachtmerries deden vergeten.

'Mama.'

Terwijl Caius de genegenheid van zijn moeder gulzig opzoog, betrok het gezicht van Emma en veranderde haar liefdevolle aanraking in een wurggreep. Triomfantelijk pakte ze Caius bij zijn haren. Ze lachte honend terwijl er zwart bloed uit haar lichaam spoot.

Caius schreeuwde: 'Mama, nee!'

Pilgrind vloekte.

'Vraag de Baardman of hij je vertelt over de Buikspreker,' krijste het lijk. Doenk!

Het was afgelopen. De stok bonkte op de grond. Het lijk werd opnieuw een lijk. Caius hoorde weer normale geluiden op de achtergrond: het onweer, een voorbijrijdende auto, zijn eigen snelle ademhaling en Pilgrind die zijn keel schraapte.

'Mama?'

'Het is voorbij, Caius.'

De jongen sloeg zijn ogen op naar Pilgrind, die zijn hand uitstak. 'Wat is er gebeurd?'

'Ik heb je gewaarschuwd. Je hebt niet met je moeder gesproken, maar met haar laatste herinneringen. Kortom, met haar pijn, maar ook met haar liefde. Heb je dat gemerkt?'

'Ja.' Hij was zich bewust van de hand die de Baardman naar hem uitstak. 'Wat bedoelde ze met dat laatste? Wie is de Buikspreker?'

Pilgrind reageerde streng. 'Je hebt me beloofd sterk te zijn, Caius. Nu is het tijd om me dat te laten zien.'

'Hoe?'

'Probeer vast te stellen aan welk deel van je moeders herinneringen je aandacht wilt besteden. Aan haar pijn, of aan haar liefde?'

Caius pakte Pilgrinds hand.

'Zullen we teruggaan naar Dent de Nuit?'

14

Buliwyf kreeg Suez pas aan het eind van de middag te pakken, toen alle nietsnutten en zwervers de Obsessie hadden verlaten, op weg naar geluk, betere kaarten of goedkopere drank. De klanten noemden de barman Suez, maar waren vergeten wat de oorsprong van deze naam was. Ze vonden hem een harde noot om te kraken en dat was hij ook. Hij liet niet met zich sollen. Daarom waagde niemand het in de Obsessie herrie te schoppen of ruzie te zoeken. Het was een rumoerige kroeg waar allerlei gespuis rondhing, maar de aanwezigheid van de eigenaar was genoeg om iedereen koest te houden. Suez had achter de bar een eenvoudig, houten schild opgehangen. Daar waar je de kop van een everzwijn of een hertengewei zou verwachten, zaten zeker een dozijn diepe inkepingen. Elke kerf stond voor een in tweeën gespleten hoofd of een stukgeslagen schedel van iemand die te ver was gegaan. Opengespleten hoofden met barsten als het Suezkanaal. Daar kwam zijn naam vandaan. Het houten schild was een aandenken voor de vechtersbaas. Buliwyf betwijfelde of dit echt de oorsprong was van Suez' naam en of het niet iets te maken had met de twee sprankelende groene vrouwenogen die de barman op zijn knokkels had laten tatoeëren. Of met de rimpels om zijn mond. Natuurlijk, hij had hersenpannen in tweeën geslagen, maar kon daar niet iets achter zitten? Iets wat hem in een beter daglicht zou stellen als het onthuld werd? De Lykantroop vroeg zich af wat iemand aan zou kunnen zetten tot het opensplijten van een schedel.

Hij vond zijn antwoord toen hij Suez in de ogen keek: hij herkende zichzelf in hem.

Suez begon met vertellen.

Gus had het goed gezien: er gebeurden al lange tijd duistere dingen in Dent de Nuit. 's Nachts werden er vreemde spullen gestolen en er waren bijna nooit getuigen. De buurtbewoners lieten geen proces-verbaal opmaken, omdat ze geen vertrouwen hadden in de autoriteiten, maar ook omdat de gestolen voorwerpen lachwekkend weinig waard waren. Het ging om prullen, onbenulligheden en vergeten rotzooi. Daarom merkten maar weinig mensen de diefstallen op. En als ze die al opmerkten, haalden ze er hun schouders over op. Ze waren meestal allang vergeten dat ze die spullen hadden.

Wat de buurtbewoners niet wisten, maar Suez wel, was dat de diefstallen gepleegd werden door wezens met lange, scherpe nagels: de Caghoulards. Zelfs voor de kleine groep Wisselaars die hun leven hadden gewijd aan vreemde zaken, was het moeilijk voor te stellen dat de Caghoulards de dieven waren.

Wisselaars hielden van verhalen en al helemaal van geheimzinnige verhalen. Ze hielden ervan raadsels op te lossen. Suez had alle mogelijke verklaringen voor het diefstalmysterie verzameld. Er zaten groteske, grappige, maar ook walgelijke en lachwekkende verklaringen bij. De barman meende dat geen van de verklaringen van betekenis was en alle gebaseerd waren op kletspraat. De Lykantroop was het hiermee eens en knikte.

Onder het genot van een tweede glas bier bespraken de twee mannen de mogelijkheid dat de Caghoulards door iemand aangestuurd werden. Een klein leger van Zwartgekapten, aangedreven door een machtige Wisselaar (zo machtig dat hij kon voorkomen dat de Caghoulards elkaar afslachtten) die hen prullaria en vuilnis liet stelen. De Lykantroop en de enorme barman spraken de naam van deze Wisselaar niet uit, maar voelden beiden aan om wie het ging. De hamvraag was: waarom liet deze Wisselaar de Caghoulards onbenullig lijkende rommel stelen?

Suez vertelde Buliwyf dat de Caghoulards ook bij hem waren geweest en dat hij zonder het rumoer dat ze gemaakt hadden en de sporen die ze op ruiten achter hadden gelaten, niets zou hebben gemerkt.

Ze hadden een groot bierglas met het Guinnesslogo erop gestolen, een souvenir uit Ierland. Een gewoon bierglas. Een eenvoudig stuk glas waar hij niets om gaf.

Toch verontrustte de diefstal de barman.

Na de ontmoeting met Suez had Buliwyf het zwaarmoedige idee dat er elk uur wel iets onverklaarbaars gebeurde.

Toen de Lykantroop, nadat hij afscheid had genomen van Suez, de Obsessie uitliep, voelde hij dat de lucht in Parijs ijzig koud en vochtig was geworden na alle hoosbuien. Hij liep in de richting van rue d'Auseil, terwijl hij tobde over de diefstallen. Hij dacht aan de groene ogen op de knokkels van Suez. Aan Gus en zijn woedeaanvallen. Aan Pilgrind, die het verschil tussen waarheid en leugen was vergeten.

Hij dacht aan Caius en aan Rochelle en zijn hart schoot vol van angst.

15

Het was al laat in de avond toen Pilgrind en Caius bij het souterrain in rue d'Auseil aankwamen. Ze waren kletsnat. Gus stond hen vragend op te wachten. Terwijl Caius stilletjes de badkamer in glipte waar Rochelle schone en droge kleren voor hem had klaargelegd, legde Pilgrind uit dat ze wat later waren omdat hij de jongen een deel van de wijk had laten zien. Natuurlijk had hij over elke hoek en straat wel tien anekdotes verteld – hier was iemand vermoord, daar een liefde opgebloeid, in dit huis woonde een familie met een duister verleden en in dat huis een Wisselaar met vreemde hobby's – maar dit was slechts de halve waarheid.

Caius had niet alles meegekregen. Hij had de regen de sporen van de dood van zich af laten spoelen. Het water werkte zuiverend.

Caius was Pilgrind dankbaar voor de uren die ze door het onweer en de regen gewandeld hadden. Niet dat hij minder verdriet had, dat was onmogelijk, voor het verwerken van de dood van zijn vader en moeder zou hij eerder tientallen jaren nodig hebben, maar de regen en de verhalen van Pilgrind hadden de geur van dood en verderf weggewassen en hem wat meer lucht gegeven. Water, verhalen en tranen. Door de stortregen had hij onopvallend een aantal tranen kunnen laten.

Een Wissel, hè? Dat was gewoon magie, dacht hij. Ondanks de uitleg van de Baardman, vond Caius de twee verdacht veel op elkaar lijken. Het muteren van de werkelijkheid hoorde gewoon in hetzelfde rijtje als het konijn en de hoed.

Het zou nog wel even duren voordat Caius, die aan tafel een boterham zat te verorberen, zijn mening hierover zou herzien.

Nu deed Gus zijn verhaal. Hij vertelde dat hij geruchten had gehoord, maar er eerst geen waarde aan had gehecht en dat hij dat beter wel had kunnen doen, omdat geruchten vaak leidden tot catastrofen. Als een klein rollend steentje dat een enorme lawine veroorzaakte. Gus had geen zin gehad om energie in het geroddel te steken. Het geklets had hem zo onbelangrijk geleken als het gefluister achter de coulissen van een toneelstuk. Bovendien was hij te moe om er aandacht aan te schenken.

In het begin waren de roddelaars omzichtig te werk gegaan en daarom had hij hen onderschat. De roddels waren subtiel geweest, verstopt in een liedje geschreven in Lissabon dat uit de autoradio van een hardrocker op vakantie schalde, of in een op een pingpongtafel achtergelaten ongefrankeerde envelop, of in een tekst gekerfd in de graftombe van een dichter. Gus had er geen aandacht aan besteed. Later waren de roddelaars opvallender te werk gegaan, omdat ze gehoord wilden worden.

De postbode had langer aangebeld dan nodig was, vluchtende mussen en nachtzwaluwen hadden fluitconcerten gegeven, een man bij een bistro had star voor zich uit gestaard. Alles en iedereen leek samen te werken om Gus te doen inzien wat er gaande was. Een meisje had schaamteloos naar hem geknipoogd en onprettige herinneringen bij hem naar boven gebracht, een natte voorruit van een limousine had hem erop gewezen dat op iedere hoek gevaar loerde en het krassen van een manke violist langs de Seine had hem doen realiseren dat niets zeker was.

Toen Gus uiteindelijk had gemerkt dat er iets gaande was, zag hij overal tekens die dit bevestigden. De verstreken tijd had het echter moeilijk gemaakt de herkomst en de betekenis van de tekens te achterhalen. Gus had er daarom maanden over gedaan om alles te ontrafelen. Bovendien wilde hij niet het risico lopen de tekens te vernietigen en behandelde hij ze als kwetsbare schatten.

Een Pakistaan die hem had verteld dat hij zwaluwen kon hypnotiseren, een priester die in zijn biechtstoel ketterij had besproken, een bierpul en een whiskyglas met daarop een bende motorrijders, een op de wind zwevend versje en een brief van een gevangene met levenslang waarin stond dat hij de hele dag scheermesjes at. Gefluister, tekens. Er was iets aan de hand.

Gus was in de wirwar van tekens gedoken, in de hoop meer te weten te komen, maar voorzichtig om niets te breken of te verstoren. Hij had elk klein teken onder de loep genomen, al leek het nog zo onbelangrijk. Het waren een paar zware en moeilijke maanden voor hem geweest, waarin elke ademhaling kon leiden tot de dood en niet duidelijk was wat de waarheid was en wat een leugen, maar hij had doorgezet.

Hij had een brief uit Île Saint-Louis ontvangen, waarin stond dat hij toestemming had gekregen voor een kort gesprek met een saxofonist die in de Caveau de la Huchette zat, de plek waar tijdens de Revolutie edelen en minder edelen gemarteld werden (onder wie ook de mysterieuze ontwerper van de Kikkerfontein). De saxofonist had een bizar stuk voor hem gespeeld en hem verteld wat hij moest doen om in contact te komen met Isabel, de ster van het ballet.

Isabel, een vrijdenker en een gracieuze ballerina, was verheugd over de komst van haar norse gast en had hem goed op weg geholpen. De ballerina maakte deel uit van een zekere groep ingewijden, mensen van hoge klasse die zich verveelden en daarom talentvolle maar onfortuinlijke artiesten en kunstenaars sponsorden. Een van deze kunstenaars had Gus verteld dat er inderdaad iets gaande was. En dat niet alleen. Deze beeldhouwer met een vertrokken gezicht had hem aanwijzingen gegeven om bij de kern van de kluwen tekens te komen, bij een heiligdom.

Nadat hij veel had rondgevraagd, was Gus uiteindelijk in staat geweest de laatste puzzelstukjes bij elkaar te rapen. Hij was juist op tijd bij het heiligdom aangekomen om de dood in de ogen te kijken.

Bunker 18 was op vijfhonderd meter van de waterlijn gebouwd, vlak bij de rotsen en ondanks de bombardementen in de oorlog zo goed als intact gebleven. Anonieme soldaten van de Wehrmacht hadden door de schietgaten overzeese anonieme soldaten gedood en het zand rood gekleurd. Het was een heilige en daarom ook gevaarlijke plek: Omaha Beach, Normandië.

De kunstenaar had gezegd dat er tegenwoordig iemand woonde, een kluizenaar. Een ongedurig figuur, beweerde hij. Gus had het advies gekregen geen ruzie met hem te maken, als hij antwoorden wilde krijgen.

Gus had de bunker bereikt toen het volle maan was. Hij was geen vreemde wezens tegengekomen, alleen een man van vlees en bloed. Hij had zijn brood met deze man, de kluizenaar, gedeeld. Toen de kluizenaar hem had verteld dat hij iemand had gezien die zo vadsig was dat het leek alsof hij nep was, wist Gus direct dat er donkere tijden zouden aanbreken. Spiegelmann leefde nog.

'Heeft hij je verwond? De Kluizenaar? Was hij gek?'

Gus schudde zijn hoofd. 'Misschien was hij gek, maar de arme man wist van niets. Hij heeft zijn leven lang naar aanwijzingen gezocht, net als ik. Net als wij.' Hij corrigeerde zichzelf.

'De bunker lag barstensvol krantenknipsels en schriften. Het was net een schat. Ik vraag me af of er nog iets ligt waarmee we een eind kunnen maken aan het leven van die kloothommel, maar dat zal wel niet.'

Het was duidelijk over wie Gus het had.

'Is er niets meer van de schriften en knipsels over?' vroeg Pilgrind teleurgesteld.

'Alles is verbrand. Ik had de papieren en de kluizenaar kunnen redden, als ik niet zo moe was geweest.'

'Het heeft geen zin om daar bij stil te staan,' zei Buliwyf.

Door de lange zoektocht was Gus verzwakt en was zijn weerstand aangetast.

Pas op het allerlaatste moment, toen de kilo's papier in de bunker in vlammen opgingen en hij de dood in de ogen keek, had hij het vermoeden gehad in een val te zijn gelopen. Hij kon niet verklaren hoe het hem gelukt was aan de vuurzee te ontsnappen en op tijd de bunker te verlaten. Hij wist nog wel hoe het voelde toen de hitte de bunker had ingenomen en hij de kluizenaar had horen schreeuwen omdat hij ingesloten was door de vlammen.

Eenmaal buiten was Gus regelrecht in de val van Spiegelmanns slaven gelopen. De Gruwelaars hadden hem aangevallen op het moment dat hij uit de bunker tevoorschijn was gekomen. Hij had niet eens de tijd gehad om op adem te komen. Ze hadden zich op hem gestort om hem open te rijten en in stukken te scheuren. In stilte, omdat het duister respect verdiende. Maar Gus was sterker. Hij was dan niet sterk en snel genoeg geweest om de kluizenaar te redden, maar wel om deze monsters met pauwenogen te doden. Hij wist dat Herr Spiegelmann nog leefde en dat de strijd snel zou losbarsten. Dit had hem de kracht gegeven om de twee Gruwelaars te verslaan; hij wist dat het zijn tijd nog niet was om te sterven. Daarom had hij de wezens gedood en vond de dageraad hem later gewond en snikkend op het strand dat al tientallen jaren naar bloed en vergane glorie rook.

Gus had zich achter de rotsen verborgen, gek van pijn en dorst. Hij had meeuwen gegeten en alles wat de zee hem te bieden had. Voornamelijk dode vissen. Hij had zijn gewonde lijf naar een klein dorpje versleept en zich in vissershuizen verstopt, waar hij zich had gevoed met bessen en insecten. In het dorp had hij een goed uitgeruste dokterspost gevonden met pijnstillers die zijn vlucht minder zwaar konden maken.

Het was Herr Spiegelmann geweest die had rondgebazuind dat Gus dood was. Hij had het langs de deuren verkondigd, in de oren van musici gefluisterd, tegen dronken schrijvers gezegd, door stadions gebruld en aan straatdichters verteld.

Het was zelfs Gus' vrienden ter ore gekomen, die zich doodongerust hadden gemaakt na zijn verdwijning. Ze hadden bijna de neiging gehad het gerucht te geloven.

Maar Gus was niet dood. Hij was meer dood dan levend, maar had uiteindelijk weten te overleven. Dat was zijn lot: overleven, wat er ook gebeurde. Altijd. Misschien was het niet zijn lot, maar zijn vloek, corrigeerde hij zichzelf, toen hij Pilgrind aankeek en zijn verhaal afsloot.

'Je had mij moeten roepen. Om hulp moeten vragen!' brieste Buliwyf.

'Dat kon niet, omdat ik te dronken was, strak stond van de pijnstillers en het stom zou zijn geweest.'

'Stom?'

'Ja, stom. Ondanks...'

'Mama en papa,' mompelde Caius. Ze waren bijna vergeten dat de jongen er ook bij zat. Pilgrind legde een hand op zijn schouder.

'Ja!' riep Gus kwaad uit. 'Ondanks hun lot. Ik begreep dat er iets aan de hand was en het leek me beter dat Spiegelmann dacht dat ik dood was. Ik moest rondvragen en informeren. En dat heb ik gedaan. En toen hoorde ik van de diefstallen, de Caghoulards en de Gruwelaars.'

'Wist jij dit?' vroeg Buliwyf aan Pilgrind.

'Ja, en Gus had gelijk. Het was beter om informatie in te winnen.'

'Ten koste van het leven van Charlie en Emma?'

'Ze wisten wat hen te wachten stond en waar Spiegelmann toe in staat is. Door de diefstallen en de Gruwelaars wist niemand dat het de Verkoper om hen ging.'

Caius sperde zijn ogen wijd open van verbazing. 'Om hen? Ik dacht...'

'Dacht je dat hij jou wilde vermoorden?' vroeg Gus.

'Ja.'

'Nee. Niet nu, tenminste. Eerst wilde hij mij vermoorden, daarna Charles en Emma. En wie weet wie daarna?'

'Maar als het hem niet om mij ging, waarom...?'

'Hij wilde jou niet dood zien, jongen. Hij wilde je ontvoeren.'

Caius was met stomheid geslagen.

'Waarom?'

Gus schoof met veel lawaai zijn stoel naar achteren. 'Tijd voor een biertje,' zei hij.

Pilgrind gaf de jongen antwoord. 'Daar moeten we nog achter zien te komen.'

Caius ging er niet op in, maar merkte dat Gus meteen zijn kans schoon zag en een ander onderwerp aansneed. 'Heb jij Suez nog gesproken?'

Buliwyf nam het blikje bier aan, veegde zijn mond af en antwoordde: 'Ja. Hij heeft zijn werk goed gedaan. Hij zegt dat er minstens zeventig diefstallen zijn gepleegd.'

Gus floot.

'Ging het steeds om dezelfde rotzooi?' vroeg Pilgrind gespannen.

'Ja. Steeds om dezelfde rommel. Spullen zonder waarde.'

'Waarom toch?'

Buliwyf antwoordde: 'Omdat de eigenaars van de spullen dan niet merkten dat ze iets misten. We moeten het aantal diefstallen dat Suez geteld heeft dus zeker verdubbelen. Misschien zelfs verdriedubbelen.'

'Weet je het zeker?'

'Suez weet het zeker,' benadrukte de Lykantroop. 'En als Suez het zeker weet, zie ik geen reden om te twijfelen.'

'Daar heb je een punt. Hebben de Caghoulards alles gestolen?'

'Dat weten we niet honderd procent zeker, maar...'

Gus knipte met zijn vingers. 'Het is Spiegelmann, dat is zeker.'

'De grote vraag is: waarom?'

Zowel Gus als Buliwyf richtte zijn blik op Pilgrind.

'De eigenaars waren allemaal Wisselaars, toch?'

'Daar lijkt het wel op.'

'Misschien is er een link tussen de Wisselaars.'

Gus schudde zijn hoofd. 'Onmogelijk. Als het nou om vier of vijf Wisselaars ging, zou er een verband kunnen zijn. Maar we hebben het hier over zeventig of misschien wel honderd Wisselaars. Ik geloof niet in een link en jij ook niet.'

'Nee,' antwoordde de Baardman. 'Ik ook niet.'

Buliwyf stond opeens op. 'Het is verdomde frustrerend niet te weten wat er in de kop van die hufter omgaat.'

'Zo gaat hij altijd te werk. Zijn werk is net een matroesjkapop. Als je één raadsel hebt opgelost, kom je weer een nieuw raadsel tegen.'

'En dat...' Buliwyf kalmeerde zodra hij zag dat Rochelle de kamer binnenkwam.

'Het is al laat,' zei de Splendide. 'Caius heeft zijn rust nodig. Laten we ergens anders verder praten. Of anders morgen.'

De jongen wilde protesteren, maar gaapte zodra hij zijn mond open deed om iets te zeggen. Hij keek op zijn horloge: het was al drie uur 's nachts. Ondanks wat hij gezien had in zijn ouderlijk huis had hij slaap. Gus en Buliwyf liepen weg zonder iets te zeggen. Pilgrind knikte naar hem en Rochelle schonk hem een glimlach.

Caius droomde.

Hij droomde van een roos.

16

De wereld was vergaan en de jongen dreef op de kabbelende golven van het niets. Niets had meer betekenis in die donkere oneindigheid, zelfs de duisternis die hem omhulde niet.

Het was een sensationeel, bevrijdend gevoel. Hij had dat drukkende gevoel van vermoeidheid en dat nog zwaardere gevoel van angst niet meer. Hij was uit zijn lichaam getreden. Hij had geen knoop meer in zijn maag en het gevoel dat de zwaartekracht aan hem trok was hij kwijt. Hij was simpelweg de woorden, de grammatica en de hele wereld om zich heen vergeten. Hij hoefde niet eens te ademen in dat zoete magma. De voortdurende beweging van in- en uitademen leek opeens zo nutteloos en dwaas. Nu begreep hij pas dat het slechts een ritme was, waar hij best wat minder aandacht aan kon besteden.

Er klonk ook een dof kloppend ritme in de kern van het niets, waar het vredig was. Hij volgde het. Hoelang? Dat is in dromen nooit duidelijk. Hij was omringd door het donker, het niets en lichtgevende bolletjes, toen hij de bloem zag.

De trillingen die hij meer in zijn hoofd voelde dan met zijn oren hoorde, kwamen bij de bloem vandaan. Het was een roos.

Nee, dacht Caius, toen hij opeens weer de woorden vond om te omschrijven wat hij zag (en zich hierdoor meteen zwaar en log voelde). Het was geen roos. Het leek in de verste verte niet op een gewone tuinroos, of op zeldzame rozen die vaak in botanische tuinen te vinden waren, of geteelt werden door trotse verzamelaars.

Het was een roos, maar ook een margriet, een gentiaan, een sleutelbloem, een jasmijn en een papaver. Alle bloemenpracht van de wereld was verenigd in deze ene bloem. Het was de Roos van Algol.

Hoe hij dit opeens wist, interesseerde Caius niet. Daar zou hij later wel over nadenken. Door de roos kwamen licht en donker, de zwaartekracht en boven en onder terug, maar Caius sloeg daar geen acht op. Hij was in vervoering.

De Roos van Algol was ongeveer even groot als een geranium, had kleine, gekartelde bladeren en een steel die aan het eind uiteenliep. Beide stelen hadden aan het uiteinde een atmosfeer zo groot als een braam. De atmosfeer aan het uiteinde van de hoofdsteel was net iets groter dan de andere.

De Roos stak uit een urn die op een oogverblindend marmeren voetstuk stond. Het goud waarmee de urn was ingelegd, leek vaal vergeleken met de fonkelende gloed van de Roos. Niets kon mooier zijn dan deze bloem. Caius zuchtte.

De twee vruchten van de Roos (Of waren het zaden? Of knoppen? Of bloemen?) begonnen te bewegen. De grootste sfeer draaide in een perfecte, gracieuze cirkel om zichzelf. De kleine, die hoog in de tweede steel zat, draaide snel rond en gebruikte daarbij de andere sfeer als zwaartepunt.

Op het moment dat het ritmisch geklop Caius' oren bereikte, gingen de twee atmosferen in vlammen op. Ze veranderden van vuurrood in spierwit en vervlogen. De geluiden die de jongen hoorde, werden duidelijker. Caius kon steeds meer details van zijn omgeving onderscheiden. En een gezicht. Hij herkende het meteen. Hij schreeuwde. De Verkoper zat daar naast hem op de grond. Zijn gezicht zat onder het bloed, zijn ijzige ogen waren op de Roos gericht en hij strekte zijn armen uit. Hij blies smerige bellen met zijn mond en neus en kroop voort, zich niet bewust van de aanwezigheid van Caius.

Zijn vervormde lichaam was flink toegetakeld. Caius durfde niet lang naar de wonden van Spiegelmann te kijken. Ingewanden en botten staken eruit. De jongen kreeg bijna medelijden met de man om de helse pijn die hij leed, terwijl hij zich voortsleepte.

Zijn mededogen sloeg om in respect en Caius begon te huilen. Hij schrok van wat hij voelde voor de man die hij had gezworen te zullen vermoorden. De Verkoper was veranderd in een vormeloze, maar levende massa die zichzelf voortsleepte en dat ontroerde hem.

'Van mij,' riep de man. 'Van mij.'

Hij kroop verder.

'Nooit,' zei hij. 'Nooit.'

Hij pufte.

'Zo weinig, zo weinig.'

'Nog een keer,' zei hij. 'Nog een keer.'

En opnieuw kroop hij verder.

Zijn bloed spatte in het rond en zijn gezicht was vertrokken van de pijn, maar de Verkoper gaf niet op. Zijn wil was sterker dan de intense pijn die hij voelde. Hij wilde de Roos hebben en door dit grote verlangen fonkelde de Roos meer dan ooit tevoren.

Er bewoog iets in het hart van de bloem. Het geklop van de Roos was steeds luider geworden en leek inmiddels op het gekletter van helikopter-propellers. Caius voelde het met zijn hele lichaam.

Toen de vingers van de Verkoper nog maar enkele centimeters van de Roos verwijderd waren, hoorde Caius iemand krijsen. Het razende gekrijs was niet van de jongen of van Spiegelmann, maar van een smerig wezen van modder, met stekels en openliggend vlees.

Het wezen wierp zich op de Verkoper en slingerde hem weg. Het schep-sel en Spiegelmann ranselden elkaar op misselijkmakende wijze af. Al krij-send en schreeuwend sloegen ze op elkaar in. Tanden scheurden pezen aan stukken en nagels reten vlees en zenuwen open. Bloed vloeide als wijn aan tafel, maar toch kreeg de dood geen grip op hen.

Opeens slaakte het modderschepsel een kreet van vreugde: het had de Ver-koper in zijn hals gebeten. Herr Spiegelmann spuugde bloed zo zwart als pek en probeerde het wezen van zich af te duwen door met het laatste beet-je kracht dat hij nog had zijn vingers in de oogholtes van het wezen te druk-ken. Maar het wezen gaf geen kik en beet Spiegelmann zo hard het kon, tot-dat zijn hoofd loskwam van zijn romp. Zodra het lichaam van de Verkoper de grond raakte, verging het tot stof. Het hoofd daarentegen was nog intact en rolde lachend naar Caius.

'Zie je wel? Zie je wel?'

Caius schreeuwde.

Het regende stenen en de Roos en het voetstuk spleten in tweeën.

'Zie je wel? Zie je wel?' riep het hoofd triomfantelijk. 'Zie je wel? Zie je wel?'

'Nee!' gilde Caius. En hij werd wakker. Zijn gegil had het gekrijs en getier van de in tweeën gespleten Roos en het geluid van het ontstane vuur uit zijn hoofd gebannen. Ontzaglijk geknetter van een apocalyptische vuurzee.

Toen hij wakker werd, was de zilvermunt weer terug. Dat verbaasde Caius niet.

17

Het was moeilijk vast te stellen hoe en waarom, maar alle inwoners van Dent de Nuit kenden de Verloren Dagen. En toch was het geen beroemd trefpunt, zoals de Kikkerfontein. Door het smalle houten bordje met een zon erop viel het café bijna niet op. Mensen gingen erheen om over de doden te praten, op wonderen te hopen, te roddelen of om te biechten. De Verloren Dagen was een plek waar geheimen gedeeld werden.

Mensen gingen er naar binnen om de stilte te proeven en zich los te maken van het snelle ritme van alledag. De inwoners van rue d'Auseil en Dent de Nuit zaten er graag alleen of samen aan een tafeltje om hun gedachten op een rijtje te zetten, hun emoties de vrije loop te laten of een moment voor zichzelf te nemen.

De Verloren Dagen was een spookachtige plek. Pas om twaalf uur 's middags maakte de zon haar eerste bezoek. Ze straalde voorzichtig tussen de wolkendeken en regendruppels door en creëerde een waar schouwspel van kleuren en droombeelden op de ruiten. De meeste bezoekers – een forse man met een rood hoofd, een kerel in een overhemd en een slecht uitziende, gerimpelde vrouw die van haar gin nipte – staarden naar de figuren in het raamwerk en overdachten somber hun leven.

Op dat moment kwam er een man binnen, waar een doordringende regenlucht vanaf wasemde. Hij plofte op een stoel neer en ging als een kameleon op in zijn omgeving. Zonder de aandacht te trekken schoof hij zijn stoel naar het tafeltje naast hem, waar een vadsige man een ranzige omelet met champignons en dodelijke hoeveelheden rode wijn naar binnen zat te werken. Stilletjes kwam Rochelle dichterbij. De Cid kon zijn ogen niet van haar afhouden. Stotterend en met zijn hart in zijn keel bestelde hij een biertje.

Rochelle, de Splendide. Het was voor het eerst dat de Cid er een zag. Hij vroeg zich af of ze allemaal zo adembenemend mooi waren.

'Kennen wij elkaar?'

De Cid stak zijn hand lachend uit. 'Nog niet. Ik ben Cid. De Cid, als je wilt.'

De dikke man voelde zich niet op zijn gemak en antwoordde kortaf: 'Ambrose.'

'Wat een slecht weer, hè? Mijn benen lijken wel bevroren.'

'Ja.'

'Ik word misselijk van die twee daar. Jij niet?' vroeg de Cid, terwijl hij naar twee figuren in het raamwerk wees.

'Ik niet hoor.'

De Cid rolde met zijn ogen en zuchtte. 'Weer zo'n romanticus. Ik vind het weerzinwekkend, maar kennelijk komt iedereen hierheen om naar dat aanstellerige gedoe te kijken en zou de Verloren Dagen zonder het raamwerk de deuren wel kunnen sluiten. De wijn is trouwens niet te drinken hier. Kan ik je iets sterkers aanbieden?'

'Nee. Ik hou het bij mijn wijn,' antwoordde de vadsige man geïrriteerd. Daarna beval hij dreigend: 'En nu laat je me met rust, hoor je. Verdwijn!'

'Ik?'

'Ja, jij!' brulde de dikkerd des duivels. 'Ga ergens anders zitten. Ik heb geen behoefte aan gezelschap. Flikker op. In hoeveel talen moet ik het je zeggen?'

'Wat een kort lontje heb jij, vriend.'

'Ik ben je vriend niet,' antwoordde de man.

'Dat word je ook zeker niet als je zo bot tegen me doet. Jammer. Ik dacht dat je geïnteresseerd was in de personages in het raam.' De Cid klakte met zijn tong. 'Jammer voor je, ik...'

Ambrose snoerde hem de mond. 'Hou maar op. Dat zegt iedereen.'

'Ik durf te wedden dat niemand ooit met Jensen gesproken heeft, behalve ik. Niemand weet precies wat de figuren voorstellen, behalve ondergetekende.'

'Wie is in hemelsnaam die Jensen?'

De Cid wees naar een klein oranje vakje onder in een van de ramen. 'Zie je dat daar beneden?'

'Nee.'

'Dan moet je op mij vertrouwen. Dat daaronder is zijn handtekening. Jensen is de Nederlandse kunstenaar die dat stukje vakwerk gemaakt heeft. Het is immers vakwerk, nietwaar?'

De dikke man knikte en glimlachte flauwtjes. Misschien had hij zich wel vergist in die vent met dat rattengezicht die hem lastig kwam vallen. Het idee om van de vreemdeling informatie over de figuren te krijgen was erg aanlokkelijk en deed hem de slechte manieren van de lastpost vergeten. Hij hoefde zijn aanwezigheid alleen te verdragen zolang zijn verhaal duurde.

'Jazeker,' antwoordde hij met ogen die twinkelden van nieuwsgierigheid.

En vervolgens vroeg hij zonder zijn interesse te verbergen: 'Ken jij echt degene die het raamwerk gemaakt heeft?'

'Ja. Toen ik een jaar of elf, twaalf was, werkte ik als hulpje op een plek als deze en was Jensen mijn baas. Het drankorgel leek een oude vent, terwijl hij nog niet eens veertig was. Je kent het type wel, zo iemand die alleen aardig is als hij niet te diep in het glaasje heeft gekeken.'

De kwabbige man lachte. 'Natuurlijk.'

'Ik wil je tijd natuurlijk niet verdoen, maar', de Cid nam een ingestudeerde pauze en nipte van zijn bier, 'ik kon het wel met hem vinden. Ik maakte wc's voor hem schoon en boende vloeren. Thuis was het geen pretje, dus ik vond het niet erg om wat extra te werken en wat bij te verdienen. Er hing thuis een nare sfeer en we zaten steeds op zwart zaad. Op deze manier sloeg ik twee vliegen in één klap, of hoe zeg je dat?'

'Was je daar niet wat jong voor?'

De Cid lachte. 'Dat was een goed excuus om me minder te betalen.'

'Vertel me eens wat meer over die Jensenfiguur.' De dikkerd liet er geen gras over groeien.

De Cid begon zijn verhaal.

'Heb je weleens echt van iemand gehouden, Ambrose? Ik bedoel echt, vurig verlangd naar een vrouw en daardoor niet meer helder kunnen denken? Liefde gevoeld zoals een dichter kan beschrijven, of een piloot die op het punt staat neer te storten? Zoals minstrelen bezongen, niet zoals die slechte volkszangers van tegenwoordig? Liefde. Pijnlijke, diepgaande liefde, die je kan verscheuren, zoals een gestorven vriend van me ooit zei. Het soort liefde waar je je in kunt verliezen, in kunt verdwalen als in een labyrint. Een aanraking, liefdevolle woorden, die het gehele universum lijken te verklaren. Genadeloze liefde.'

De vadsige man staarde hem roerloos aan en hing aan zijn lippen.

'Dat is waar het verhaal in de ruiten over gaat. Over de liefde. De liefde die de oude Jensen zei slechts eenmaal kortstondig in zijn leven te hebben gevoeld. Ontloken op een plek als deze, waar hij niets over kwijt wilde, tussen Jensen en een vrouw, waar hij ook niet specifiek over wilde zijn. Het enige wat hij er tegen mij over gezegd heeft, is dat de vrouw van wie hij hield een vrouw was die hij niet mocht aanraken. Een vrouw die adembenemend mooi was, maar ook in- en intriest. Een zogenoemde Splendide. Heb je daar weleens van gehoord?'

'Nee.'

'Dat is niet erg. Ik ook niet. Het is tenslotte maar een verhaal, we zijn niet op zoek naar de waarheid.'

De dikke man knikte heftig.

De Cid dronk zijn glas bier leeg en vervolgde zijn verhaal. 'Jensen heeft me ooit gevraagd: "Waar komt de liefde vandaan?" zonder er bij stil te staan dat hij dit vroeg aan een elfjarige jongen die nauwelijks zijn eigen naam kon schrijven. Mijn antwoord deed er niet toe. Als de oude man vertelde, moest je stil zijn en luisteren. Jensen was geboren in Haarlem en kwam uit een glasblazersfamilie die zo oud was als de wereld, als je hem mocht geloven. Ik geloofde het en geloof het nog steeds. Ik heb immers zijn meesterwerk gezien. Vind jij dat zijn werk eruitziet als dat van een dikdoener?'

'Nee. Die Nederlander was een genie.'

'Uiteindelijk heeft hij er, jammer genoeg, al zijn verdiende geld doorheen gejast en zijn heil in Dent de Nuit gezocht. Hier overdacht hij zijn tegenslagen en botste vaak op passanten, omdat hij niet goed uitkeek. Maar als hij over de twee ruiten vertelde, over zijn meesterwerk, dan fleurde hij op en zag je een sprankje terug van de gerespecteerde kunstenaar die hij vroeger was. Had ik je al verteld dat dit zijn laatste werk is? Hij heeft mij toen ik klein was verteld dat na dit werk alles onbelangrijk was geworden.' De Cid haalde zijn schouders op. 'Een bizarre kunstenaar.' Hij ging verder met zijn verhaal. 'Ik had het over de liefde. Volgens mij merkt niemand het meteen als de liefde zich aandient. Is het jou nooit opgevallen dat liedjes altijd gaan over liefde op het eerste gezicht en vurige blikken? Volgens mij is dat gewoon een truc, een mooie manier om het onverklaarbare uit te leggen. Dingen als het zonlicht, hoe kun je daar iets zinnigs over zeggen? Je gebruikt wiskunde en astrofysica om het te verklaren, maar dat zijn slechts woorden en getallen die niets betekenen. Ik zeg het je. Volgens de oude Jensen was de liefde een soort obsessie, die geen begin kent, alleen gevolgen. Die kennen we maar al te goed. Het verhaal in de ruiten gaat over een eeuwenoude Splendide.'

De dikkerd bromde.

'Niet mopperen Ambrose, het is maar een verhaal, nietwaar? Wil je meer horen of wil je liever dat ik wegga?'

'Niet weggaan, blijf.'

Er waren inmiddels ook andere stamgasten bij de twee mannen komen zitten, nieuwsgierig naar de rest van het verhaal.

De Cid waardeerde alle aandacht en verhief zijn stem opdat geen luisteraar een lettergreep hoefde te missen.

'Splendiden zijn gedoemd. Hoewel ze uit liefde geboren zijn, schuwen ze de liefde. Als de liefde een vlam is, zijn de Splendiden de schaduwen die veroorzaakt worden door de vlam. Als een liefde ten einde loopt, dooft de vlam tussen de twee geliefden langzaam en veroorzaakt de vlam schaduwen die vervolgens kunnen leiden tot tragedies en soms tot de geboorte van een Splendide. Jensen noemde de Splendiden schaduwen van ongeschreven gedichten over een onbeantwoorde of verboden liefde. Schaduwen. En wie heeft ooit een schaduw aangeraakt? Jij niet, ik niet en zelfs die wijsneuzen op de universiteiten niet. Maar Jensen wel. Hij ontmoette er één op een ongure, naamloze plek als deze.'

Hij zuchtte even.

'Een verdrietige Splendide.'

De Cid streek door zijn vlassige baard.

'Je moet begrijpen, vriend, dat het zeldzamer is een Splendide in tranen tegen te komen, dan een zonsverduistering of een wonder te aanschouwen. Splendiden kunnen over het algemeen namelijk alleen onverschilligheid of een lichte vorm van rancune uitstralen. Maar de Splendide die Jensen tegenkwam, huilde. Weet je wat Jensen tegen me zei om me te laten begrijpen hoe bijzonder dit was? Hij zei dat iedereen voor een paar centen de Mona Lisa in het Louvre kon bewonderen, maar slechts weinig mensen hebben kunnen zien hoe het meesterwerk vorm kreeg. Zo bijzonder als de Mona Lisa in wording, is een huilende Splendide. Ik geloof dat de beste kunstenaar het schepsel toevallig tegen het lijf was gelopen, maar Jensen was overtuigd van het tegendeel. Geloof jij in het lot, Ambrose?'

'Daar heb ik me nooit mee beziggehouden.'

'Jensen was een fatalist. Hij wist zeker dat het lot zijn wilskracht tartte toen hij de Splendide ontmoette en hij ging de uitdaging aan. Hoe kon hij ook anders? Hij was een weergaloos goede kunstenaar, een genie. Hij kon niet weigeren deze uitdaging met beide handen aan te grijpen. Ik weet uit zijn verhalen hoe zwaar en pijnigend het voor hem was om zijn laatste werk te vervaardigen. Zijn hele ziel en zaligheid heeft hij er in gelegd. Hij wist dat hij hierna niets meer zou maken en voelde dat zijn dood naderde. Triest, nietwaar?'

'Waar gaat het verhaal in de ramen over?'

'Splendiden mogen niet worden aangeraakt. Ze houden zelfs niet van een lichte aanraking, want dat betekent dat ze moeten delen. En delen is het meest angstaanjagende woord uit hun vocabulaire. Jensen was een van de ongelukkigen die de geest van de verdrietige Splendide mocht delen. Heel even, maar het mocht. Volgens mij kun je zelf wel raden waarom ze huilde, nietwaar Ambrose?'

De dikkerd was overrompeld en wist zo snel niets terug te zeggen. Het was de aftakelende vrouw die zo-even van haar gin had genipt, die antwoord gaf. 'Ah gos, ze was verliefd.'

'Ja.'

Stilte.

'Op wie?'

De Cid zei niets, maar wees naar het midden van het werk van de Nederlandse kunstenaar, waar een bovenaardse vrouw een wolf omhelsde.

'Op een wolf?'

De Cid knikte en wilde het uitleggen, maar verstomde toen hij Rochelle aan zag komen lopen.

'Wegwezen iedereen,' beval ze. 'Ga weg!'

De dikke man deinsde geschrokken achteruit en maakte een enorm kabaal met zijn stoel. De onverzorgde vrouw die naar gin stonk, stond wild op en liep naar de toiletten. De vent met het overhemd liet een bonnetje en wat losgeld op tafel achter en verliet de ruimte. De Cid en Rochelle keken elkaar aan.

'Je bent hier niet welkom, donder op!'

'Maak je niet zo druk,' antwoordde hij grinnikend. 'Ik had het gewoon naar mijn zin. Ik vertelde een verhaal aan een vriend van me. Niets meer en niets minder.'

'Wegwezen zei ik!'

Rochelle zag er haast angstaanjagend uit. Haar gezicht stond op onweer, maar de Cid bleef zitten waar hij zat. Hij mocht van zichzelf pas weer angst voelen zodra hij zijn broer in zijn armen had gesloten. Tot het moment waarop hij Paulus gezond en wel zag, voelde hij niets. Geen angst en geen spijt jegens Rochelle.

De Cid lachte arrogant, terwijl hij langs zijn snor streek, haalde een nat sigarenstompje uit zijn jas en stak het aan. Hij inhaleerde diep en blies een aantal perfecte cirkels. Hij lachte om zijn jongensachtige streek.

'Luister, Juultje, kan ik je even spreken?'

'Smeer 'm. En als je terugkomt zul je het berouwen, als je begrijpt wat ik bedoel.'

De bovenaardse vrouw die de wolf met de opengesperde muil vol scherpe tanden omhelst.

'Ik heb maar tien minuutjes nodig. Het gaat om het volgende: als je iets zoekt kom je naar mij en ik vind het voor je. Ik heb een gave... een neus voor dingen.' Hij lachte, maar zijn ogen verraadden zijn wanhoop. 'Jij weet net zo goed als ik dat er in Dent de Nuit rare dingen gebeuren en bijzondere wezens wonen. Wie weet hoeveel jij er niet hebt gezien door je werk. Mijn gave is het oplossen van sores. Ik ben een soort klusjesman, of toneelmeester. Je zou kunnen zeggen dat ik de toneelmeester van Dent de Nuit ben.'

'Dat interesseert me niet.'

De Cid dacht even na en zei toen: 'Ik heb Buliwyf nodig.'

Rochelle was verbijsterd. 'Hoe weet je dat hij zo heet?'

'Dat maakt niet uit. Ik weet het en daarmee uit. Ik heb gehoord dat hij flink aan het rondvragen is over de diefstallen en dat hij bezig is met een onderzoek. Ik ben ook iets kostbaars kwijtgeraakt en vroeg me af of we onze krachten niet konden bundelen.'

Uitdrukkingen van nieuwsgierigheid en achterdocht wisselden elkaar af op het mooie gezicht van de Splendide.

'Geduld is een schone zaak,' zei de Cid, terwijl hij gespannen afwachtte welke uitdrukking zou overwinnen.

'Wat bedoel je met kostbaar?'

De Cid slaagde er ternauwernood in zijn vreugde te verbergen.

'Nou, ik ben in staat om een Wissel van het Daar te produceren. Niet dat ik dat doe, hoor. Maar ik moet ook ergens van leven. Ik ben handelaar. Ik ben geen Wisselaar, snap je? Ik zoek Manufacten en verkoop deze aan wie ze wil hebben. Het gebeurt vaak dat ik op mijn zoektocht dingen tegenkom waar ik helemaal niet naar op zoek was. Vreemde dingen. Daarom staat mijn huis ook vol curieuze voorwerpen en Manufacten die niemand wil hebben. Ik woon op rue Guignon 15. Je weet wel, de straat waar de oude Karel syfilis heeft opgelopen. Maar goed, om terug te komen op ons...'

'Mensen die veel woorden gebruiken, liegen meestal. Je tijd is om,' strafte Rochelle, met haar armen over elkaar.

'Maar ik ben nog lang niet klaar!' protesteerde de Cid.

'Ik ben bang van wel.'

De Splendide fronste haar wenkbrauwen en de Cid begon zich beroerd te voelen. Hij wreef gedesoriënteerd over zijn hals. Rochelle bleef hem aanstaren en de Cid kreeg een drukkend gevoel op de borst. Hij voelde zich zwaarmoedig, bijna triest.

'Ik heb nog...' Het lukte hem opeens niet meer om uit zijn woorden te komen. Iets kouds en onaangenaams verliet de Splendide en ging bij de Cid naar binnen. Hij voelde zich onprettig en probeerde na te denken. Herr Spiegelmann had hem gewaarschuwd dat Splendiden bijzonder machtig en gevaarlijk waren.

Ineens sloeg het onaangename gevoel om in onverdraagzaamheid.

'Nog één minuut. Ik vraag nog één minuutje van je tijd. Dat is toch niet zo veel? Met wat ik je net vertelde, wilde ik je gewoon duidelijk maken dat ik een rijk man ben. In zekere zin dan. Iemand... Nou ja, ze hebben me iets zeer waardevols ontnomen. Iets van onschatbare waarde. En...' De Cid sperde zijn ogen wijd open.

Hij dacht Paulus te zien. Lijkbleek staarde hij naar hem. De Cid kende die gezichtsuitdrukking. Zo keek Paulus altijd als hij hem terechtwees. Zijn broer had geen woorden nodig, die grimas sprak boekdelen. Die bittere, teleurgestelde grimas.

De Cids ogen vulden zich met tranen. Hij bedacht dat dit de kracht was van de Splendiden. Ze gebruikten slechte herinneringen als wapen. Hij probeerde zijn blik af te wenden en zich te focussen op de dreigementen van Herr Spiegelmann, maar Paulus bleef hem aanstaren. De Cid voelde sterk de drang op zijn knieën neer te vallen en hem om genade te smeken. Hoewel hij slechts naar de geest van Paulus keek, naar een illusie, kon hij niet ophouden met snikken.

Als uit het niets begon de Cid te spreken: 'De Placenta van de Levantijn,' zei hij in één adem. Het ijzige, drukkende gevoel op zijn borst werd minder.

'De Placenta?'

Rochelle kon haar oren niet geloven.

'Ja, die hebben ze van me gejat. Zeg het tegen je geliefde Buliwyf.'

Rochelle's gezicht betrok. De toon van de Cid werd naargeestig en agressief, nu de schim van Paulus minder goed te herkennen was en dus minder pijn deed.

'Misschien kunnen we het op een akkoordje gooien en weet hij wel waar de Placenta is. Hij is van mij en ik wil hem terug.'

Terwijl de Cid nog steeds zijn dan weer smekende, dan weer dreigende en afkeurende broer zag, wankelde hij naar de deur.

'Vertel het de wolf. Zeg hem dat de Caghoulards hem gestolen hebben.' De Cid zag voor zich hoe Paulus vocht tegen de wormen. Hij was verscheurd van verdriet. 'De Caghoulards. Zeg het hem, ik...'

Iets in hem brak en hij schoot in tranen de deur door naar buiten. Hij liet Rochelle achter bij het kunstwerk van de Splendide en de wolf en haar slechte voorgevoel.

18

Gus liet de jongen op aanraden van Pilgrind met rust. De Baardman had hem uitgelegd dat Caius moest verwerken wat er was gezegd en gebeurd en dat het essentieel was dat hij dit alleen deed. Gus kon het niet opbrengen om met de jongen mee te voelen, maar toonde wel begrip.

Dankzij Pilgrind leek Gus' wond te genezen en kreeg hij steeds vaker behoefte aan frisse lucht. Hij verenigde het nuttige met het aangename en regelde een aantal belangrijke zaken. Hij ontfutselde namen en adressen en deed een paar boodschappen. Tijdens de strijd op de begraafplaats was hij zijn wapens verloren, dus moest hij nieuwe hebben.

Tot zijn schrik kwam hij erachter dat veel van de mensen met wie hij zes maanden eerder contact had gelegd, waren verdwenen. Sommigen hoopten veilig te zijn in een of ander ver land en waren vertrokken, anderen waren dood of in rook opgegaan.

De muffe geur van de Verkoper hing in de lucht.

Slechts weinig Wisselaars en andere buurtbewoners wisten van het bestaan van de Verkoper of kenden zijn naam, maar zijn aanwezigheid in Dent de Nuit was overduidelijk merkbaar, als een ziekte of een penetrante lucht. Gus had gehoord dat er mensen waren die onverwacht een einde aan hun leven hadden gemaakt en andere die vreemde dromen hadden gehad die maar niet uit hun hoofd verdwenen en hen nachten wakker hielden.

Iedereen had gehoord dat Gus dood was en veel mensen, ook al zeiden ze dit niet hardop, verheugden zich hierover. Gus had al zijn bronnen aangeboord, maar niet gevonden wat hij zocht. De Wisselaars, die het onheil van verre hadden zien aankomen, waren allemaal met de noorderzon vertrokken, zonder bericht achter te laten.

Gus was licht verbitterd en besloot de strijd tegen de Verkoper op een andere manier aan te pakken: door middel van bloed, huid en inkt.

Pilgrind zei hem dat hij nog nooit een tatoeage een projectiel tegen had zien houden of een demon had zien overmeesteren en noemde hem een naieveling. Maar Gus besloot zich niets aan te trekken van Pilgrinds oordeel en nog meer tatoeages te laten zetten.

Fluitend liep hij met twee koffers vol wapens naar Grünwald en hoopte dat zij niet behoorde tot de groep gevluchte Wisselaars.

Hij haalde opgelucht adem toen hij zag dat ze gewoon in haar tattooshop aan de Chroniquesboulevard was. Hij liep zonder haar te groeten naar binnen, trok zijn shirt uit, plofte neer op een bank en stak een sigaret aan. Grünwald tatoeëerde een tweekoppige hagedis ter hoogte van zijn derde wervel en legde hem uit dat de tatoeage hem zou beschermen tegen vuurgeesten.

Grünwald beschouwde zich als meer dan een doorsneetatoeëerder. Hoewel ze om de eindjes aan elkaar te knopen soms ook modieuze plaatjes tatoeëerde op gespierde onderarmen van jongeren of net vrijgekomen motormuizen, vond ze zichzelf een ware kunstenares.

Gus wist niet zeker of de vrouw met de donkere ogen en de mahoniekleurige haren werkelijk was wie ze zei dat ze was, maar ze inspireerde hem en hij werd aangetrokken door haar enorme fantasie. Ze raakte hem.

Grünwald was ooit een gedreven Wisselaar, met verkeerde vrienden. Ze verhandelde haar Wissels van het Daar en experimenteerde op gevaarlijke wijze met wat Wisselaars de Oproepwissel noemden. Ze was getalenteerd en in staat dingen te realiseren die sommige Wisselaars niet eens hardop durfden uit te spreken.

Arrogant en naïef als ze was, had ze uiteindelijk geprobeerd een Celibe te produceren, die haar bijna het leven had gekost. Om met experimenteren te stoppen en haar leven te redden had ze bijna haar hele geheugen verbrand en ervoor gekozen de naam te gebruiken van een overleden schilder: ze was haar eigen naam vergeten. Het litteken dat haar mooie Slavische gezicht doorkliefde, herinnerde haar daarentegen continu aan haar gemaakte fouten. Daarom hingen er ook geen spiegels in haar studio.

Grünwald wist weinig tot niets over Gus. Ze noemde hem 'overblijfsel uit het jaar '77', vanwege zijn punkachtige uiterlijk. Ze deelde haar gevoelens met hem, maar had geen idee wat voor werk hij deed, behalve dat het vaag en bijzonder gevaarlijk was. Ze wilde er niets van weten. Haar tijd om met vuur te spelen was voorbij.

Zonder dit alles uit te spreken was voor beiden duidelijk wat hun vriendschap inhield; ze duurde inmiddels al jaren. Ik vraag niets en jij geeft geen antwoord. Daarom was het zo onverwacht en ongebruikelijk dat Grünwald bij het afscheid Gus' hand pakte en zacht vroeg: 'Waar ben je mee bezig, Gus?'

'Duistere zaken.'

'Ik voel het,' zei ze somber. Daarna bracht ze Gus' hand naar haar hart en haar hoofd. 'Ik voel het hier, en hier.'

Er volgde een lange stilte.

'Begrijp je dat?'

Gus knikte, maar zei niets.

'Mijn tatoeages zijn lang niet sterk genoeg, Gus.'

'Dat weet je niet.'

'Misschien niet, maar ik wil dat je voorzichtig bent.'

'Dat ben ik altijd.'

De vrouw lachte zuur. 'Blijkbaar niet genoeg. Je bent gewond geraakt. Ik heb de zwachtel wel gezien.'

'Het is maar een zwachtel.'

'En je hebt littekens.'

'Dat zijn maar littekens.'

Grünwald glimlachte. 'Het is altijd hetzelfde liedje met jou, hè?'

'Ik ben te stug en te oud om mijn leven te veranderen.'

Dit excuus gebruikte Gus vaker.

Grünwald liet hem los. 'Waar ga je nu heen?'

'Het is nog vroeg. Voordat ik naar huis ga, loop ik nog even langs een plek die ik opnieuw wil bekijken.'

Zo gingen ze uit elkaar.

Een vuurrode zonsondergang omhelsde Parijs en verschoot langzaamaan van kleur. De dag werd afgesloten met een kleurenspektakel waarin de hoofdrol was weggelegd voor de Franse hoofdstad. Het was echter van korte duur. Al snel zette het duister in, ontstonden er stapelwolken en begon het te stortregenen.

Gus zat op het dak van een gebouw in rue de la Lune, te genieten van de kleurrijke zonsondergang, toen er druppels op zijn zwarte bril vielen. Het was tijd om terug te keren naar het huis van Buliwyf.

Op weg naar Buliwyf en de anderen knaagde er iets aan hem. Het was alsof de ijzige lucht hem iets aan zijn verstand probeerde te peuteren. Hij rilde en versnelde zijn pas. Hij voelde dat er iets vreemds aan de gang was en dat er iets verschrikkelijks zou gaan gebeuren als hij niet snel opschoot.

Naarmate hij het huis van Buliwyf dichter naderde, sloeg zijn bezorgdheid om in angst en begon hij nog harder te lopen. Gus merkte dat er iets minuscuuls was veranderd aan de straten en de schaduwen die de straten omringden. Dent de Nuit was nog duisterder dan anders. Hij keek angstvallig om zich heen, maar er was niets dat hem volgde of besprong. Naast de ijzige kou en de duistere straten was er niets om bang voor te zijn, maar Gus had geleerd naar zijn intuïtie te luisteren.

Hij stoof de trap af. Er hing een ijzerlucht. Hoewel het buiten donker was, waren de lichten binnen uit.

'Caius?'

Gus gooide zijn tas op de grond en pakte zijn pistool.

'Jongen?'

Zijn bed was niet opgemaakt en zijn kussen lag op de grond. Gus schopte het weg en vervloekte zichzelf en de Baardman. Het souterrain was leeg. Caius was verdwenen.

19

Nauwelijks bijgekomen van de nachtmerrie over de Roos, ontdekte Caius de munt op zijn kussen. De munt zag er onschuldig uit, maar was levensgevaarlijk.

Caius schreeuwde de longen uit zijn lijf en ging badend in het zweet voor zijn bed zitten wachten tot iemand hem hoorde. Er kwam niemand. Geen Pilgrind, geen Gus, geen Rochelle en zelfs geen Lykantroop. De munt en Caius waren tot elkaar veroordeeld.

Uiteindelijk kon Caius zich ertoe zetten de munt op te pakken. Hij hield hem gruwend tussen zijn duim en wijsvinger en wierp hem daarna zo hard hij kon tegen de verste muur. De munt ketste tinkelend terug, stuiterde op de grond en bleef daar vervolgens naar Caius liggen staren. Het leek alsof het ronde oog de jongen wilde geruststellen dat hij niet boos op hem was en erop vertrouwde dat het na verloop van tijd wel goed zou komen tussen hen. En tijd hadden ze genoeg in het souterrain van rue d'Auseil.

Het had geen zin te hopen dat iemand hem van de munt kwam bevrijden. Ze waren alleen. Caius en de munt. Het geldstuk praatte maar en praatte maar en de jongen kon niets anders doen dan luisteren. Soms gebruikte het geen woorden, maar kleuren en gevoelens om zich uit te drukken. Caius begreep hem maar met moeite.

Nadat hij een tijdje naar de munt had geluisterd, kreeg Caius sterk de behoefte het ijskoude ding in zijn hand te klemmen, tegen zijn hart te drukken en hem op te warmen met zijn lichaamswarmte. Hij ging op zijn knieën zitten en strekte zijn hand ernaar uit, maar vlak voor hij hem aanraakte trok hij zijn hand terug en sloeg zichzelf hard in het gezicht om bij zinnen te komen. Vervolgens stopte hij als een klein kind de munt onder zijn kussen.

De zilvermunt protesteerde niet. Hij vond dat ze vooruitgang boekten en nog genoeg tijd hadden om in hun vriendschap te investeren.

Er kwam nog steeds niemand. En de munt ging niet weg.

Caius begon de aanwezigheid van de munt steeds vervelender en benauwender te vinden. Maar ook steeds uitdagender. En hier schrok hij nogal van. Hij had sinds kort kennisgemaakt met angst, maar wist nu dat de ware smaak van angst niet bitter als bloed was, maar zoet als honing.

Caius probeerde zijn zinnen te verzetten door een vrolijk deuntje te fluiten, maar werd hiervan weerhouden door de munt. Deze veranderde de vrolijke noten in een dreigende melodie waar Caius' haren recht van overeind gingen staan.

Ook zijn poging om een liedje te neuriën liep op niets uit. De munt had hem in zijn macht en legde beslag op zijn stem. Zijn invloed op Caius werd steeds groter. Hij beloofde hem warmte waar kou was en hoop wanneer hij het niet meer zag zitten. Hij verzekerde Caius dat hij nooit meer hoefde te lijden, nooit meer bang hoefde te zijn, dat hij hem een toevluchtsoord zou bieden en kracht zou geven.

De munt stuurde een beeld van een oneindige zee met golven naar het brein van Caius en overtuigde hem ervan dat deze zee al zijn wonden zou doen genezen en al zijn angsten weg zou nemen. De zee zou hem sterk maken.

Caius gaf zich nog niet gewonnen. Hij hoopte nog steeds dat er iemand binnen zou komen. Hij hoopte op Rochelle of Pilgrind – al was Gus of Buliwyf ook goed – maar er kwam niemand kijken hoe het met hem ging. Hij was samen met die verdomde zilvermunt. Het ding was overal.

De jongen probeerde de hele middag wanhopig de aanwezigheid van de munt te negeren. Het kwam niet in hem op dat de snelste en makkelijkste manier om ervan af te komen de deur uit lopen was. Hij had geprobeerd naar de oude transistorradio van Buliwyf te luisteren en een potje te patiencen, maar beide pogingen zijn aandacht op iets anders te richten liepen op niets uit. Hij was in de ban van de munt.

Door een kleine lichtspleet was hij getuige van de zonsondergang. Hij voelde zich gevangen in het lege, duistere souterrain. Uiteindelijk gaf hij toe aan zijn moedeloosheid. De munt zag zijn kans schoon en overmeesterde Caius. De munt had gewonnen.

Caius tilde het kussen op en verloor zichzelf in het zilver. Hij voelde dat de munt voor het eerst warm was. De munt was veranderd, het was een kompas geworden. Hij trok gedwee zijn broek en jas aan en liet zich leiden door het kompas. Het kompas leidde hem Dent de Nuit uit en maakte van Caius een naïeve, onervaren reiziger. En waar komen naïeve en onervaren reizigers meestal terecht?

Op de gevaarlijkste plek die er bestaat: in het verleden.

Caius liep als een slaapwandelaar Dent de Nuit uit door een labyrint van straten en stinkende stegen. Zonder te denken aan Gus, Pilgrind, Spiegelmann, Caghoulards, of de Aanvreter die zijn moeder gedood had. Hij had zijn verstand op nul. Hij stak rue des Dames over zonder aandacht te schenken aan de voorbijgangers of de etalages. Naarmate hij verder liep voelde hij zich steeds sterker worden. Van vermoeidheid was geen sprake. Hij volgde het kompas langs plekken die hij meteen zou hebben herkend als hij er bewust langs was gelopen.

Hij liep in de richting van zijn school.

Ondanks het late tijdstip stond de deur open. Hij was duidelijk speciaal voor Caius opengelaten, maar zelfs dit angstaanjagende feit drong niet tot hem door. Caius volgde het kompas, dat hem naar binnen leidde. Hij gehoorzaamde.

Het gebouw leek in niets meer op de school van Caius en zijn klasgenootjes Pierre en Victor; het leek op een eeuwenoud weeshuis.

De lucht stond stil en smaakte zoutig. Aan de hoge plafonds hingen lampen die een petroleumlucht verspreidden, waar Caius van ging zweten. Hun waterige schijnsel tekende duistere figuren op de muren. Hoe verder hij zijn school in liep, hoe meer vorm de figuren begonnen te krijgen. Op elke hoek stonden schimmen, onder elke boog gloeiende gedaanten. Achter iedere deur klonk gehuil en gereutel. Een zware hangklok gaf de tijd aan. Aan de muur hingen schilderijen van heiligen. Een overvloed aan martelwerktuigen stond uitgestald.

Stijve docenten dreunden tafels en biologiebegrippen op en ijsbeerden luidruchtig door de gangen. Koks met wazige blik en wilde haren duwden piepende karren voort tussen de kantinetafels waaraan kinderen en pubers met rode, starende ogen zaten. Knorrige nonnen doolden rond. Hun handen gevouwen en psalmen zingend.

Caius rook de geur van groentesoep, beschimmelde kruiden, droog brood, uitwerpselen en zweet. Verder rook hij de geur van angst en frustratie. Terwijl hij zich liet leiden door het kompas, ving hij flarden op van de gesprekken die passanten voerden. Het waren weliswaar echo's, maar ze werden verstaanbaar doordat de munt ze dichterbij haalde.

Soms waren het aanbevelingen of aanmaningen, dan weer lange citaten uit de evangeliën, afgewisseld met pijnlijk gekrijs en smeekbedes om genade. De smeekbedes waren het duidelijkst en pijnlijkst. 'Hou het bij me uit de buurt,' gebood een jongen in een veel te grote, besmeurde ochtendjas. 'Laat me met rust,' smeekte een ander, die een bloedneus had en achternagezeten werd door lachende schimmen. 'Je zal krijgen wat je toekomt,' donderde een lange, rechte gedaante zonder hoofd.

'In de naam van de Vader.' 'Ik heb het niet gedaan. Ik heb het niet gedaan.' 'Je bent niet meer dan een...' 'Eet en drink...' 'Dief! Je hebt mijn schoenen gejat. Dief!' 'Heks! Je hebt me...' 'Het is ons een eer...' 'Ik zeg het tegen mevrouw Evangeline hoor, en die...' 'Wissels bestaan niet! Hou op met...' 'Het gaat hier over een tuberculosegeval en ik geloof niet dat...' 'Steenkool is duur, dame. Je denkt toch niet dat...' 'Hij is verdorven. En dat op zijn leeftijd...' 'Wil je dat ik je de kieteldood geef? Nou?' 'Dat is hier niet toegestaan.' 'Ik wil hem hier voor volgende week weg hebben.' 'Leugens, vriend. Allemaal leugens.' 'Er is niets mis met de directie.' 'Ik zal niet meer stout zijn, ik beloof het...' 'Ik wil hier weg. Ik wil hier weg. Ik wil...'

Hier en daar een lach. Altijd ingehouden. Lachen was verboden binnen de muren van het weeshuis.

Caius stommelde slaapwandelend de trappen op, totdat hij op de derde verdieping aankwam. Daar was het frisser. Hij stond voor een grote, indrukwekkende houten deur, met een bordje waar DIRECTEUR in gekerfd stond.

20

An de andere kant van de stad heerste de duisternis. Het donker ademde gewelddadigheid en smachtte naar zijn handen, zijn nagels, zijn hart en zijn onvermijdelijke, aangeboren furie.

Hij kon voelen dat de bijna volle maan verborgen achter de wolken en de regen, offers eiste. De maan. Tegelijkertijd zijn moeder, zijn geliefde, zijn godin en zijn meesteres. Er was niets zo ondoorgrondelijk en weergaloos als de maan. De maan, heerseres en slaaf. Wreed en veeleisend, maar ook lief en prettig gezelschap. Zelf een gedicht en onderwerp van gedichten. Zij, het zilverachtige schijnsel aan de donkere hemel.

De maan.

Buliwyf verlangde ernaar zijn geboorte te wreken. Hij zou zelfs brandoffers brengen als hij de kans kreeg.

Hij stond voor het afgelegen huis dat omheind werd door hoge muren en afgeladen was met verdekt opgestelde hightech beveiligingsapparatuur, zoals camera's met een gesloten circuit, sensors en fotocellen. Frutsels om de dood buiten de deur te houden. Hij was de dood.

Er bestonden geen plekken die niet overmeesterd konden worden, net zomin als er gevangenissen bestonden met tralies die niet doorgebogen konden worden, maar hier werd het hem wel erg makkelijk gemaakt. Er stonden heesters in de tuin die door onbedachtzame tuiniers zo groot waren geworden dat ze de lasers blokkeerden. Het wisselen van de seizoenen – warm, koud, vochtig, droog – maakte sommige alarmen roestig en minder werkzaam. En verder waren er de dikke honden die geen vlieg kwaad deden en die hij snel en eenvoudig uit de weg kon ruimen. Een rukje, een gedempt geluid. Geen heisa. Hij was binnen en gniffelde.

Die avond zou hij zijn portie dood en verderf wel krijgen.

Hij had met Pilgrind gesproken over de Verzamelaars en namen gekregen. Namen die de Lykantroop bekend in de oren klonken. Pilgrind had ze bij twee helers los gekregen op zijn terugkeer naar Parijs. De Baardman was niet specifiek geweest over wat de Verzamelaars gedaan hadden, maar dat vond Buliwyf niet erg. Hij had het adres en de overige benodigde informatie. Meer hoefde hij niet te weten. Verzamelaars kochten Lykantropenhuiden en Buliwyf was een Lykantroop.

De Verzamelaars moesten dood.

Alles wat Buliwyf moest weten over het fort had hij opgeslagen in zijn geheugen. Iedere hoek, iedere spleet, iedere oneffenheid op het terrein. Pilgrind was royaal geweest met de details. Buliwyf kon zijn aanwezigheid bijna voelen en dat was niet onprettig. Het was alsof hij naast hem liep en een graantje mee wilde pikken van het spektakel.

Buliwyf zou hem niet teleurstellen.

Hij verstopte zich achter het enorme beeld van Amor en Psyche. Zijn bloed begon sneller te stromen en er kwam, zoals bij iedere jachtpartij, een kalmte over hem heen, waardoor hij zich kon focussen. Hij leefde en doodde, in totale concentratie, volgens de basisprincipes die van generatie op generatie over werden gedragen. Nooit met je rug naar een raam gaan staan. Nooit tegen het licht in reizen. Altijd langs de horizon lopen. Liever 's nachts reizen. Proberen te versmelten met de duisternis. Altijd verzekerd zijn van minimaal één vluchtroute. Nooit langer dan één nacht op dezelfde plaats blijven. Nooit met de wind mee lopen. Op niets of niemand vertrouwen. Altijd luisteren naar wat je instinct je ingeeft, want je instinct liegt nooit.

Hij was muisstil en verroerde zich niet. Hij liet zich meevoeren met de stemmen van de wind en snoof de geur van verwaande kwasten op. Vervolgens rook hij de bewaker, die in zijn warme hok naast de ingang van het gebouw zat te zweten, zijn geoliede pistool en het kruit op zijn handen. Hij grijnsde breeduit. Hij kon de slachtpartij die hij zou aanrichten bijna proeven. Het was tijd om in actie te komen.

Terwijl hij zo laag mogelijk bleef, kroop hij achter het marmeren beeld van de twee geliefden vandaan naar een begroeide eik.

Stilte.

Buliwyf zat wakend op zijn knieën achter de boomstronk en wachtte. Totdat er iets rechts van hem bewoog. Een tweede schim in de nacht. Een zwarte vlek, de echte bewaker van het pand. Pilgrind had hem al gewaarschuwd.

Verzamelaars leefden voor angst. Angst hield hen in leven. Ze speelden met vuur, raakten de vlammen aan, zich bewust van de risico's. Ze waren of te stom, of te gierig om te stoppen met sparen. Ze gaven bakken met geld uit aan huiden, hoofden of zelfs een paar oren en aan de Caniden die de Lykantropen moesten vangen. De Verzamelaars gingen steeds onverschrokkener te werk. Ze kenden geen genade.

De Canide sprong op Buliwyf af.

Caniden waren over het algemeen bijzonder gevaarlijk. Dit exemplaar was bliksemsnel en raakte Buliwyf op een haar na. Hij benutte alle blinde hoeken en windvlagen om de Lykantroop te laten zien wat hij in zijn mars had en dat hij alles moeiteloos onder controle had. Caniden hadden hun jagersinstinct verloren en dreven hun prooi op alsof het een spelletje was. Buliwyf wist dat het geen echt spel was en stond op het punt de Canide te demonstreren wie van hen tweeën de ware jager was.

Hij gromde, sprong opzij en beet in het luchtledige.

De nagels van de Canide krasten in de huid van Buliwyf en lieten enorme japen achter. Buliwyf viel. De Canide gromde extatisch vanwege zijn kleine overwinning. Buliwyf stond razendsnel op. Een fractie van een seconde nam hij zijn tegenstander op en schatte zijn kracht en incasseringsvermogen in. Het was een mooi exemplaar. De Verzamelaars hadden niet op een euro meer of minder gekeken. Hij was stevig, gespierd, maar niet opgeblazen door anabole steroïden. Hij was sterk.

Maar het bleef een Canide. Aan zijn lange wolvenkop, zijn grote, scherpe tanden en het kwijl dat langs zijn bek sijpelde, was te zien hoe bloeddorstig hij was. Zijn gele ogen bevestigden dat er geen sprankje menselijkheid meer in hem zat. Buliwyf had veel van dit soort gevallen gezien.

Hij wist dat hij in zijn hart medelijden zou moeten hebben met het ongelukkige dier en dat hij, omdat hij dit gevoel van mededogen niet had, uiteindelijk zou moeten boeten. Vroeg of laat zou hij de wonderschone gelaatstrekken van Rochelle bewonderen en zich schamen voor de toorn die in hem woedde. Op dit moment kon hij echter geen weerstand bieden aan zijn boosheid. De haat jegens de Canide stroomde door zijn aderen, zat in zijn bloed. Hij haatte Caniden omdat het slaven waren.

'Laat maar eens zien wat je in huis hebt,' zei Buliwyf uitdagend.

De Canide maakte een enorme sprong voorwaarts. Hij bewoog soepel en kreeg bijna de kans om zijn tanden in de keel van Buliwyf te zetten. De Lykantroop maakte grijnzend een schijnbeweging en sprong toen moeiteloos tien meter bij hem vandaan.

De Canide keek verbijsterd om zich heen.

Buliwyf riep hem. 'Ik ben hier, stom beest dat je bent.'

De Canide draaide zich om, sloop dichterbij en kwijlde de Lykantroop onder. Buliwyf gaf hem een zachte, uitdagende tik op zijn snuit. Hij haatte Caniden. Hij verachtte ze. Voordat hij deze Canide afmaakte, wilde hij nog even met hem dollen. Het beest jankte verward en barstte daarna uit in huiveringwekkend geblaf. Hij haalde opnieuw uit naar Buliwyf, maar deze ontweek hem eenvoudig door weg te springen.

'Kom op!'

Maar de Canide was alert en was ingesteld op zo'n beweging. Grommend draaide hij zijn bovenlichaam en stak zijn nagels uit. Uiteindelijk kreeg hij de enkel van Buliwyf te pakken en smakte hem tegen de grond. Buliwyf werd getroffen door hevige pijnscheuten en zag zwarte vlekken, want de Canide had nog steeds zijn nagels in zijn huid geworteld. Hij brieste, trapte om zich heen en raakte de snuit van de Canide. Deze liet zijn enkel los, maar jankte niet. Hij werd nog bloeddorstiger bij het zien van Buliwyfs bloed en haalde uit met zijn rechterpoot. Bij zijn eerste aanval raakte hij de flank van Buliwyf, bij de tweede viel de Lykantroop weer tegen de grond en snakte naar adem; verbluft door het enorme enthousiasme waarmee de Canide in de aanval was gegaan, was hij vergeten zijn eigen borst te beschermen.

Buliwyf raakte hem hard met beide benen en stootte de Canide ver weg. De Lykantroop grijnsde breeduit en stond hijgend op.

'Heb je er nu al genoeg van, mietje?'

Terwijl de Canide zich klaarmaakte voor een volgende aanval, herinnerde de Lykantroop zich alle keren dat hij op zoek was geweest naar Caniden en hoeveel hij er gedood had in zijn leven. Geen enkele Canide gaf zich ooit over. Ze gingen altijd door tot de laatste snik.

Dat was natuurlijk stom en zinloos.

Slaven waren het.

De furie die hij tot nu toe redelijk in bedwang had weten te houden.

De furie waartoe hij was veroordeeld, die in zijn bloed zat.

De furie die hoorde bij de wolf die hij in zich had.

De furie barstte los.

Buliwyf gaf zich over aan de furie.

Buliwyf slaakte een oerkreet en huilde. Hij smeekte zijn voorvaderen en bezong de maan die, hoewel verborgen achter de wolken, zijn bloed sneller deed stromen. Zijn gehuil verlamde zijn belager. De mond van de Canide hing open en zijn ogen waren dof. Hij zag eruit alsof hij diep in gedachten verzonken was. Of zich misschien iets herinnerde van zijn eigen voorouders, zijn bloed, zijn wortels, zijn leven?

Buliwyf sloeg toe. Hij raakte de Canide één, twee, drie keer bliksemsnel achter elkaar en zorgde ervoor dat zijn tegenstander niet in staat was zich te verdedigen. Vervolgens stak de Lykantroop zijn nagels in het vlees van de Canide. Hij scheurde het tot bloedens toe open en wilde het hart van de Canide eruit rukken en aan zijn meesteres tonen terwijl het voor de laatste keer klopte. Hij was ervan overtuigd dat de maan zijn gebaar zou waarderen. Het bloed spoot uit de Canide, die zich niet verzette en weerloos bleef staan. Buliwyf kon het bloed dat uit zijn neusgaten spoot ruiken en de zoete smaak – o, wat was het zoet! – proeven. Hij zag de dampen van de wonden van de Canide af komen. Hoewel de Canide jankte, sloeg Buliwyf nogmaals grinnikend toe. Het beest zakte ineen en staarde een fractie van een seconde recht in de ogen van Buliwyf. Hij begreep alles.

Hij schraapte zijn keel en smeekte: 'Maak er een eind aan.'

Het was voor het eerst dat Buliwyf een Canide hoorde spreken. Hij dacht altijd dat de Caniden tijdens hun africhting werd afgeleerd te praten. Dat ze konden praten, betekende ook dat ze konden nadenken en konden begrijpen. Spreken was niet iets voor slaven en toch had deze Canide, die roerloos met zijn poten naast zich lag, stinkend van angst, gesproken. Hij had hem gesmeekt er een eind aan te maken.

Buliwyf lachte niet meer. Zijn woede ebde weg en hij trok zijn zilveren dolk.

'Zoals je wilt,' zei hij, voordat hij zijn halsslagader doorsneed.

Hij hield het hoofd van de Canide in zijn handen en wachtte tot hij was gestorven. Vervolgens stond hij op. Hij hoorde opgewonden stemmen. In de verte bespeurde hij het licht van een fakkel.

Hij ontdeed zich van zijn menselijkheid. De zon kwam voorlopig nog niet op.

21

Caius legde zijn hand op de massieve, houten deur en voelde dat hij trilde. Hij durfde het bordje waarop stond dat de Directeur daar zitting hield, niet aan te raken.

Iedere plek heeft een verleden en het verleden is de gevaarlijkste plek die er bestaat. In het verleden schuilt het gevaar voor de onervaren reiziger en de naïeveling. In zekere zin behoorde Caius tot beide categorieën.

Een kompas is nodig om het verleden te kunnen doorgronden. Het geeft altijd aan waar het noorden is en voorkomt verdwalen. Caius bezat zo'n kompas. Het was de teruggekeerde munt, die eerst veranderd was in een kompas en nu in een zilveren sleutel. Caius stopte hem in het slot van de kamerdeur van de Directeur. Hij paste precies. Hij draaide hem om, duwde de deur open en liep naar binnen.

De Directeur nam hem aandachtig op vanachter zijn reusachtige bureau waarop kaarsrecht enkele pennen en papieren lagen. Een smal, zwart kruis was het enige wat aan de muur hing van het kantoor, dat muf rook en veel weg had van een monnikencel.

Het gezicht van de Directeur veranderde iedere keer als Caius met zijn ogen knipperde. Het ene moment was het dik, dan weer ingevallen. Eerst had hij een gekrulde snor, daarna een baard. Eerst had hij zwart haar, daarna was hij kaal. Het ene moment had hij een strikje om, dan weer een stropdas.

'Kom dichterbij, mijn jongen.'

De Directeur sprak met de stemmen van iedereen die, sinds het schoolgebouw er stond, aan zijn bureau had gezeten. Eerst was zijn stem mannelijk, dan weer vrouwelijk. Caius aarzelde. Iets waarschuwde hem dat hij dat gemaakte gezicht en die vrolijke, steeds veranderende stem niet kon vertrouwen.

'Wees niet bang,' zei de Directeur, die Caius zijn hand met lange, rechte vingers toestak. Caius zette een stap naar voren. Achter hem kraakte de deur. Op het bureau stond een bordje met de naam: RANDOLPH CARTER, maar Caius las: HERR SPIEGELMANN.

'Doe de deur dicht, Caius, en kom hier.'

Caius vertrok geen spier.

Herr Spiegelmann klapte in zijn handen. 'We moeten praten, jongen. Ik moet je de waarheid vertellen.'

'De waarheid?' vroeg Caius, die helder probeerde na te denken. De naam op het bordje betekende dood en verderf, wist hij, maar toch kon hij niets anders doen dan voor dat enorme bureau blijven staan. Zijn mond hing half-open, zijn ogen waren wijd opengesperd, terwijl de honingzoete woorden van de Verkoper langzaam bij hem binnendrongen. Caius kon er geen weerstand tegen bieden.

'Alleen de waarheid, Caius.'

Niets was zo uitnodigend als de waarheid. De Verkoper wist zeker dat Caius daarvoor zou zwichten.

Maar het pand waarin ze zich bevonden, was vroeger een weeshuis geweest en had veel weg van een gevangenis. En iedere gevangenis creëert rebellen.

Rebellen werden gekastijd, berispt en gestraft op honderd uiteenlopende manieren, maar met elke straf, elke klap en elke snauw groeide hun drang zich te verzetten. Zo ook bij de inwoners van het Instituut voor Jonge Moeders. De muren van het instituut waren doordrenkt met tranen, wanhoop, vernedering en rebellie.

Plotseling werd Caius' hoofd gevuld met rebelse stemmen. 'Nee!' 'Ik verstop me in de...' 'Heb je het raam gezien waar...' 'Ik zal het nog eens doen, maar eerst...' 'En toen ze zich omdraaide, gaf ik...' 'Dat is niet waar!' 'Waarom zou ik?' 'Ik deed haar rok omhoog en toen...' 'Weggerend.' 'Ga weg!'

Onzichtbare kinderhanden grepen Caius bij zijn armen en trokken hem de deur door, de gang op. Hij werd omsingeld door een horde gillende kinderen met vreemde kleding aan. Er waren er die gekleed waren volgens de victoriaanse mode, een uniform aan hadden, kousen droegen en een sjaal om de nek hadden. Anderen droegen smerige, versleten kleren met een loszittende stropdas en kousen met gaten. De kinderen lachten, sprongen wild in het rond en vernielden de lampen die ze onderweg tegenkwamen. Het leek wel een drukke modeshow. Caius werd meegesleept.

'Nee!' brulde Herr Spiegelmann.

De kinderen trokken Caius mee en schreeuwden in honderd verschillende talen dat hij op moest schieten. Hij moest zo snel mogelijk het gebouw verlaten anders zouden – de kinderen riepen vele mannen- en vrouwennamen – hem vinden en straffen.

Ze lachten.

'Hier krijgen jullie spijt van, rotkinderen!' tierde de Verkoper.

Maar een straf was voor deze kinderen met hun vieze, uitgemergelde gezichten eerder een overwinning dan een kastijding, want met iedere blauwe plek en ieder drupje bloed konden ze zeggen: 'Ik besta, ik besta, ik ben er nog, ondanks alles.'

De dreigementen van Herr Spiegelmann vergrootten de euforie van de kindermenigte nog meer.

'Snel...'

Caius tuimelde bijna van de trap, maar was niet bang. Hij voelde zich vrij en sterker dan ooit door de vrolijke kinderen die hem omringden. Sterker dan de zilveren munt die eerst veranderd was in een kompas en later in een sleutel. Sterker dan Herr Spiegelmann en wie dan ook op de wereld. Caius proefde het verloren gevoel onsterfelijk te zijn. Het machtige gevoel dat alleen jonge kinderen kennen en mensen vergeten naarmate ze ouder worden.

Op dat moment hoorde Caius een stem, die van meneer Kernal bleek te zijn.

'Mooi, mooi, mooi.' De Klootzak doemde op uit de schaduw. Zijn hoofd gebogen, een sigaret tussen zijn lippen en zijn stok onverschillig in zijn hand. 'Caius Strauss. Ik wist wel dat je terug zou komen.'

Hij hief zijn stok en maaide een aantal schimmen weg.

De Klootzak liep naar Caius toe. 'Nu zul je gestraft worden.'

'Nee,' mompelde Caius.

De kinderen spoorden hem aan zijn stem te verheffen. Hun kracht was zijn kracht, hun moed zijn moed.

'Nee,' zei Caius lachend.

De Klootzak woog gniffelend zijn stok op zijn hand.

'Nee!' schreeuwde Caius met alle kracht die hij in zich had.

De Klootzak lachte. 'Wat zei je?'

'Hij zei nee!' kwetterde een stemmetje. 'Hij zei nee!' gilde een andere stem. 'Hij zei nee, kloothommel,' brulde een jongensstem. 'Kloothommel, kloothommel!' zong iemand. 'Hij wil dat je opvliegt, hufter.'

'Brutale apen,' mopperde de Klootzak.

Hij zette een paar stappen in de richting van Caius. De stemmen werden nog agressiever en harder. 'Hij zei nee.' 'Ben je soms doof ofzo, klootzak?' 'Ben je misschien oud en doof?' 'Oud en doof, oud en doof, oud en...' 'Wij zijn dood, imbeciel. Dacht je dat je ons kwaad kunt doen, met die stok?' vroeg een schril stemmetje. 'Dit is de laatste waarschuwing. Opkrassen!'

De Klootzak schuimbekte van kwaadheid. Hij rolde als een bezetene met zijn ogen en boog voorover.

'Hier...'

Hij werd overstemd door het gelach en gegil van de kinderen die zich op hem wierpen. Melktandjes, gebroken kiezen, slanke vingers met afgekloven nagels, rechte lippen met barstjes en monden met hartvormige lippen scheurden hem de kleren, de huid en het vlees van zijn lijf. De Klootzak schreeuwde het uit, terwijl handen zijn haren uit zijn hoofd, kin en neus trokken. Onzichtbare vingers haalden zijn huid open en krabden zijn ogen uit. De kinderen vormden eerst een stofwolk en vervolgens een zandstorm, die Caius dwong zijn ogen te sluiten. Ze zongen en lachten zoals ze nooit eerder gedaan hadden, terwijl ze de Klootzak aan stukken reten. Toen de stofwolk geslonken was, zag Caius dat er nog maar weinig van de conciërge over was.

'Oeps,' lachte een meisjesstem.

Een andere stem liet een boer. Gelach.

Caius' gezicht zat onder het bloed.

'Hij komt eraan.' 'Je moet weg.' 'Ga snel!' 'Ga weg en kom...' 'Vlucht, hij is hier.' 'Hij komt eraan.' 'Maak rechtsomkeert.' 'De Directeur! De Directeur!' 'Je kunt hier niet blijven, je moet...' 'Ben je doof?' 'Schiet op, schiet op, schiet op, schiet op!' 'Hup!' 'Als je hier blijft...' 'Hij komt. Hoor je ons niet?' 'Hij is onderweg.' 'Hij is woedend, heel erg...' 'Hij is heel gevaarlijk. Gevaarlijk, hoor je?' 'Je moet hier weg.'

Caius schoot weg. Het lukte hem bijna te ontsnappen.

Hij was vlak bij de deur van de hoofdingang toen hij uitgleed. Hij stond op, twee meter verwijderd van zijn redding, draaide zich om en zag de Directeur.

Herr Spiegelmann lachte. 'Wil je niet naar het strand? Ik weet zeker dat je het leuk zult vinden.' De Verkoper hield niet op met lachen. 'Wil je niet naar het strand?'

'Ik ben niet bang voor jou,' antwoordde Caius. Dit was niet waar. Hij stond te trillen op zijn benen. De kinderen waren verdwenen en zo helemaal alleen was hij banger dan ooit.

'Ik wil ook niet dat je bang voor me bent, kleine man. Ik ben je vriend.'

'Jij bent mijn vriend niet.'

'Daar heb je gelijk in,' zei Herr Spiegelmann. 'Ik ben niet je vriend, maar meer een soort dienaar.'

Caius deinsde achteruit, maar niet te ver, want grommende Caghoulards versperden de deuropening.

'Stuur ze weg.'

'Dat zou onbeleefd zijn.'

Caius ademde diep in, in de hoop wat rustiger te worden.

'Wat wil je van me?'

'Met je praten,' antwoordde de Verkoper.

Zijn eerlijkheid was ontwapenend.

'Je hebt mijn ouders vermoord,' zei de jongen beschuldigend.

'Je adoptieouders,' corrigeerde Herr Spiegelmann. 'Je oppassers, je beschermers.'

'Ze hielden van me.'

'Zou je denken? Ik weet het niet hoor. Ik denk eerder dat ze bang waren.'

'Je liegt. Ik heb... ik heb met mama gesproken.'

Het gesprek had te kort geleden plaatsgevonden om er al makkelijker over te kunnen praten.

Ook Herr Spiegelmann leek aangedaan. 'Dat moet pijnlijk geweest zijn...'

'Het was bijzonder...'

'Om zo bedrogen te worden, bedoel ik,' onderbrak de Verkoper hem.

Caius verstijfde.

'Ik moet toegeven dat Pilgrind een harde noot is om te kraken. Heel handig. Een zeer getalenteerde Wisselaar. Bijna net zo getalenteerd als ikzelf,' grinnikte Herr Spiegelmann, zonder dat zijn zilveren ogen enige vorm van emotie toonden. 'Zijn ware gave is echter een andere. Wist je dat? De Baardman is een geboren acteur. Zelfs op dit moment', hij ademde in door zijn neus. 'Ik kan het voelen. Hij staat in de Obsessie een show op te voeren, zoals gewoonlijk. Hij is bij de *gran finale*, het gedeelte dat hij het leukst vindt om te vertellen. En hij is een geboren acteur.'

'Hou op.'

Maar Herr Spiegelmann ging door op mierzoete toon.

'Vraag maar wat zijn beste truc is. Vraag het maar. Hij is onderweg hierheen. Ik hoor zijn zware voetstappen al. De boekverkoper heeft hem de goede kant op gestuurd. Even geduld nog. Of wil je misschien toch met mij naar het strand?'

Caius balde zijn vuisten en maakte zich klaar om Herr Spiegelmann aan te vliegen. Ook al zou het een oneerlijke strijd zijn en zou hij mee moeten naar het strand – wat dat ook mocht betekenen – hij zou die gladjakker hem niet aan laten raken zonder zich te verzetten.

'Ik ga nergens heen.'

'Ik merk dat je nog steeds gelooft in wat Emma je heeft verteld. Of eigenlijk, in wat Pilgrind haar heeft laten zeggen,' pestte de Verkoper.

'Wat?' piepte Caius. 'Wat?'

'Dit wil ik je al een hele tijd vertellen, jongen,' zei Herr Spiegelmann, zogenaamd van streek. 'Ik had het je net in mijn kantoor verteld, als die onbeschofte kinderen ons niet hadden onderbroken.'

'Ik wil het niet horen.' Caius draaide zich om.

De Caghoulards knarsetandden. Een van hen liet zijn scherpe nagels zien. De jongen was omsingeld.

'Je zult wel moeten luisteren. Het is voor je eigen bestwil. Pilgrind is een groot verteller, een uitstekende Wisselaar en een geboren acteur. Maar bovenal', de ogen van Herr Spiegelmann twinkelden vervaarlijk, 'een zeer bekwaam buikspreker.'

Caius was geschokt. 'Wat wil je nou zeggen, schoft?'

'O, ik denk dat jij zelf zeer goed weet wat ik wil zeggen. Onze vriend heeft veel verschillende namen en dat is meer dan logisch voor iemand die zich op de grens bevindt van droom en werkelijkheid, schaduw en licht, binnen en buiten. Iemand met veel namen heeft veel macht. Zo werkt het. Pilgrind is slechts een van zijn namen. Verder wordt hij Baardman, Lachende Zwerver, Donkerbaard, de Geslepene, Reiziger, Landloper, Alomaanwezige en Ratteneter genoemd. Maar weet je welke naam ik het leukst vind?' Een pauze. Herr Spiegelmann lachte.

Caius schudde zijn hoofd.

De Verkoper lachte breeduit. 'De Buikspreker van de Doden.'

Ongelovig greep Caius naar zijn haar.

'Pilgrind heeft je voorgelogen,' zei Herr Spiegelmann. 'Net zoals je ouders. Denk maar eens na. Denk maar aan je moeder, aan Emma. Toen je met haar sprak, reageerde ze hatelijk, nietwaar? Ze zat vol haat.'

Caius dacht aan het moment waarop zijn moeder hem wilde wurgen. Aan haar afkeurende woorden. Hij probeerde ook te denken aan haar liefdevolle en troostende woorden en aan haar laatste goede raad, maar het lukte hem niet. Had ze die woorden ook niet wat mechanisch uitgesproken? Bijna op een onnatuurlijke manier? Nu hij erover nadacht, waren die lieve woorden niet in strijd geweest met de overheersende woede? Met haar woede, die huiveringwekkend, maar oprecht was?

'En weet je waarom ze haatdragend was? En zo bang?' De ogen van Spiegelmann blonken als sterren. 'Omdat ze wist wie jij bent, Caius. Ze was bang voor je.'

'Hoezo? Wie ben ik dan?' vroeg Caius.

'Jij bent het Wonderkind.'

Wonderkind. Dat woord kwam hem bekend voor. Het voerde hem ver weg, naar een steeg, een geïmproviseerd vuur en naderend onweer. Een plek die vaak voorkwam in zijn nachtmerries. Nachtmerries waarin, door iemand met een afschrikwekkende, zware stem, steeds dezelfde vraag werd gesteld.

'Is het waar dat jij het Wonderkind bent?'

22

D e nacht was nog lang. De kou had handen en voeten gevoelloos gemaakt en de alcohol deed de rest. Wat was er aangenamer dan elkaar verhalen te vertellen tot de zon opkwam?

De Obsessie was zo goed als leeg. Er waren nog maar zeven mannen. Suez stond zoals altijd achter de bar en maakte zich zorgen. Het was nog nooit voorgekomen dat zijn café ging sluiten terwijl de biertap nog vol zat: dat stond hij simpelweg niet toe. De barman trommelde zachtjes met zijn vuile nagels op het kale hout, terwijl hij terugdacht aan wat hij eerder die avond met de Lykantroop besproken had.

Verder was er de Verminkte, die zo genoemd werd omdat hij drie vingers van zijn linkerhand kwijt was. Hij leunde tegen de muur naast de ingang, keek star voor zich uit en had zijn bier, dat voor hem stond, warm laten worden.

Dan was er nog Arthur, die een baard had die zo lang was dat hij over zijn buik viel; hij droeg een bloemetjesvest en had enorme poriën door langdurig gebruik van schmink. Hij was een ex-vaudeville-acteur, die Arthur werd genoemd vanwege zijn fameuze interpretatie van *De ridders van de ronde tafel*.

Ook zaten de twee onafscheidelijke vrienden Philip en Champagne er nog. Philip met zijn rode konen en Champagne met zijn lijkbleke huid; de eerste oud, de tweede stokoud. Wat de een zei, dacht de ander en omgekeerd. Ze zaten met starre blik tot zonsopgang te kaarten, hun glas whisky balancerend op de knie.

Verder zat Fernando, de boekverkoper, er nog, op zoek naar antwoorden. En tot slot was ook de Baardman aanwezig.

Fernando wilde met de Baardman praten, maar wist niet hoe hij hem moest benaderen. Niemand had Pilgrind binnen zien komen, behalve Fernando, want wie de Baardman zoekt, vindt hem. Niemand merkte hem op, zelfs Suez niet, wie normaal niets ontging.

Niemand wist beter dan dat de tafel waaraan Pilgrind zat leeg was. Hij zat daar, Joost mag weten hoe lang, onzichtbaar en onbeweeglijk onder een balk behangen met spinnenwebben.

Meestal gebeurden er opvallende dingen als hij in de buurt was, maar deze avond niet. Twaalf ogen waren op dat moment te weinig om op te merken dat er iets was veranderd sinds de Baardman binnen was.

Het zestal bestond niet uit dronkaards, idealisten en dromers, zoals het gemiddelde publiek van de Obsessie, maar uit goedgeklede, scherpzinnige mannen. Suez was hier een goed voorbeeld van. Hij was oplettend en slim en had niemand, behalve Buliwyf, verteld over de diefstallen. Een ander voorbeeld was de Verminkte, de eerlijkheid zelve. Zijn handicap was het gevolg van zijn oprechtheid. Hij was niet bijster intelligent, had zijn leven lang gewerkt als buschauffeur en was dol op rugby, maar had zijn plek in de Obsessie verdiend (nooit zag iemand hem weglopen of zijn glas leegdrinken) door een heldhaftige actie in Dent de Nuit te verrichten, waar nog altijd over gesproken werd.

Langzaamaan doofden de lichten, alsof iemand kaarsen aan het uitblazen was. Dit was echter niet het geval, want Suez gebruikte nooit kaarsen om zijn café te verlichten vanwege brandgevaar. Maar de lichten doofden weldegelijk. Eén voor één knipperden ze en gingen ze uit. De Verminkte mompelde iets, Suez begon te schelden en Fernando sprong op. Suez vervloekte zijn elektricien en stond klaar om een keukentrap te pakken en de lampen te vervangen toen Champagne en Philip naar een tafel achter in de zaak wezen, waar nog een lichtje boven brandde dat een gigantische, sterke man in de schijnwerpers zette: de Baardman met zijn schele oog en uitdagende grijns.

'Pilgrind,' fluisterde de Verminkte, die hem herkende.

'Heren!' riep de Baardman. In een flits stond hij op de houten tafel, soepel als een slang. Hij sprak op een vrolijke toon om zijn publiek op te zwepen: 'Heren, mag ik even uw aandacht? De nacht is nog lang. Handen en voeten zijn gevoelloos door de kou en de alcohol doet de rest. Wat is er leuker dan elkaar verhalen te vertellen tot de zon opkomt?'

Niemand durfde een vin te verroeren. Het was nog maar kort geleden dat twee helers spoorloos waren verdwenen en daar deden zulke duistere verhalen de ronde over dat er wel twee keer werd nagedacht alvorens te spreken of te handelen in de buurt van de Baardman. Er was geen inwoner van Dent de Nuit die de legendes over Pilgrind niet kende. De ene legende was nog huiveringwekkender en grotesker dan de andere, en dat maakte iedereen waakzaam.

'Het verhaal dat ik nu ga vertellen, speelde zich redelijk ver hiervandaan af. Het is bloederig, net als de nacht waarin het gebeurde, triest en toch vrolijk. Als een riedel over wapens die maar in je hoofd blijft zitten.'

De Obsessie vulde zich met geschater.

Het licht verschoof. Het was niet duidelijk wat de bron ervan was, maar dat interesseerde de Wisselaars niet. Ze luisterden aandachtig.

'Hier komt het verhaal over de Wraak.'

Pilgrind had grote, sterke, eeltige handen. Handen waarmee hij met het grootste gemak een nek kon breken. Hij kon ze in elkaar over laten vloeien, verlengen en vervormen. Zijn vingers waren soepel als een ballerina, tekenden kleurenpaletten die niet bestonden en namen de gespannen toehoorders mee in het verhaal. Het verhaal dat overgeleverd zou worden als 'Het verhaal van de wolf en zijn wraaklust'.

Pilgrind gebruikte zijn vingers om het licht op de muur te bespelen. Hij zorgde zelfs voor achtergrondmuziek om zijn verhaal kracht bij te zetten. Simpel ritmisch getik aan het begin, dat de zes luisteraars die niets door hadden, met hun handen en voeten maakten. En de violen, cello's en contrabassen? Die partijen werden gezongen door dezelfde luisteraars.

De hoofdpersoon, de wolf, maakte een buiging.

De wolf richtte zich op, op twee poten. Hij had een bek zo groot als een spelonk en zo diep als een ravijn. Hij huilde vervaarlijk. De ongelukkige hond tegenover hem had daarentegen hangende oren en zag er droevig uit. Kon een schaduw op een muur de smart van deze hond weergeven?

Ja, dat kon.

De hond huilde mee met de wolf, hoewel het gehuil van de wolf alles overstemde. De hond zakte in elkaar, kromp ineen en stierf. Het was hartverscheurend.

De Verminkte plengde een traan.

Op dat moment verscheen er een man met een geweer. De wolf aarzelde geen seconde en scheurde de man in duizend stukken. Met enorm gekraak rukte de wolf de vingers van zijn handen. Dit maakte zo'n afschuwelijk geluid dat zelfs Champagne, die nog in Algerije gediend had, kippenvel kreeg. Na het verslaan van de man volgde een tocht door een doolhof met dode hoeken en onvoorspelbare bochten.

De wolf rende, snoof de lucht op en wist waar hij heen moest omdat hij de hartslag van zijn volgende twee slachtoffers en hun honden kon horen. Hun hart ging wild tekeer. De wolf stormde regelrecht op hen af. Zijn tong hing uit zijn bek en zijn ogen schitterden vervaarlijk. Zouden ze zichzelf proberen te verdedigen? Natuurlijk.

De vingers van Pilgrind beeldden de ruimte uit en creëerden perfecte vormen. Ze deden een beroep op de fantasie van de luisterende Wisselaars.

Pilgrinds vingers tekenden de angst van de mannen, vervormden deze tot een spiraal, een misselijkmakende krul, lieten zien hoe de twee mannen zich probeerden te verweren tegen de gigantische wolf, hoe het zweet van hun lichamen gutste en het bloed uit hun wonden spoot. Ze hadden alleen nog oppervlakkige verwondingen, omdat de wolf met hen aan het dollen was. Hij speelde met hen en genoot van hun angst.

De wolf doodde de eerste jager en huilde.

Om het beven van de overlevende uit te beelden liet Pilgrind de twee onafscheidelijke vrienden het gehuil van de wolf voor hun rekening nemen en Suez knarsetanden.

Pilgrind schreeuwde. De maan kwam tevoorschijn, lachte en het licht in de Obsessie doofde. Het schouwspel was ten einde. De wolf had wraak genomen.

'Pilgrind, ik wil graag...'

'Wees niet bang, ik weet wie je bent.'

'Echt waar?' vroeg Fernando verbijsterd.

'Je bent de eigenaar van Beestachtige Literatuur, toch?'

'Ja, dat klopt. Ik wil je even spreken over een munt.'

'Een munt?' vroeg Pilgrind, terwijl hij een dot bierschuim uit zijn baard viste.

'Ja, over een zilveren munt. Ik had er eerst negenentwintig en toen...'

'Bezit jij het dertigtal?'

Fernando haalde diep adem. 'Ja. Ik had eerst negenentwintig zilveren munten en toen kreeg ik de dertigste van een jongen. Maar die munt is verdwenen. Ze zeggen dat jij...'

'Van welke jongen heb je die munt gekregen?'

Fernando deinsde achteruit.

'Je hoeft niet bang te zijn, ik doe je niets. Vertel me hoe die jongen eruitzag.'

Fernando beschreef hem.

Pilgrind stond op en snelde het café uit.

23

Caius wankelde en greep naar zijn hoofd.

'Herinner je je iets?' Het lukte Herr Spiegelmann niet te verbergen dat hij ervan genoot die vraag te stellen.

'Nee, ik...'

'Herinner je je iets?'

Caius' slapen bonkten hevig. De steeg veranderde in een vage vorm die volliep met water. De pijnscheuten in zijn hoofd namen toe en verdoofden hem.

'Herinner je je iets?'

Caius vocht tegen het kabaal in zijn hoofd, keek de Verkoper recht in de ogen en zag zijn verlangen. Hij werd misselijk.

'Je hebt me al eerder bedrogen en dat laat ik niet nog eens gebeuren. Jij, jij hebt mijn ouders vermoord.' Zijn stem trilde van woede.

Herr Spiegelmann fronste zijn wenkbrauwen. 'Dat is niet erg. Er zijn andere manieren om...'

De Caghoulards vielen bij bosjes op de grond.

Een klein figuurtje landde precies tussen Caius en de Verkoper in. Het leek op een vogelverschrikker. De jongen probeerde beter naar het figuurtje te kijken, maar dat was moeilijk omdat het meteen weg sprong en steeds in beweging was. Het had een driehoekig hoofd, als van een giftige slang, en als ogen twee rode kippenveren in de vorm van een V. Het kwam Caius bekend voor.

Het was verbazingwekkend: het maakte pirouettes en koprollen in de lucht, het was zo licht als een veertje en zo gracieus als een ballerina. Het maakte de sierlijkste bewegingen en sprong de lucht in, onvermoeibaar, tot de schaduwen van het plafond en weer naar beneden, nog eens en nog eens, steeds op het ritme van iets dat Caius maar niet thuis kon brengen.

Het figuurtje zat onder het Caghoulardbloed.

Herr Spiegelmann applaudisseerde. 'Wat een eer! Wat een eer!'

'Caius!' Van ver weg klonk de stem van de Baardman.

'Wat een eer! Koning IJzerdraad in hoogsteigen persoon. Neem me niet kwalijk, in hoogsteigen figuur. U lijkt wel iets gekrompen na de laatste keer dat ik u gezien heb, excellentie.' Zijn schaterlach galmde na in de gangen van het gebouw.

'Caius!' Pilgrind was aangekomen bij de ingang. Hij gooide de deur wagenwijd open en liet de muren trillen.

'Gaat het goed met je, jongen?'

'Ja.'

Herr Spiegelmann keek naar de Baardman.

'Nu alleen die kale nog en dan is de reünie compleet.'

Caius profiteerde van de situatie en kroop naast Pilgrind.

'Spiegelmann, je hebt geen gevoel voor humor.'

'Dat moet jij nodig zeggen, ouwe,' reageerde de Verkoper.

Koning IJzerdraad maakte een koprol en landde voor de laarzen van de Baardman. Pilgrinds handen glommen. Hij wreef ze over elkaar en stopte ze in de grond. De grond kraakte en er ontstond een barst tot de voeten van Herr Spiegelmann. De Verkoper lachte geïrriteerd toen de barst openspleet tot de muur en deze begon af te brokkelen. Kalkgruis vloog door de lucht.

'Ga weg,' beval Pilgrind.

'Waarom moet ik weggaan, Baardman? Ik heb alleen goede bedoelingen. Ik wil alleen even met het Wonderkind praten.'

Pilgrind knarsetandde.

'Wat is een Wonderkind?' vroeg Caius.

'Dat ben jij, vriend,' antwoordde Herr Spiegelmann voor zijn beurt. 'En ik zal je dienen, als je dat wilt.'

Pilgrind greep Caius en hield hem stevig tegen zich aan. Hij haalde een groot mes tevoorschijn en hield dat voor het gezicht van de Verkoper. 'Wat wil je Spiegelmann?'

'Stop dat ding weg,' beval de Verkoper een beetje geschrokken.

Pilgrind legde het mes tegen de keel van Caius.

'Pilgrind, niet...' Herr Spiegelmann liep richting Pilgrind, met zijn handen voor zich uit.

Het mes raakte Caius' huid. De jongen huiverde.

'Nog één stap en ik vermoord het Wonderkind,' zei Pilgrind ijzig kalm.

'Nee, dat doe je niet,' antwoordde Herr Spiegelmann. 'Hij betekent ook veel voor jou. Je bent oud, Pilgrind. Je hebt al te veel verspeeld. Verlies niet nog meer. Geef het nou maar op.'

'Dit is geen spelletje.'

Een warme en dikke druppel bloed liep van Caius' hals naar zijn shirt. Geschrokken probeerde hij zich los te rukken uit Pilgrinds ijzeren greep. 'Pilgrind, ik smeek je...'

'Zie je, Caius. Ik zei het toch?' piepte de Verkoper, zonder een stap te zetten. 'Wie geloof je nu? Wie is echt je vriend?' Hoewel hij ver bij Caius vandaan stond, bereikten de woorden van de Verkoper hem meteen. 'Wie wil jou vermoorden, hij of ik?'

'Nog één woord en ik snij zijn keel door.'

Herr Spiegelmann en Pilgrind keken elkaar een paar seconden doordringend aan.

Die ene donkere, dikke druppel had al Caius' twijfels weggenomen. Herr Spiegelmann loste sissend op. Eindelijk waren Pilgrind en Caius alleen. De Baardman liet hem los. Caius greep naar zijn keel, zag lijkbleek en hijgde.

'Zou je dat echt gedaan hebben?'

'Ja, meteen.'

Het mes viel op de grond.

'Waarom?'

In plaats van Pilgrind gaf Gus antwoord. Hij stond opeens achter hen. Terwijl hij naar adem snakte zei hij: 'Omdat jij het Wonderkind bent.'

Caius keek van Gus naar de Baardman. 'Wat houdt dat in?'

'Dat weten wij ook niet,' zei Pilgrind. 'Je moet me vertrouwen. We weten alleen dat Spiegelmann geïnteresseerd is in jou.'

Caius beet angstig op zijn knokkels. 'En is dat genoeg om me te vermoorden?'

'Hij zou nog ergere dingen met je hebben gedaan.'

Gus en Pilgrind gaven de jongen wat tijd om na te denken. Uiteindelijk liep Caius naar hen toe en liet de teruggekeerde munt zien. Hij zei tegen de Baardman: 'Deze is van Spiegelmann.'

Pilgrind pakte de munt tussen zijn wijsvinger en duim. Zijn huid siste.

'Het is toch een Manufact?'

Pilgrind knikte. De verbrande huid van zijn vingers stonk vreselijk. Erger nog dan het bloed van de Caghoulards.

'Ja. Heeft hij hem aan jou gegeven?'

'Ja, een tijdje geleden.'

Pilgrind ging door zijn knieën om Caius recht aan te kunnen kijken. Zijn goede oog fonkelde als de vlammen van een toorts. 'Ik had je bijna vermoord, Caius, echt. Maar niet zonder eerst gevochten te hebben. Voordat Spiegelmann jou heeft, moet hij eerst langs Gus, Koning IJzerdraad en mij.'

'En langs Buliwyf,' voegde Gus eraan toe, die de hele situatie met zijn armen over elkaar en een sigaret in zijn mond gadesloeg.

'En langs Buliwyf natuurlijk,' beaamde Pilgrind. 'We hebben geen idee wat een Wonderkind is, behalve dat het zo belangrijk is voor Spiegelmann dat hij bereid is er voor te moorden. Hij heeft meer mensen vermoord dan jij je voor kunt stellen.'

'Ook vrienden van ons,' zei Gus, terwijl hij naar hen toe liep. 'Zo veel vrienden. We moeten hem tegenhouden.'

'Ik wil meer over hem weten.'

'Wij ook,' antwoordde Gus. 'We zijn al jaren op zoek naar antwoorden. We vechten al jaren. En we beschermen jou. Net als Emma en Charles dat gedaan hebben. Snap je? Zij hebben altijd over jou gewaakt.'

'Zonder dat ik het merkte,' mompelde Caius terneergeslagen.

'Begrijp je nu waarom dit zo belangrijk was?'

'Ik begrijp het.'

'Goed zo. Luister nu even aandachtig naar me, Caius. Deze munt is een zeer krachtig Manufact. Hiermee kan Spiegelmann je overal vinden of jou hem laten vinden.' De vraag die hierna volgde was onverwacht en direct.

'Wil je naar hem toe? Wil je dat?'

'Als je dat wilt,' voegde Gus eraan toe, 'laten we je nu gaan, zonder je een strobreed in de weg te leggen.'

Pilgrind legde een hand op zijn hart. 'Dat beloven we.'

Caius bestudeerde de munt aandachtig en bemerkte de striemen die hij achter had gelaten in Pilgrinds huid. Hij keek naar de huid van de Baardman en dacht aan Spiegelmann. Hij liep alles wat hij hem verteld had en de twijfel die hij gezaaid had nog eens na. Spiegelmann was redelijk en weloverwogen geweest. Hij had logisch en wijs geredeneerd en Caius' herinneringen gebruikt om tegenstrijdigheden op te lossen en mysteries te ontrafelen.

Maar toen dacht Caius aan de begerige, koortsachtige uitdrukking die Spiegelmann op zijn maanvormige gezicht had, aan hoe hij er naar snakte hem te helpen herinneren en hem mee te nemen naar het strand. Hij dacht aan de mierzoete manier waarop hij hem altijd benaderde en aan zijn bijbedoelingen. Maar het was de gedachte aan de smerige, dierlijke gulzigheid die op Spiegelmanns gezicht te lezen was die Caius hielp de knoop door te hakken. Hij herhaalde wat hij al eerder beloofd had.

'Ik zal hem vermoorden.'

Pilgrind glimlachte en liet de munt als een ware illusionist verdwijnen.

Caius voelde zich alsof er een enorme last van zijn schouders was gevallen. Hij was ervan overtuigd dat de munt ditmaal niet meer terug zou keren. En deze keer voelde hij zich niet alleen beter, hij voelde zich goed.

24

De Cid liep niet meteen naar zijn varkenskot in rue Guignon, omdat hij behoefte had aan wat tijd voor zichzelf. Hij was echter ook bang om alleen te zijn en besloot daarom naar een overladen café te gaan.

Hij vreesde degenen die hem opwachtten. Hij stelde zich voor hoe ze brabbelden in hun kakofonische taal en met hun lange nagels hun horloge in de gaten hielden, wachtend op zijn terugkeer. Dat was de opdracht van de Verkoper en zo zou het dus geschieden. De Cid zou terugkeren en zij zouden op hem wachten. En daarna? De Cid wilde er niet over nadenken. Nadat hij de marteling van de arme Bellis had aanschouwd, had hij goed begrepen dat nadenken hetzelfde was als de fout ingaan en dus gestraft worden.

Herr Spiegelmann had met zijn honingzoete, vrolijke stem gezegd dat als hij per se ergens aan wilde denken, hij zich maar het gekronkel en lijden van Paulus voor de geest moest halen. Dit was een wrede, pijnlijke suggestie, die effect had gehad in de Verloren Dagen en ook zou werken in rue Guignon.

'Niet nadenken, maar gehoorzamen.' Dit was eeuwenlang het motto van grote imperia, dus waarom zou het niet ook voor hem werken?

De Splendide aanspreken en uitdagen op haar eigen terrein had meer moed vereist dan hij ooit had gedacht te hebben, maar wat Herr Spiegelmann voor hem in petto had, in zijn huis met rommel in rue Guignon, beangstigde hem nog meer. De Cid hield een hand voor zijn gezicht en was bang in huilen uit te barsten.

Paulus.

De verwondingen die de Splendide had toegebracht waren niet zichtbaar, zoals een blauwe plek of een snee, maar daarom niet minder schrijnend. Rochelle had hem de dood van zijn broer doen herleven, met dezelfde intensiteit als de eerste keer. Maar de Cid was vastberaden geweest toen hij haar had aangesproken. Hij had gedaan wat hem was opgedragen, had niet getwijfeld en niet nagedacht.

Nadat hij een tijd door de regen had gewandeld, vond de Cid het kleine en donkere café waar hij behoefte aan had. Hij ging naar binnen en bestelde twee glazen sterkedrank. De kreupele barman keek hem even argwanend aan, maar schonk hem een whisky in en vergat hem weer. De drank bracht hem op nieuwe ideeën, maar nam zijn angst en wanhoop niet weg.

Het leven van de Cid en zijn broer was vaak pijnlijk geweest. Toch herinnerde de Cid zich weinig van de bureaucratie na de dood van zijn moeder en de opname in een koud en stinkend weeshuis.

Het weeshuis waar de broers gezeten hadden, was een smerig gebouw waar 's morgens bij het opstaan iedereen elkaar al in de haren vloog, daarom hadden de Cid en Paulus, zodra ze oud genoeg waren, meteen de benen genomen.

Eenmaal uit het weeshuis had een criminele carrière de meest voor de hand liggende keuze geleken. De Cid had aanleg om mensen op te lichten en had kleine, handige handen waar hij met het grootste gemak sloten mee open kon maken of ramen forceren.

Toen hij Dent de Nuit ontdekt had, met al zijn Manufacten, Wisselaars en bijzonderheden, wist hij dat dit zijn plek was. Hier zou hij een manier vinden om hen een betere toekomst te geven.

In korte tijd had hij een klein helingnetwerk weten op te zetten en vrienden weten te maken met een aantal Wisselaars, van wie hij nieuwe manieren om geld te verdienen leerde. Toen iemand hem in aanraking had gebracht met de Wissel van het Daar had de Cid zich hier enthousiast op gestort. Hij was bereid zijn handen vuil te maken bij zijn zoektocht naar Eldorado.

Maar op een gegeven moment was het tij gekeerd.

Om uit de gevangenis te blijven, had de Cid zich flink in de schulden gestoken en onverstandige keuzes gemaakt. Zo was hij naast het handelen in Manufacten, deze gevaarlijke voorwerpen ook gaan gebruiken, omdat hij had gezien hoe machtig ze waren.

Hoewel hij bloed moest afstaan aan de Manufacten om zijn doel te bereiken, vond hij dat meer dan waard. O, wat vond hij het leuk en wat was het gevaarlijk.

Hij werd bijna gedood door zijn Manufacten, maar werd gered door Paulus. Zijn broer had gezien dat hij begon te beven en steeds vaker last had van stemmingswisselingen. Paulus, van wie iedereen dacht dat het een idioot was, was slim genoeg om te zien dat zijn broer in een bodemloze put was beland en om hem hier ook uit te halen.

Met veel bloed, zweet en tranen was het Paulus gelukt zijn broer te redden. De Cid had gezworen geen Manufacten meer te gebruiken. Nooit meer.

Hij dacht regelmatig aan deze belofte aan Paulus en voelde sterk de behoefte zijn dankbaarheid jegens zijn broer te tonen. Hij zou Eldorado vinden en zorgen dat ze de rest van hun leven door konden brengen met champagne en luxe-auto's.

Nu begreep de Cid hoe bijzonder eenvoudig het voor Herr Spiegelmann was geweest om in te spelen op zijn verlangens. Verlangens waar Paulus voor had moeten boeten. Niet hij, maar Paulus. Hij bestelde een derde glas, dronk het in één teug leeg en bestelde een vierde.

In gedachten verzonken nipte hij van zijn whisky.

Hij had zo veel tijd doorgebracht in de wereld van de Wisselaars dat hij zich een aardig beeld van hen kon vormen. Het waren excentrieke mensen die hun leven lieten domineren door bevliegingen, niet door regels. Hij had gezien hoe ver sommigen zonken om hun dromen te verwezenlijken. Hij dacht de grenzen van de Wissel van het Daar te kennen, maar wist dat nu niet meer zo zeker. Hij voelde zich machteloos tegenover de imponerende Herr Spiegelmann. Hij kon zich niet tegen hem verweren. Niemand kon dat.

Ondanks de dreigementen van de Verkoper kon de Cid niets anders dan alles voor zichzelf op een rijtje zetten en het proberen te doorgronden. Het was duidelijk dat ook de Verkoper ergens door gedreven werd en ambities en verlangens had. Maar de Cid kon niet achterhalen wat deze waren.

De Cid was een oplichter. Het belangrijkste bij oplichting was het inspelen op de verlangens van degene die opgelicht werd. Anticiperen op zijn begeertes of angsten. Dit was een gave van de Cid. In een fractie van een seconde herkende hij een heilige in een gevangene en een moordenaar in de ogen van een zogenaamd onschuldig figuur, maar Herr Spiegelmann kon hij niet doorgronden. Dit kon volgens de Cid maar één ding betekenen: de Verkoper was zelf één grote truc. Met andere woorden: hij was geen mens. In ieder geval niet zoals Paulus en hij.

Opnieuw proefde hij de smaak van angst.

De Cid stond op, liet wat geld achter op tafel, knikte naar de manke barman en verliet het café.

Het was een regenachtige avond. Hij had een afspraak.

De Cid ging met ontbloot bovenlijf op bed liggen en sloot zijn ogen.

Hij hoorde hen sidderen, zag hun vraatzucht en moest kokhalzen.

Hij dacht aan Paulus. Aan hoe hij kronkelde. Was hij nog bij bewustzijn? Voelde hij hoe de wormen zich aan hem vastklampten? Hij hoopte van niet.

Dit was de zoveelste streek van de Verkoper. Hij had het recht niet Paulus te pijnigen.

Het was tijd...

De tranen stonden in zijn ogen en hij ademde diep in.

'Doe wat jullie moeten doen,' zei hij.

25

Rochelle wachtte hen enigszins ongeduldig op. Haar betoverende gezicht stond gespannen en haar voorhoofd was licht gerimpeld van de zorgen. Zodra ze hen binnen hoorde komen, rende ze hen tegemoet.

Buliwyf, die net thuis was gekomen, bleef aan tafel zitten. Hij zag er bedroefd uit en klemde een glas wodka in zijn handen.

'Wat is er aan de hand?' vroeg Gus geschrokken.

'De Placenta,' fluisterde Rochelle met angstige ogen.

'De Placenta?' vroeg Pilgrind, terwijl hij Caius, die voor hem liep, aan de kant duwde.

'Dé Placenta?'

'De Placenta van de Levantijn.'

'Lulkoek,' bromde Gus.

'Vertel ons alles,' spoorde Pilgrind aan.

Ze knikte en in weinig woorden, maar zonder belangrijke zaken achterwege te laten, vertelde ze over haar ontmoeting met de Cid.

Bij het horen van die naam reageerde Gus nog heftiger. Hij sloeg met zijn vuist op tafel en bulderde: 'Het is gelul, zeg ik toch. Dit bewijst het. Die de Cid is een dief, een lapzwans. Hoe zou hij nou iets kunnen weten over de Placenta? En al zou hij er iets van weten, hoe zou hij dat ding kunnen redden? Allemaal onzin.'

Pilgrind draaide zich naar Gus en pakte zijn hand. 'Inderdaad. Hoe zou een nietsnut als hij iets van de Levantijn kunnen weten? Waarom juist opscheppen over de Placenta? Hij had beter iets geloofwaardigers kunnen kiezen om over te praten.'

Hier wist Gus niets op te zeggen.

De Splendide keek hem schuldbewust aan. 'Ik wilde je... beschermen.'

'Het is maar een legende,' wuifde Gus het weg. 'Er is niets van waar.'

'Legendes kunnen een kern van waarheid bevatten, vriend,' zei Pilgrind. 'Net als jouw hand.'

Gus schudde zijn hoofd. Hij trok zijn hand uit die van Pilgrind en stak een sigaret op. 'Gelul.'

'Het is een machtig voorwerp.'

'Lulkoek.'

'Niemand weet wie of wat de Levantijn was,' ging de Baardman onverstoorbaar verder. 'Maar er zijn mensen die zeggen dat de tombe van de Levantijn in Dent de Nuit staat en dat zijn lichaam er al eeuwenlang voor zorgt dat de wijk verborgen blijft en op geen enkele kaart staat aangegeven. Het is een buitengewoon machtig wezen. De Placenta zou de gestolen zweetdoek zijn waar de Levantijn na zijn dood in werd gewikkeld.'

Pilgrind werd onderbroken door Gus, die luidruchtig in de koelkast rommelde op zoek naar een biertje. Dit was zijn manier om te laten merken dat hij het met de Baardman oneens was. In zijn ogen was de Levantijn een gesloten zaak. Of eigenlijk een zaak die nooit open geweest was, een legende. Iedereen wist dat de Levantijn niet bestond. En de Cid, met zijn rattengezicht en Paulus, zijn reus van een broer, waren bekende oplichters in de achterbuurten van Dent de Nuit. Pilgrind sprak tegen dovemansoren.

Buliwyf veegde zijn lange haren uit zijn gezicht. 'Oké. Laten we doen alsof alles waar is. Waarom is die Placenta zo interessant? We hebben het hier over een diefstal als alle andere diefstallen.'

'Het gaat ons juist om de diefstallen,' zei Pilgrind.

Rochelle, Gus en Buliwyf keken hem niet begrijpend aan.

Ineens begon Caius te praten. 'Het is een illusie in een illusie in nóg een illusie, toch?' Hij vroeg het meer aan zichzelf dan aan de rest van de groep. 'Zo gaat hij te werk. Een leugen in een leugen in een leugen.'

'Goed zo, jongen,' zei Pilgrind bemoedigend.

Caius zag dat alle aandacht op hem gevestigd was en begon te blozen.

Rochelle glimlachte naar hem.

De jongen ging verder. 'Misschien waren de diefstallen de eerste illusie, de afleidingsmanoeuvre. Dat hebben jullie zelf gezegd, toch? Er werden prullaria gestolen, waardeloze dingen. Dat was een illusie, net als de munt.'

'Welke munt?' vroeg de Lykantroop.

Rochelle hield haar vinger tegen haar mond om Buliwyf tot stilte te manen.

'De munt werd een kompas en later een sleutel,' legde Caius uit. Alsof de Lykantroop nu wel zou moeten begrijpen om welke munt het ging.

De jongen beet op zijn lip. Hij had een nieuw raadsel gevonden, maar dit keer wist hij het op te lossen en stond hij er niet alleen voor.

'Ga verder, jongen,' spoorde Gus aan, die voor de eerste keer duidelijk geïnteresseerd was in wat Caius te melden had.

Dat liet Caius zich geen tweemaal zeggen. 'De diefstallen zijn het kader, de eerste illusie. Het stelen van onbelangrijke voorwerpen om verwarring te zaaien. Een beetje zoals Egyptische magiërs doen, die ondertussen kaarten verschuiven of een dubbele bodem openen. Ze proberen de aandacht van de toeschouwers af te leiden.'

'Precies,' beaamde Pilgrind lachend.

Caius was op dreef. 'Eigenlijk wilde Herr Spiegelmann alleen de Placenta van de Levantijn stelen. Je zei toch dat dat een machtig soort Manufact was?'

'Een soort Manufact, inderdaad.'

'Dus terwijl iedereen probeert te bedenken wat iemand in hemelsnaam met die rotzooi moet, steelt de Verkoper het enige waar hij echt naar verlangt. De Placenta,' concludeerde Caius. 'Ik begrijp alleen niet...'

'Wat de derde illusie is?' maakte Buliwyf de zin af.

'Precies. Wat kan degene die de Placenta van de Levantijn bezit?'

'Ze zeggen dat je met de Placenta de Levantijn zelf kunt wekken,' legde Pilgrind uit. 'Dat je hem dan als slaaf kunt gebruiken en onvoorstelbaar machtig kunt worden.'

'Maar hij is toch dood?' vroeg de Lykantroop.

'Sommige wezens zijn onsterfelijk.'

Het antwoord van de Baardman, maar bovenal de overtuigende toon waarop hij sprak, zette iedereen aan het denken. Uiteindelijk was het Gus die als eerste reageerde. Hij doofde het sigarettenstompje in een uitpuilende asbak en gaf zijn mening.

'We trekken te snel conclusies. Ik stel voor eerst een woordje met deze Cidfiguur te wisselen en daarna te beslissen wat we gaan doen. Weet je nog waar hij woont, Rochelle?'

'Rue Guignon, nummer 15.'

'Ik weet waar dat is. Caius, ga je met me mee?'

Zelfs Pilgrinds mond viel open van verbazing toen hij deze vraag hoorde.

'Is dat niet een beetje...'

'Wees niet bang. We binden hem vast aan zijn bed, dan heeft hij minder praatjes. Nou, wat zeg je ervan. Ga je mee of niet? Ik heb iemand nodig die nog helder kan denken en deze twee zijn doodmoe.'

Ik ben echt niet meer alleen, dacht Caius.

26

'**M**ijn handen...' zei Buliwyf toen ze alleen waren. 'Ik weet het.'

'De wolf...'

'Dat weet ik ook,' antwoordde Rochelle. 'Hij hoort bij jou.'

'Ik moest het doen.'

'Je hebt gedaan wat je juist achtte.'

'Misschien, maar ik heb hem niet meteen gedood.'

Rochelle reageerde niet.

Buliwyf durfde haar niet aan te kijken, omdat hij wist dat ze een trieste uitdrukking op haar gezicht had. Een uitdrukking van pijn, maar ook van liefde. Hij wist niet welke uitdrukking hem meer verdriet deed.

Er brandde een kaars in het souterrain die een waterig licht verspreidde. Het duurde nog lang tot zonsopgang.

'Ik... Hij, hij heeft met hem gespeeld.'

'De wolf?'

'Ja.'

Buliwyf reikte naar haar hand, maar de Splendide trok hem triest terug. 'Sorry. Ik weet niet...' mompelde de Lykantroop terneergeslagen.

'Je hoeft je niet te verontschuldigen, lieverd.'

'Ooit zal ik hem uit me weten te drijven, ik zweer het. Vroeg of laat.'

'Niet zweren,' riep Rochelle geschrokken uit. 'Niet zweren, ik smeek je.'

De vlam van de kaars flakkerde.

'Maar ik...'

'Pas op met wat je verlangt. Ik hou van jou en ook van de wolf die je bij je draagt.'

'Ook van zijn furie?'

'Dat weet je toch?'

De ogen van Buliwyf stonden zo vol tranen dat hij zijn geliefde niet goed kon zien. En misschien was dat maar goed ook, want nu kon hij ook niet van haar gezicht aflezen hoe verdrietig ze was.

'Ik verlang er alleen naar jou te beminnen.'

'Dat wil ik ook graag, Buliwyf,' zei de Splendide. 'Maar je kunt mij niet beminnen zonder eerst te accepteren...'

Buliwyf sloeg met zijn vuist op tafel. 'Wat?'

'... dat de wolf bij jou hoort.'

'Ik heb een Canide gedood,' gromde de Lykantroop. 'Maar eerst heb ik met hem gespeeld. Ik verachtte hem. Ik walgde ervan dat hij slaaf was. Kun je echt van dit afschuwelijke deel van mij houden?'

'Dit is niet de eerste keer dat je er een gedood hebt.'

'Hij heeft tegen me gesproken.'

Rochelle verstomde.

'Weet je wat de oorsprong is van de Caniden?'

Hij wachtte haar antwoord niet af.

Rochelle had Buliwyf vaker in een soortgelijke gemoedstoestand meegemaakt, ook terwijl de furie zich manifesteerde, maar hem nog nooit zo gebroken gezien. Er was iets gebeurd deze nacht, waarvan hij overstuur was geraakt. Het was alsof er gif door zijn aderen stroomde. Een dodelijk soort gif dat de Splendide tijdens haar lange leven al vaker had gezien, in de gezichten van honderden of duizenden mannen en vrouwen. Maar deze keer was het anders. Deze keer stroomde het gif door de aderen van haar geliefde. Ze voelde zich machteloos en besloot maar naar zijn relaas te luisteren.

'Caniden waren ooit wolven. Lykantropen om precies te zijn. De Jagers vangen Caniden als onschuldige, onwetende pups. Dat is namelijk het makkelijkst. Meestal zijn deze pups baby's die nog niet weten dat de maan hen gekust heeft. Ze verdienen het niet ontvoerd te worden. Ze verdienen bescherming.'

Rochelle wist niet hoe ze Buliwyf kon troosten. Ze voelde een drang om hem aan te raken – er waren momenten waarop ze verlangde naar een vluchtige aanraking – maar ze wist dat ze daardoor alleen haar eigen verdriet en angst aan hem zou doorgeven.

Ze dacht aan Jensen. Aan dat ene zwakke moment waarop ze hem had aangeraakt en de kunstenaar krankzinnig had gemaakt. Ze kon alleen maar toekijken. En luisteren.

'Ze brengen hen naar afgelegen plekken waar hun gehuil niet wordt gehoord. Dan begint hun africhting. Zo noemen de Jagers het, maar het is eigenlijk een marteling. Eerst krijgen ze een zilveren ring om, met een riem eraan. De pijn...'

'Is onbeschrijfelijk.'

Hij knikte.

'Door het zilver neemt hun kracht en weerstand af. De ring tast hun huid aan en belet hen de menselijke vorm aan te nemen. Hun menselijke deel verdwijnt stukje bij beetje. Maar dat is niet het ergste. De ring om hun nek staat symbool voor slavernij. En als de wolven zelfs geen kracht meer hebben om te huilen en smeken om een einde te maken aan hun lijden, dan pas beginnen ze hen tegemoet te komen. Met een beker melk, twintig minuten buiten, een lap ranzig vlees of de mogelijkheid een douche te nemen. Met kleine, basale dingen.'

Rochelle zou wel willen gillen en hem beletten verder te gaan, maar zweeg. Ze moest blijven luisteren.

'De verwondingen door het zilver zijn zo diep dat de wolven niet meer in staat zijn te praten, hun stembanden gaan kapot en hun keel brandt als de hel. De mens in hen verdwijnt steeds iets meer. Ze vergeten hun taal, de verschillende seizoenen en de wereld, maar nog steeds zijn de Jagers niet tevreden. Ze willen niet de mens uit de wolven jagen, maar de wolf uit de mensen, omdat ze deze vrezen,' zei Buliwyf met een geforceerde glimlach op zijn gezicht.

'Zijn furie.'

'Ja, zijn furie. Ze moeten de woede van de wolven temperen om perfecte dienaren van de Caniden te maken. Slaven. Ze slaan hen zonder reden, brandmerken hen en gooien zuur over hun snuiten, totdat de wolven niet meer in staat zijn te reageren. En als ze onverhoopt toch reageren, gebruiken ze de zilveren ring om hun nek.'

Buliwyf sloeg opnieuw met zijn vuist op tafel.

'En dan weer van voren af aan,' benadrukte hij. 'En nog eens.' Hij schudde zijn hoofd.

'Het hele proces duurt maanden, of jaren als een wolf sterk is. Aan het eind zijn de wolven mak. De mens in hen is gek geworden en kan niet meer denken of praten. Het zijn geen Lykantropen meer. Ze hebben geen identiteit meer. De Caniden kennen alleen nog de drang hun meester te gehoorzamen.' Buliwyf sloot zijn ogen en zweeg.

'Buliwyf...'

'Wacht even. Er is meer. Een Canide kan niet meer worden wat hij ooit was en dat weet de wolf in hem. Als het beest dat schuilgaat in mij, in ons, in alle Lykantropen, een Canide ruikt, vervloekt hij hem en voelt hij angst. Hij is bang dat hem hetzelfde zal overkomen. Daarom is het zo wreed. Maar de Canide van vannacht...'

'... heeft gesproken.'

'Ja. Ik wist niet dat dat kon. Hij wilde dat ik een eind aan zijn leven maakte. Hij liet me zijn keel zien, gaf zich over en wilde dat ik hem uit zijn lijden verloste. Ik wist niet...'

'Je hebt er goed aan gedaan hem te doden,' onderbrak ze hem.

'Daar gaat het niet om. Hij kon...' Hij maakte zijn zin niet af en beet schuldbewust op zijn lip.

Nadat Rochelle alles even had laten bezinken vroeg ze: 'Hoe komt het dat je zo veel over de Caniden weet?'

Buliwyf schudde zijn hoofd.

'Was het iemand die...'

'Nee.'

'Was het iemand die je kende?'

'Ik heb genoeg gezegd.'

Rochelle zette door. 'Je hebt nog steeds gif in je lichaam. Dat moet je kwijt.'

'Het doet pijn.'

'Het zal nog meer pijn doen als je alles voor jezelf houdt.'

'Ik kan het niet.'

Rochelle verstijfde. 'Denk je misschien dat ik je niet zou begrijpen? Is dat wat je tegenhoudt?' Haar ogen vonkten. 'Of wil je je geheimen niet delen met iemand die niet van jouw soort is, maar een Windvlaag?' – ze gebruikte bewust de minachtende benaming waarmee de Lykantropen een Splendide aanduidden – '... een wezen gemaakt van lucht dat geen angst kent en geen vreugde, voor wie de maan niet meer is dan gewoon: de maan?'

'Hou op. Je weet dat dat niet waar is. Dat heb ik je bewezen.'

'Je hebt je soortgenoten verlaten om bij mij te kunnen zijn, dat is waar.'

'En jij hebt hetzelfde voor mij gedaan, dus...'

'Dat is niet genoeg,' onderbrak ze hem.

'Dit is...'

'... niet eerlijk, ik weet het,' fluisterde Rochelle zacht. 'Maar je moet de wolf in je vergeven, Buliwyf. Vergeet de furie. Ik hou van jou.'

'Dat weet ik.'

'En ik weet dat jij ook van mij houdt. Maar ik hou ook van de wolf in je, omdat hij bij je hoort. Waarom kun jij niet hetzelfde?'

'Ik...'

'Ik leef al veel langer dan jij, Buliwyf. Ik ben driehonderdzevenenzeventig jaar en leef al die tijd al in het grijs. Ik heb geobserveerd en gehaat. Ja, soms haat ik de mensheid. Ik koester op een onverschillige manier een wrok tegen de mensheid, zoals Splendiden dat doen. Ik sla verliefde mensen gade die elkaar van de ene op de andere dag beginnen te haten. Ik haat het gemak waarmee mensen kunnen voelen en het gemak waarmee ze een einde kunnen maken aan relaties. Alsof ze een paar oude kousen weggooien. Ze voelen wat ik nog nooit gevoeld heb. Ik weet, Buliwyf, wat er gebeurt als er gif door de aderen van een mens stroomt.'

'Ik ben geen mens.'

'Je bent veel meer. En ik hou van jou. Na driehonderdzevenenzeventig lange jaren kwam jij en voelde ik jouw warmte, onze chemie.'

'En de marteling.'

Ze knikte. 'Maar ik kan de marteling verdragen omdat die samengaat met onze chemie, onze liefde.'

Nu was het zijn beurt en zou Rochelle haar mond houden. Ze kende de Lykantroop. Ze wist hoe vrolijk hij kon zijn, maar ook hoe wanhopig. Ze wist wat hij deed op zonnige dagen, maar ook in het holst van de nacht. Ze wist hoe belangrijk zijn vriendschap met Gus voor hem was en hoe hij de Baardman respecteerde. Ze wist hoe hij gekweld werd, waarom hij schreeuwde in zijn slaap en ze kende het gif dat door zijn aderen stroomde. Ze wist waar hij vandaan kwam en dat hij al het contact verbroken had met zijn soortgenoten om met haar, een Splendide, samen te kunnen zijn. De andere Lykantropen hadden hem een bloedverrader genoemd en daar was hij trots op. Ze wist dat hij 's nachts op jacht ging. Ze keek hem diep in de ogen en wachtte geduldig. Uiteindelijk zuchtte Buliwyf en begon te praten.

'Feliz.' Een dromerige glimlach om zijn mond. 'Adolf Feliz Canibal, heette hij. Hoewel zijn naam heel bizar was, paste hij perfect bij hem. Feliz was een Lykantroop. Een heethoofd. Hij liep rond met het meest absurde rockabillykapsel dat je je kunt voorstellen,' grinnikte Buliwyf hoofdschuddend.

Rochelle lachte mee.

'We waren onafscheidelijk. Altijd samen. Waar Feliz ging, ging ik ook. Als hij wat zei, herhaalde ik hem. Hij had altijd de gekste ideeën. Maar toch voerden we ze uit. Waarom niet? We waren immers jong en sterk. De maan had ons geleerd dat we anders waren, beter misschien zelfs. Tenminste, dat dachten wij toentertijd. Onze voorouders hadden ons regels en tradities nagelaten. We hielden van jagen, maar deden het zelden. Waarom zouden we doden als we de wereld konden veroveren?' Zijn slapen bonkten.

'Feliz had een zusje, Belle. Ik geloof dat ze verliefd was op mij, maar ik zag haar alleen als een levendig meisje dat voortdurend om ons heen hing. Ze was zo levendig en druk dat we er soms dol van werden.' Hij zuchtte.

'Op een dag hadden we haar alleen thuis gelaten met een smoesje. Ik weet niet meer precies wat we hadden uitgespookt, maar nog wel wat er daarna was gebeurd. Ze hadden haar gevild. Belle had nog geprobeerd zich te verzetten, maar ze was nog maar een jong meisje en had nog niet geleerd zich te verdedigen. Ze had de wolf in zichzelf nog niet ontdekt. Ze hadden haar in huis gevild. Haar lichaam lag er nog. Ik weet nog goed dat ze ook haar tanden en oren hadden meegenomen. Weet je wat die waard zijn?' vroeg hij venijnig. 'Ik heb net als Gus mijn bronnen en een Lykantropenhuid kan wel tienduizend euro opbrengen. Vijftien als het om een beroemde wolf gaat. De oren duizend per stuk. Ze zeggen dat ze er medicijnen van kunnen maken, maar ze worden vaak gebruikt als versiering. De slagtanden zijn driehonderd euro waard en de andere tweehonderd. Maar Belle was nog maar klein. Ik betwijfel of ze veel tanden hebben meegenomen.'

'Is hij...'

'Ja. Feliz veranderde erdoor. Ik merkte het meteen. Zodra hij de voordeur had geopend, draaide hij door. Een deel van hem verdween op het moment dat hij zijn zusje daar zag liggen. Hij wilde wraak, snap je? Hij wilde degene die haar dit had aangedaan laten lijden. Eerst dacht ik erover met hem mee te gaan. Ik mocht haar ook graag. Af en toe konden we haar wel schieten als ze ons bleef volgen en maakten we grappen over haar, maar ik mocht haar graag. Ik hield van haar alsof ik haar grote broer was.'

'Ben je met hem meegegaan?'

'Nee. Dat wilde Feliz niet. Hij zei dat hij het alleen moest doen. Belle was zijn bloed, niet dat van mij. Ik heb nog geprobeerd hem om te praten, maar het had geen zin. Hij heeft niet eens afscheid van me genomen. Op een nacht is hij vertrokken zonder ook maar iets tegen iemand te zeggen. Het deed me pijn, maar ik begreep waarom hij het moest doen.'

'Heb je hem nog weleens gezien?'

'Ja. Jaren later.'

Tranen.

Rochelle bracht een hand naar haar mond. 'O, jeetje...'

'Ik zag hem aangelijnd en wist toen dat het hem gelukt was de dood van zijn zusje te wreken. Het was hem alleen niet gelukt al haar moordenaars te doden. Eén had zijn wraakactie overleefd. Primus heette hij. Ik heb me altijd afgevraagd hoe het zou zijn geweest als... maar dat heeft geen zin. Ze hadden ons vast allebei gevangen. Die Jager, Primus, is een legende. Slechts weinig Jagers hebben zo veel gevechten met wolven overleefd als hij. En slechts weinig boezemen zo veel angst in als hij. Toen ik Feliz zag, met die zilveren ring om zijn nek en zijn lege ogen, ben ik weggerend.'

Tranen stroomden over zijn wangen. Wat wilde Rochelle ze graag drogen.

'Ik ben weggerend omdat ik wist dat de wolf in mij de Canide zou haten, ook al was het mijn vriend Feliz. Ik ben weggerend, omdat ik wist dat de wolf in mij hem zou willen doden. Ik ben weggerend, maar heb het mezelf nooit vergeven. Ik wilde meer weten van de Caniden en ben op onderzoek uitgegaan. Ik heb met Lykantropen gesproken die net op tijd aan hetzelfde lot hadden weten te ontsnappen. Ik heb hen moeten dwingen met me te praten, omdat ze dit liever niet wilden. Misschien hadden ze ook medelijden met me. Ik dacht daarna dat ik alles wist van de Caniden, maar ik heb me blijkbaar vergist. Ik wist niet dat ze in staat waren te denken. Dat was het enige wat me toentertijd troost bood. Ik dacht dat Feliz niet kon denken en zich niet bewust was van zijn tragische lot en dat de oude Feliz, met het absurde kapsel en zijn gekke grappen en grollen, dood was. Dat hij zich de tijd die we samen hadden doorgebracht, niet meer kon herinneren. Mijn gezicht en dat van Belle. Maar vannacht...'

'Dit heb je me nog nooit verteld.'

'Het was te...'

'Jouw verdriet is nu ook mijn verdriet.'

Buliwyf balde een vuist. 'Dat doet me juist zo'n pijn.'

'Huil maar, lieverd, huil maar.'

Buliwyf schudde zijn hoofd. 'Toen ik Caius zag, was het alsof ik Belle zag. Hij is net zo puur, levendig en onschuldig als zij was.'

'We zullen hem beschermen.'

'Dat weet ik. Dat is niet waar ik me zorgen over maak.'

'Waarover dan?' vroeg Rochelle, die vlak bij hem was gekropen.

'Waar vinden wij bescherming?'

'Hier,' antwoordde ze. En ze bracht haar hand naar haar hart.

27

Het stonk er naar gekookte bloemkool. Een eenogige kat snuffelde aan een urinevlek vlak voor de deuropening. De deur was zo vaak uit zijn scharnieren geschoten dat niemand meer de moeite nam hem recht te zetten.

Gus en Caius liepen de trap op, klopten op de deur, maar kregen geen antwoord. Dat had Gus wel verwacht. 'Zo gaat het nou altijd,' mopperde hij.

Het was een eenvoudig slot. Er was weinig moeite en tijd voor nodig om het te forceren. 'Niemand begrijpt dat ik geen tijd te verliezen heb.' Gus leek vrolijk, terwijl Caius gespannen was en een slecht voorgevoel had.

'Voilà!' riep Gus, terwijl hij de deur opengooide.

Ze liepen naar binnen en Caius merkte dat zijn slechte voorgevoel terecht was. Hij herleefde de tragedie bij hem thuis. Ook hier hing een zoetige stank die hem naar het hoofd steeg. Een onaangename geur van bloed, gemengd met een andere vreselijke stank die deed denken aan een slachthuis.

In de met dozen en koffers volgepropte gang was geen spoor van bloed te bekennen. Er waren zelfs geen tekenen dat er een gevecht had plaatsgevonden. De paar goedkope meubels die er stonden leken niet verschoven en verder was er ook niets verdachts te zien. Zelfs de geluiden die Gus en Caius hoorden, pasten gewoon bij de nacht. Gonzende koelkasten en door de leidingen stromend water. Naast de vreemde geur en de kapotte deur leek alles in het huis normaal.

Maar toen zagen ze een tandenloze mond die hen toelachte.

Gus hield zijn geweer in de aanslag. 'Blijf dicht bij me. Hierheen.'

'Niet...' stamelde Caius. Meer kon hij niet uitbrengen. Het had immers geen zin te ontkennen wat hij daar voor zich zag.

Van de Cid was weinig over, maar Gus kon hem nog net aan zijn resten herkennen.

'Gadverdamme,' mompelde hij.

De Cid was helemaal naakt, hij had geen geheimen meer. Hij was naakt zoals alleen een in vieren gesneden gevild beest dat kan zijn. Naakt zoals mensen alleen in de armen van hun geliefde durven te zijn.

Zijn romp lag van keel tot lies open. Zijn witte ribben staken naar buiten en lieten een grote leegte zien. Een schaduwloze kroon.

De vleesmassa, waar in het midden onder wat vocht het hart lag, lichtte intens op. Het hart klopte nog. Het pruttelde en sproeide vluchtig dikke, donkere druppels in het rond. Bij het ontspannen zakte het in elkaar als een oude ballon.

Zijn longen waren schaamteloos voor zijn voeten neergelegd, als een offer van rot fruit. Zijn lever, maag en darmen waren in een hoek gesmeten als een afgedankt cadeau. Waar de ingewanden de maagdelijk witte muur hadden geraakt, hadden ze weerzinwekkende strepen en vlekken achtergelaten.

Maar dat was nog niet alles. Dat kon nog niet alles zijn, want Herr Spiegelmann was hier de oorzaak van.

De Cids armen waren idioot ver uitgerekt, als spinnenpoten, gebroken op meerdere plaatsen en vervolgens verkalkt, alsof ze bloot waren gesteld aan radioactieve straling. Ze waren zo lang dat ze bijna de gehele breedte van de kamer bestreken, alsof de Cid Caius en Gus welkom wilde heten in zijn persoonlijke hel. Een hel waarin de positie van elk druppeltje bloed, elke spetter, elk draadje vlees en elke spier uitgedacht was om het gewenste effect te bereiken.

Maar er stond hen nog meer te wachten. Alles had immers een doel, ook dit horrorspektakel.

De bloeddorstig ogende de Cid lag met opengesperde mond op een stoel. Iemand had zijn tanden getrokken en daarvoor in de plaats stukken glas in zijn tandvlees gedrukt.

Hij had geen ogen, maar twee ronde spiegelende munten in zijn oogkassen, waardoor Caius van de kaart raakte. Van alles wat de Cid was aangedaan, schrok Caius het meest van die twee munten. Ze weerspiegelden het ongewone licht van de kamer, het hoekige gezicht van Gus en Caius, wiens ergste nachtmerrie niets was, vergeleken met dit bloedbad.

Dit was geen ordinaire moord of slachtpartij, maar een triomf van de dood. En net toen Gus en Caius dachten dat ze alles gehad hadden, begon de Cid te praten.

'Leeeeeee...'

Zijn stem was rauw en huiveringwekkend.

Caius deinsde achteruit. Zijn spieren trokken spastisch samen, zijn haren stonden recht overeind en hij werd geteisterd door een stekende pijn in zijn hoofd.

'Gus...'

'Verdomme.'

'Gus...' jammerde Caius.

'Leeee... vaaaaa...'

De stem van de Cid kraakte en was slecht te verstaan, als een oude radio-opname. Wie dit lichaam ook had toegetakeld en dit walgelijke schouwspel had achtergelaten, de dader had ervoor gezorgd dat de stem van de oplichter intact was gebleven.

'Gus... Wat...?'

Even leek het alsof Gus de trekker over wilde halen, maar ineens hield hij zich in.

'Goetia.' Terwijl er op zijn voorhoofd zweetdruppels parelden, richtte Gus zijn pistool omlaag.

'De ergste soort.'

Hij slaakte een spottende kreet en gooide zijn pistool aan de kant.

'Opzij, jongen. En niet kijken. Dit wordt smerig.'

'Leeeevaaaantijijijn...'

'Het is een truc.'

Al het bloed, viezigheid en respect voor de doden konden Gus even niets schelen. Hij stortte zich op het kadaver en schudde het door elkaar.

'Hou op met die spelletjes!' schreeuwde hij. 'Waar heb je hem gelaten? Waar?'

Het hoofd van de Cid viel voorover en besmeurde Gus met bloed.

'Waar heb je hem verstopt, rotzak?'

Het lijk hief zijn hoofd en richtte zijn spiegelogen op Caius. Zijn mond klapte dicht en stukken glas braken. Het geluid was weerzinwekkend. De Cid zei lachend: 'Levantijn.' Zijn stem was helder. Ook toen hij het woord herhaalde. 'Levantijn.'

Met een brul brak Gus zijn kaak open. 'Hij leeft nog, ik voel het!' schreeuwde hij. 'Laat hem met rust, klootzak!' riep hij tegen de mond van de Cid.

'Laat hem...'

Hij sloeg op het kadaver in. En nog eens en nog eens en trok zich niets aan van het geschreeuw, gemekker en gelach dat het produceerde.

'Cid, hoor je me? Hoor je me?'

Gus drong door tot in het vlees, maar stopte niet. Hij mocht niet stoppen. Hij zat tot zijn polsen in het kadaver, toen tot zijn ellebogen.

'Ik haal je eruit, ik haal je...'

Hij rukte aan het kadaver.

'... eruit!'

Plotseling hoorden ze het gehuil van een pasgeboren baby. Zo hard dat Caius in een reflex zijn oren bedekte. Zelfs de ramen trilden. Het was het lange, monotone gehuil van een monsterlijk pasgeboren wezen dat voor het eerst in aanraking kwam met de wreedheden van de wereld.

Gus stapte weg van het kadaver. 'Hij leeft nog, Caius.'

Hij had iets in zijn armen.

'Wie?'

'Cid.'

Hij draaide zich om en liet zien wat hij in zijn armen had. Een pasgeboren baby met een gigantisch hoofd vol dikke, kloppende, blauwe aderen.

'Hij leeft nog,' herhaalde Gus naar adem snakkend.

De Cid kreunde.

Caius staarde verbijsterd naar de baby. 'Hoe kan dit in hemelsnaam?'

'Goetia,' antwoordde Gus haastig, met een vreemde glinstering in zijn ogen. Alsof hij gek was geworden. 'Het is een truc in een truc. Een val. Herr Spiegelmann wilde dat wij de Cid zouden vermoorden, de hufter. Maar het heeft niet gewerkt. De Goetia is een Vervormingswissel.' Daarna beval hij: 'Haal water, Caius. Snel. De Cid heeft water nodig.'

Caius gehoorzaamde.

Gus hield de beker water tegen de lippen van de pasgeborene. 'Drink wat,' zei hij en hij ondersteunde de baby.

De pasgeborene dronk. Het meeste water liep langs zijn mond, maar het beetje dat in zijn keel terechtkwam, monterde hem op. 'Da...' De baby sprak met de stem van een volwassene. 'Dank je.'

'Sssst. Je moet...'

'Nee,' antwoordde de Cid. 'Nee!' riep hij hard, hoewel de minste beweging hem pijn deed.

'Oké, oké. Maar neem dan tenminste deze pijnstillers in, goed?'

Het waren kleine blauwe tabletten. Gus vergruisde er een tussen zijn vingers en legde voorzichtig het poeder op de tong van de Cid.

'Gus!' riep Caius.

'Wat is er?'

'Is deze Goetia...'

'Wil je weten of hij permanent is?'

'Ja.'

'Ik weet het niet. De tijd zal het leren. Het zal nog even duren voordat we het weten, maar de pijnstillers lijken in ieder geval effect te hebben.'

Met een zucht ontspande het gezicht van de Cid. Ook ademde hij rustiger.

'Bang,' murmelde hij moeizaam.

'Ben je bang dat ze je vinden?'

De Cids ogen lichtten op. 'Jjjaaa,' mompelde hij. 'Ook.'

Gus verkruimelde nog een pijnstiller. 'Ben je bang voor de Placenta? Niet praten, gebaar maar.'

Ja.

'Heeft Herr Spiegelmann, een klein, dik, venijnig mannetje, je dit aangedaan?'

Ja.

'Had je hem weleens eerder gezien?'

Nee. Ja.

Er hing een sliert slijm aan de mond van de pasgeborene.

'Ik snap het niet. Heeft hij de Placenta?'

Ja.

'Nu moet je me echt de waarheid vertellen, Cid. Als je blijft liegen laat ik je hier liggen als baby en word je nooit meer wie je eerst was. Begrepen?'

Hij knikte.

'Was het de echte Placenta?'

Ja.

Gus legde nogmaals wat poeder op zijn tong. Ze wachtten tot de Cid begon te spreken.

'Pau...'

Gus fronste zijn wenkbrauwen. 'Je broer? Was hij er ook bij?'

Nee.

'Wat wil je dan zeggen?'

'Ont... voerd.'

'Wie?'

De pasgeborene verplaatste zijn blik naar Caius. De jongen las angst en wanhoop in zijn ogen en begreep alles. 'Spiegelmann,' fluisterde hij.

De pasgeborene knikte.

Nu leek ook Gus de situatie te bevatten. 'Dan heeft hij zeker Paulus ontvoerd om jou te chanteren? Dan heb jij de Placenta voor hem gestolen, maar heeft hij Paulus nog steeds niet vrijgelaten. Hij wilde natuurlijk weten waar het Sacellum was, want zonder het Sacellum kun je de Levantijn niet tot leven wekken. Maar jij vertrouwde het zaakje niet, hè?'

Nee.

'En daarom heeft die hufter een Goetia op je losgelaten. Het scheelde maar weinig of ik had je laten verdwijnen.'

De baby begon te trillen. Het trillen werd heviger en veranderde in een stuip. De Cid sperde zijn ogen wijd open, legde zijn handje op zijn borst en drukte hard.

'Gus,' fluisterde Caius geschrokken.

'Cid, hoor je me? Vecht ertegen. Vecht! Weet je waar het Sacellum van de Levantijn is?'

De Cid probeerde antwoord te geven. 'Sacellum...'

Een woord dat Caius niets zei, maar Gus wel. 'Je zei Sacellum, hè? Weet je waar het Sacellum is?'

De Cid kon niet meer antwoordden en hoorde niets meer. Bloed stroomde uit zijn neus en oren. Hij proefde zijn eigen bloed en voelde zijn ingewanden smelten. Dit was niet wat de Verkoper hem beloofd had. De Cid had ingestemd met deze verschrikking, omdat hij van zijn broer hield. Hij wist zelfs dat de Goetia onomkeerbaar was, maar hoopte dat hij Paulus zou redden en zijn broer iemand zou vinden die de Wissel ongedaan kon maken.

Hij was bedrogen. Hij was stervende. Herr Spiegelmann had hem gebruikt en gooide hem nu weg als oud vuil. Hij voelde hoe snel het leven uit zijn kleine lichaam weggleed en hoe zijn hoofd zwaar werd. Hij zag Caius en Gus schreeuwen en druk bewegen, maar hoorde niets en voelde niet dat ze hem aanraakten. Hij ging dood. Hij huilde. Niet omdat zijn miezerige leven ten einde was. Waarom huilde hij dan? Omdat hij niet te eten had? Omdat hij ongelukkig was? Om de kleine diefstallen? Nee, de Cid huilde omdat hij zich zo gemakkelijk had laten beetnemen. Omdat hij zich had laten gebruiken als een marionet. Om alle pijn die hij had veroorzaakt en omdat hij niets voor zijn offer terugkreeg. Waarschijnlijk had de Verkoper hem al vanaf het begin bedrogen en was Paulus allang dood.

De pasgeborene sperde zijn ogen open. Hij moest zijn laatste troef nog uitspelen. Hij moest wraak nemen.

'In... de... Put,' zei hij, '... is een...'

Val, wilde hij zeggen, maar daar had hij de kracht niet meer voor. De Cid hijgde, krulde zijn lippen en stopte met ademen.

'Hij is dood.'

'Laten we hier weggaan, Gus. Alsjeblieft.'

Gus knikte. Hij zette een stap, toen nog twee. Hij zuchtte, draaide zich om en omarmde de jongen. Trillend, maar beschermd door Gus' sterke armen, liet Caius zijn tranen de vrije loop. 'We moeten hem stoppen.'

'Dat gaan we zeker doen.'

'We moeten hem vermoorden, Gus.'

Gus streek door zijn haar. 'Dat ook.'

28

'**W**at ben jij een idioot zeg!' bulderde Pilgrind.
'Een enorme idioot,' viel Buliwyf hem bij.

De Lykantroop zat Gus aan de andere kant van de tafel met zijn armen over elkaar kwaad aan te kijken. Hij had met Rochelle de hele dag in angst gezeten. Ze hadden niets gehoord en waren bijna uitgegaan van het ergste. Buliwyf kon zich maar met moeite beheersen toen hij van Gus hoorde wat er met de Cid was gebeurd en hoe hij had geleden.

De Verloren Dagen was leeg. Er hing een bordje aan de deur waarop stond dat het vroegtijdig gesloten was.

Ze zaten met zijn vijven aan een tafel onder het raam. Er was verder niemand. Rochelle zat naast de Lykantroop, Pilgrind naast Gus en Caius zat in een hoekje met lange tanden op een appel te knabbelen.

'Ik ben misschien gek,' antwoordde Gus, 'maar geen idioot. We moeten onze tijd niet verdoen met praten over wat ik wel of niet gedaan heb. We moeten actie ondernemen. Spiegelmann heeft de Placenta en...'

'Dat weten we niet zeker.'

'Jij was er niet bij, Pilgrind. De Cid was niets meer dan een...' Gus wierp een vluchtige blik op de jongen. 'Laten we even vergeten hoe hij de Cid had toegetakeld. Ik geloof wat hij heeft gezegd.'

'Is jouw motto niet: vertrouw niemand, want iedereen liegt?'

'Ja,' gaf Gus toe. 'Mensen liegen, maar de Cid was stervende, ik zag het in zijn ogen. Hij was niet sterk en helder genoeg om te liegen in die omstandigheden. En dan Paulus... Denk je dat de Cid zou liegen, terwijl hij wist dat wij Paulus' laatste hoop waren?'

'Met Spiegelmann weet je het nooit.'

Gus knarsetandde. 'We verliezen tijd. Spiegelmann heeft de Placenta. Als hij het Sacellum in gaat kan hij de Levantijn wekken. Hij hoeft alleen zijn tombe te vinden. De Cid heeft ons verteld dat het Sacellum onder de Put ligt. Wij zijn in het voordeel. Voor één keer kunnen we Spiegelmann voor zijn. We hoeven alleen die verdomde tempel in te gaan en de tombe te vernietigen. We moeten actie ondernemen, verdomme. Anders... Hoe lang denk je dat de Verkoper nodig heeft om de Levantijn tot leven te wekken en hem op te hitsen?'

'We weten niet zeker of...'

'We zijn nergens zeker van, verdomme. Dat weet ik toch! We moeten ervan uitgaan dat de Cid de waarheid verteld heeft en de legende waar is. Als er ook maar iets van die legende waar is...' Gus keek naar Buliwyf. 'Denk jij dat je zo'n oud wezen als de Levantijn kunt verwonden? En jij, Pilgrind? Denk jij dat je hem kunt doden?'

Buliwyf zei aarzelend: 'Misschien moeten we er even over nadenken.'

Pilgrind schudde zijn donkere haardos. 'Als, en ik benadruk, áls de Cid niet gelogen heeft en als het waar is dat er in het Sacellum nog genoeg Placenta over is om de Levantijn tot leven te wekken, vraag ik me af waarom Spiegelmann dat zou doen om ons uit de weg te ruimen. De Levantijn kan een heel leger vervagen en de wereld veroveren. Waarom zijn wij zo interessant voor hem? Twee Wisselaars, een Splendide en een Lykantroop. Dan is er ook nog Koning IJzerdraad, maar wat kan hij nou uitrichten?'

Rochelle schrok op. Buliwyf maakte aanstalten om zijn arm achter haar neer te leggen, maar bedacht zich.

'Snap je het dan echt niet?' vroeg Gus. 'Eén: omdat hij al eerder door twee Wisselaars verslagen is en hij bang is. Twee: omdat Charlie en Emma hem hebben laten zien dat wij nooit opgeven. En dit geldt ook voor Rochelle, Buliwyf en Koning IJzerdraad. En drie: omdat wij Caghoulards zijn en Gruwelaars hebben verslagen. Hij heeft nieuwe wapens nodig. Wil je nog een vierde reden waarom hij ons moet hebben? Ze zeggen dat de Levantijn de tijd kan buigen en je weet hoe goed Spiegelmann die gave zou kunnen gebruiken.'

'Maar als hij de Levantijn bevrijdt, loopt hij meer risico Caius te verwonden,' protesteerde Pilgrind nog voorzichtig. 'Of hem zelfs te doden. Ik betwijfel of hij de Levantijn zo strak in het gareel kan houden als een afgerichte hond.'

Gus zette zijn zonnebril af. Zijn ogen twinkelden en hij glimlachte.

'Daarom wil ik juist met Caius die tombe in. Misschien brengt dat hem wel op andere gedachten.'

'Dat is gevaarlijk,' zei Buliwyf.

'Hij is nog zo jong. Caius kan beter niet meegaan,' sprak Rochelle nu voor het eerst.

'Caius is niet zomaar een jongen. Hij is slim en moedig. Dat heeft hij ons wel laten zien toen hij onze kant koos.'

'Nee!' riep Pilgrind hoofdschuddend. 'Laten wij samen gaan, dan let Buliwyf op Caius. Als er dan iets fout gaat in de tombe, is hij er om de jongen te redden.'

'Waar kan hij hem verbergen?'

'Buiten Dent de Nuit. Buiten Parijs. Waar dan ook. Als het maar ver weg is van de Verkoper.'

'Gelul. Hij zou hem nog vinden tussen de gletsjers in Groenland. We moeten nu actie ondernemen en hem aanvallen.'

'Gus,' zei Buliwyf, 'Pilgrind heeft gelijk. Je kunt de jongen echt niet meenemen, het is te gevaarlijk. Jij kent Spiegelmann nog beter dan ik en weet dat hij rijp voor het gesticht is. Het woord logisch komt niet voor in zijn vocabulaire; we kunnen hem niet vertrouwen.'

'Hij zal Caius met geen vinger aanraken,' antwoordde Gus overtuigd.

'Dat denk jij,' beet Pilgrind hem toe.

De discussie was nog lang niet ten einde, tot Caius het klokhuis van zijn appel neerlegde en met gebogen hoofd fluisterde: 'Ik wil met Gus mee.'

'Jongen, je...'

Caius keek eerst Pilgrind aan, toen Buliwyf en uiteindelijk Rochelle. 'Ik wil het Sacellum in.'

'Caius...' zei de Splendide. 'Ik weet waarom je het wilt doen, waar je aan denkt. Je denkt aan Charlie en Emma en wilt net zo moedig zijn als zij. Je wilt dat ze trots op hun zoon kunnen zijn, maar dit is niet het juiste moment om te tonen hoe dapper je bent.'

'Er is een groot verschil tussen moedig en stom zijn!' riep Pilgrind uit.

'Ik ben niet stom en ook niet dapper. Ik ben bang. Maar ik wil met Gus mee.'

'Het is te gevaarlijk. Ik sta het niet toe. Dit plan heeft meer gaten dan...'

'En nu is het genoeg!' schreeuwde Caius met rood aangelopen gezicht. 'We hebben geen tijd te verliezen. Ik wil die tombe in en dat vervloekte Sacellum vernietigen. Al moet ik het met mijn blote handen doen. Als het belangrijk is voor Spiegelmann wil het zeggen dat het iets gluiperigs is dat verwoest moet worden. Sinds de dood van mijn ouders heb ik niets anders gedaan dan vluchten. Er is niets meer over van mijn oude leven. Mijn vrienden, mijn school en mijn boeken; alles is weg. Spiegelmann heeft me het Wonderkind genoemd, maar niemand weet wat dat betekent. Ik weet niet wie ik ben, maar wel wat ik wil.'

Iedereen staarde hem aan.

'Ik wil niet meer vluchten.'

Pilgrind was onder de indruk van Caius' vastberadenheid en zuchtte diep.
'Dan ga ik met jullie mee.'

'En ik ook,' voegde de Lykantroop toe.

Deze keer was het de beurt aan Gus om te protesteren. 'Geen sprake van. Jullie tweeën gaan niet mee. Ik wil er op kunnen vertrouwen dat jullie er zijn als het uit de hand loopt. Koning IJzerdraad kan ons ook van dienst zijn. Je zou hem kunnen vragen tarotkaarten te leggen en te voorspellen wat er gaat gebeuren. Jij en ik,' zei hij ten slotte tegen de Baardman, 'hebben onze eigen manier om met elkaar in contact te blijven.'

Geklop aan de deur onderbrak de geheime vergadering. Gus haalde zijn pistool tevoorschijn. Buliwyf sprong op en trok zijn mes uit de schede.

'We zijn gesloten,' riep Rochelle net hard genoeg.

'Ik ben het, Suez. Het is dringend.'

Suez was niet alleen. Hij had een magere, kalende man van in de dertig bij zich, met een tic aan zijn linkeroog waardoor hij iets weg had van een uil. Gus herkende hem als een van de stamgasten van de Obsessie. Hij had een ijzerwarenwinkel en speelde af en toe een potje poker met de andere vaste gasten. Gus had nog nooit een woord met hem gewisseld. Het leek alsof de man zich ongemakkelijk voelde door zijn aanwezigheid.

'Kom binnen,' zei Rochelle uitnodigend, terwijl ze een stap opzij zette.

Suez en Buliwyf gaven elkaar vluchtig een hand.

De magere figuur sperde zijn mond open van verbijstering. 'Dat is onmogelijk, jij bent...'

'Ze noemen me Pilgrind.'

'Maar jij bent...'

'Een legende?' vroeg de Baardman spottend.

'Ja. Ik bedoel, excellentie, ik...' stotterde de man.

'Ga zitten en hou je snavel. Ik heb geen zin om je te vermoorden, een staart te geven of wat dan ook te doen wat de mensen beweren dat ik doe,' grijnsde Pilgrind. 'Het zijn bijna allemaal leugens die over mij de ronde doen.'

De man gehoorzaamde. Suez nam maar wat graag het biertje aan dat Rochelle hem aanbood. Daarna pakte hij een stoel en ging zitten. 'Patrick is een vriend van me,' zei hij. 'Patrick, dit is Buliwyf. Pilgrind ken je geloof ik al. Dat is de prachtige Splendide Rochelle en die mokkende kerel daar is Gus van Zant.' Zijn ogen rustten even op Caius. 'En dat is Caius.'

'Hallo,' zei Patrick ongemakkelijk.

'Er is iets vervelends gebeurd.'

'Dat moet wel, anders had je de Obsessie niet verlaten.'

Suez knikte, draaide zich om naar de magere Hein en zei: 'Kom op, vertel.'

'Ik heb twee uur geleden iets gezien vlak bij de Kikkerfontein. Kennen jullie rue Spare? De straat die uitkomt op de Crowleyboulevard? Daar is een magazijn. Ik had een boortje voor mijn boormachine nodig en...'

'To the point graag,' onderbrak Pilgrind hem.

Patrick trok wit weg en begon te beven.

'Vertel maar verder. We kennen de straat,' zei Rochelle bemoedigend.

De magere lat keek haar slechts een kort ogenblik aan maar begon toch te blozen. 'Een Canide.'

Buliwyf verstijfde. 'Weet je dat zeker?'

In paniek legde Patrick zijn hand op zijn hart. 'Ik zweer het.'

'Een Canide,' bromde Gus.

'Hij had een grijze vacht en donkere poten. Hij droeg een zilveren halsband met grote stekels. Hij keek me aan en gromde. Ik heb nog nooit een hond zo horen grommen. Dat zal ik mijn leven lang niet vergeten. Ik deed het in mijn broek van angst en dacht dat hij me zou doden. Maar dat deed hij niet. Hij ging opeens weg. Poef! Verdwenen.'

'Je had het over een halsband met grote stekels?' vroeg Buliwyf.

'Ja.'

'Geen normale zilveren halsband?' vroeg hij verbaasd.

'Ik weet het zeker. Er zaten spijkers aan, net als bij honden die getraind worden om te vechten.'

'Een Hoofdcanide nog wel, verdomme,' schold de Lykantroop.

'Waarom vertel je dat nu pas?'

'Omdat ik dacht dat het een hallucinatie was,' gniffelde de man ongemakkelijk. 'Ik bedoel, een Canide? In Dent de Nuit? Er zijn toch allang geen Jagers meer in deze buurt? Ik dacht...'

Suez onderbrak hem. 'Hij heeft het mij verteld, omdat hij wist dat ik me sinds kort met vreemde zaken bezighoud.' Hij gaf een knipoog aan Buliwyf. 'En je hebt het alleen aan mij verteld, hè?'

'Natuurlijk,' zei Patrick haastig. 'Ik zweer het met mijn hand op mijn hart. Wie anders zou me hebben geloofd? Iedereen is erg geschrokken van dat verhaal van Suez, over die diefstallen.' En toen, bang iets verkeerds gezegd te hebben, voegde hij eraan toe: 'Suez heeft het lekkerste bier van de stad, wist je dat?'

'Zwijg,' gebood Pilgrind. 'Je mag van geluk spreken dat niemand anders hiervan weet. Hiermee zou je behoorlijk wat paniek gezaaid hebben.'

'Veronderstellend dat het waar is wat hij zegt,' merkte Gus op.

'Hé!' riep Patrick. 'Ik ben geen praatjesmaker!'

'Jagers...' mompelde Rochelle. Ze wist al wat Buliwyf zou gaan zeggen. 'Ik moet...'

'Dat weten we,' onderbrak Gus hem.

'Ik kan het alleen wel af,' zei Pilgrind. 'Koning IJzerdraad en ik zullen dit klusje even klaren. Maak je geen zorgen.' Vervolgens richtte hij zich tot Patrick en zei: 'Je bent van groot nut geweest, maar nu moet je je mond erover houden. Ik weet dat je je verhaal graag met iedereen wilt delen, maar dat kun je beter niet doen. Dan kom ik erachter en...' hij sprong op en greep Patrick bij de kraag van zijn jas, '... dan weet ik je te vinden.'

'Ik hou mijn mond, excellentie.'

'Heel goed. En maak nu dat je wegkomt.'

Patrick struikelde over zijn stoel.

Ook Suez stond op. 'Ik ga weer terug naar mijn kroeg. Als jullie me nodig hebben om die krengen koud te maken, hoor ik het wel. Rochelle, het is altijd een genoegen om jou weer te zien,' zei hij knipogend voordat hij werd opgenomen door de nacht.

'Jagers,' mompelde Buliwyf.

'Wat ga je doen?'

'Hen vinden en als het waar is wat die vent vertelde, hen doden.'

'In je eentje?' vroeg Rochelle.

'Ja. Jullie moeten aan de slag met het plan om Spiegelmann tegen te houden.'

'Misschien heeft hij de Jagers wel ingeschakeld zodat wij ons opsplitsen,' dacht de Splendide hardop.

'Dat weet ik wel zeker. Anders zou het wel heel toevallig zijn. Hoe dan ook, ik moet gaan. Het spijt me.'

Pilgrind knikte. 'De aanwezigheid van de Jagers kan ook betekenen dat we nog maar weinig tijd hebben. Ik ben bang dat we ons plan vannacht al moeten uitvoeren.'

'Doe je voorzichtig?' vroeg Caius aan de Lykantroop.

Buliwyf antwoordde niet.

29

De eerste Jager arriveerde in Dent de Nuit toen de zonsopgang nog maar een rood randje aan de horizon was. De Jager was alleen en wist dat de anderen zich binnen enkele minuten bij hem zouden voegen. Ze waren verbonden door een sterk, intuïtief gevoel. Wat de één dacht, wist de ander. Zonder woorden te gebruiken.

De Jager die het eerst aanwezig was heette Philippe. Hij kwam graag wat te vroeg om nog even zijn gedachten op een rij te zetten en te luisteren hoe het kloppen van zijn hart doorklonk in de rest van zijn lichaam. Het was een zwijgzaam en solitair type dat graag doodde, net als de rest van de Jagers.

Een paar dagen voordat de vier Jagers arriveerden, waren de Gidsen – of Drijvers zoals de Jagers hen noemden – al naar Dent de Nuit gegaan. De Drijvers fungeerden als spionnen en moesten ongemerkt de sterke en zwakke punten van de prooi observeren. Verder moesten ze zoveel mogelijk informatie verzamelen over het territorium van de prooi. Niet dat dit nodig was, want het was niet de eerste keer dat de Jagers in Dent de Nuit waren. Het was een buurt met veel stegen en geheime plekken. Ideaal voor een prooi die van plan is te vluchten en funest voor een slecht voorbereide drijfjacht. Normaal gesproken kwamen de Jagers hier niet. Er waren te veel plekken waar de prooi zich kon verbergen en te veel burgers die sporen uitwisten en de Jagers misleidden. Dent de Nuit was een echte uitdaging.

Jagers hielden van uitdagingen. Sterker nog, ze leefden ervoor. Daarom lieten ze de kans om in Dent de Nuit te jagen niet schieten. Ze zouden naam maken, misschien zelfs legendes worden, tijdens hun eigen korte leven, maar ook erna. Jagers en Drijvers zouden hun kinderen en kleinkinderen over hen vertellen, maar ook hun slachtoffers.

Ze verkneukelden zich nog het meest over het idee dat hun slachtoffers al begonnen te trillen als ze hun naam hoorden.

De eerste Jager maakte een U-bocht en zette zijn zware, zwarte motor naast een schelpvormig fonteintje aan de zuidkant van place de l'Expérience, voor de oude glasfabriek van de broers Rammon. Hij wist dat het fonteintje, dat aan ging als iemand op een bronzen ster drukte, loodrecht op de

Kikkerfontein was geplaatst, maar was niet geïnteresseerd in de reden hierachter, alleen in de geur van zijn prooi.

De wind speelde met zijn dikke, krullende haar, dat net zo donker was als zijn driedaagse baard. Hij had een krachtige kaaklijn en ademde zwaar. Hij besloot een ommetje te maken en wat rond te kijken. Hij zag de gesloten winkels met hun rolluiken, wat mussen op zoek naar eten en warmte en het glinsterende, natte wegdek dat bedekt was met dode bladeren. Hij ademde de koude lucht in en luisterde naar de stilte. Het beviel hem goed in Dent de Nuit.

De eerste Jager wist dat het wemelde van de Drijvers op place de l'Expérience. Ze zaten achter geparkeerde auto's of op de daken achter schoorstenen al zijn bewegingen te observeren en te wachten tot hij hun een teken gaf. Ze wachtten tot de jacht begon. Een prettig moment.

Deze winter zou wreed, luguber en vernieuwend worden. De tijden zouden veranderen. Er werd gesproken van een grote jacht. Hoewel sommigen hier niets van geloofden, wisten Philippe en de andere drie Jagers die nog onderweg waren dat dit klopte. Dit keer hadden ze een machtige bondgenoot.

De tweede en derde Jager, Schmidt en Laplante, zaten samen in een enorm grote, modderige jeep, vervaardigd door een metaalkunstenaar die de mechanica op zijn duimpje kende. Meedogenloos als ze waren, hadden de Jagers de kunstenaar op traditionele wijze bedankt door zijn keel door te snijden.

Het doffe geraas van de motor was over het hele plein te horen en deed een groep mussen opschrikken. Hoewel de jeep met gierende banden tot stilstand kwam, bleven alle ramen van de huizen aan het plein dicht. Iedereen sliep onrustig, maar was in het bezit van een overlevingsinstinct. Niemand zag de Jagers aankomen. Precies zoals de bedoeling was.

Schmidt was de jongste telg van de groep van vier. Hij was al uit de jeep gesprongen voordat het gevaarte goed en wel stilstond. Een groot litteken in zijn gezicht maakte duidelijk dat zijn uiterlijk niet onderschat diende te worden. Hij was mager, bijna pezig, had zijn haren afgeschoren om te verbergen dat hij een albino was en droeg een zonnebril om zijn rode, zwartomrande ogen te verbergen. Hij deed er alles aan om anoniem te blijven, en droeg op zijn rug een lang, antiek zwaard waarvan het heft belegd was en de schede van geolied leer was gemaakt. Zijn vader was een Jager net als de rest van zijn voorouders. Al eeuwenlang.

'Daar zijn jullie,' zei Philippe toen hij hen zag.

Schmidt gaf geen antwoord. Daar zag hij het nut niet van in.

De derde, Laplante, die pas later uit die doodskist op wielen gestapt was, spuugde een kwak slijm en tabak op de grond. 'Je ziet het,' blafte hij bars.

Laplante straalde iets gevaarlijks uit, als een oude vandaal. Hij had een imposant lichaam zonder een grammetje vet. Zijn blote armen waren bedekt met tatoeages die inmiddels vaal waren geworden. Zijn ogen waren zo felblauw dat ze iets waanzinnigs uitstraalden. Hij hield een sigarenstompje tussen zijn brede, sterke tanden. Hij hing het holster goed dat hij aan zijn linkerflank droeg. Meer uit gewoonte dan uit noodzaak. Hij had zijn pistool met de kolf van parelmoer altijd in de aanslag om dood en verderf te zaaien.

'Het ziet er veelbelovend uit,' zei Philippe.

'Inderdaad.'

'Is hij er al?'

De stem van de jongste Jager schalde over het plein. De Jager leunde tegen de warme motorkap van de auto en nam zijn medejagers nauwkeurig op.

Laplante blies een wolk sigarenrook uit en wees naar de hemel. Alle drie keken ze naar de zwerm kraaien die zich aftekende tegen de horizon. Zwarte cirkels, de herauten van de laatste Jager, kwamen in marstempo dichterbij. De kraaien vormden zijn escorte, het waren de enige levende wezens waarbij hij zich op zijn gemak voelde.

De vierde Jager was degene aan wie de andere Jagers alles te danken hadden. Hij had hun talent ontdekt en moordmachines van hen gemaakt. Hij had hen onvoorstelbaar goed getraind. Hij had hun verstand versmolten tot één mechanisme, hun een doel gegeven en gewezen op sporen en geuren die hun scherpe zintuigen anders niet opgemerkt hadden. En hij was het geweest die hen naar Dent de Nuit had geleid. Het was de vierde Jager wiens gezicht niemand kende, die door kraaien geëscorteerd werd en aan wie wraak beloofd was.

Hij was altijd te voet, verborg zijn gezicht achter een lange, zwarte sjaal, zoals de piloten uit de Eerste Wereldoorlog deden, en had een reusachtig lichaam dat zijn ware leeftijd verhulde. Hij was soepel en sterk, maar was minstens drie keer zo oud als de jongste van de vier Jagers en twee keer zo oud als de andere twee. Dat werd tenminste gezegd. Niemand durfde echter aan hem te vragen hoe oud hij was. De laatste Jager was een levende legende die bevelen gaf in plaats van antwoorden.

De vierde Jager voegde zich bij het drietal.

'Primus,' zeiden ze in koor.

'Ruiken jullie dat, kinderen?'

Geen van drieën verroerde zich.

'Ik heb het al eens eerder geroken, lang voordat jullie geboren waren. Het stinkt naar levend vlees. Naar iemand die niet hoort te ademen en die wij zullen doden. Dent de Nuit,' spuwde de Jager zonder gezicht terwijl hij hen een voor een opnam met zijn grijze, halfblinde ogen, 'is niet zomaar een wijk. Dent de Nuit dringt je hoofd binnen en verslapt je zintuigen.' Een slijmerig lachje. 'Het maakt je gek.'

De drie andere Jagers wiebelden ongemakkelijk heen en weer, niet wetend wat te doen. Primus had de gave hen te overrompelen, iedere keer weer.

'De Drijvers hebben dit gat grondig uitgeplozen. We kennen Dent de Nuit op ons duimpje, Primus.'

Primus haalde zo hard uit dat Laplante zijn gezicht afwendde en zijn sigaar uitspuugde. Hij zei niets.

Schmidt en Philippe waren onder de indruk van de hoge snelheid waarmee Primus Laplante had getroffen.

'Jij weet niets,' zei Primus met zo veel haat en afkeuring dat de andere drie huiverden. 'Niets. Dit is Dent de Nuit, niet de wijk van Saturnus in Rome, of Marseille, of Urgrund, Berlijn of Circus Maximus in Pest. Het is Dent de Nuit, waar gebouwen niet zijn wat ze lijken, afvoerkanalen overlopen van wormen met grote tanden, bomen liederen zingen en stenen verhalen vertellen. Hier werkt alles anders.'

'Ik...' probeerde Laplante voorzichtig.

'Zwijg!' beval de gemaskerde Jager. 'Je bent nog een kind, een jankend mormel dat de wereld denkt te kennen. Wie heeft jullie gemaakt tot wat jullie zijn?'

Niemand durfde te reageren. Alle drie bogen ze veelzeggend hun hoofd.

'Ik heb jullie verteld dat alles gaat veranderen. Ik heb het gehad over de seizoenen. Over het einde van de herfst en het begin van de winter. We weten dat de winter het seizoen is waarin geroofd wordt. Het seizoen van de honger, de angst en bovenal van het duister. Het is ons seizoen. Het begint spoedig en de jacht zal gevaarlijk zijn.'

'Vader,' zei Schmidt, 'ik zou graag iets willen vragen.'

Primus knikte, zonder zijn ogen van het rode hoofd en de gebalde vuisten van Laplante af te wenden.

'Vader, wat kunnen we verwachten?'

'Hebben jullie een plek gevonden om wat te rusten?'

'Ja, Vader. Een plek waar bescherming is, niet ver hiervandaan.'

'Is jullie iets ongewoons opgevallen?' vroeg de vierde Jager.

Hoewel de tweede Jager wist wat Primus zou antwoorden, zei hij tegen degene die hij zijn spiritueel Vader noemde: 'Ik heb Wisselaars gezien. Maar opvallender waren de Caghoulards.'

'Caghoulards...' herhaalde hij.

Schmidt knikte. 'Legio Caghoulards. Een heel leger. Ze vallen de huizen van Wisselaars binnen en stelen waardeloze voorwerpen. Ze plunderen of moorden niet en bijten elkaar niet. Ze stelen prullen en verder niets.'

'Prullen,' herhaalde Primus bijna geamuseerd. 'Daarom zet ik jullie op de uitkijk, kinderen. Wat jullie voor prullen aanzien, kan de grootste schat ter wereld zijn. Waar jullie denken niets te zien...' hij wees naar het lege plein, 'zie ik het gekrioel dat voorafgaat aan verandering, zie ik de winter. Wat jullie een jacht noemen, noem ik een slachtpartij die misschien wel het einde betekent.'

'Het einde?' vroeg Philippe verbijsterd.

'Het einde van een cyclus en het begin van een nieuwe.'

'Wat is onze prooi, Vader?'

'Dat zal iemand je zo laten zien,' was het antwoord.

'Wie?'

'Laplante, wanneer vertrouw je me nu eens een beetje?'

'Het spijt me.'

'Terecht. De zon komt bijna op en we krijgen nog bezoek.'

'Ik dacht...' protesteerde Laplante nog. Maar toen zweeg hij.

'Dacht je dat dit een jacht was als elke andere?'

'Vergeef me.'

Primus verheugde zich over het trillen van Laplantes stem. 'Ik vergeef je. Hiervoor en voor de rest. Dit zal geen gewone jacht worden. In Dent de Nuit kan een Jager zelf de prooi worden, dat weet ik maar al te goed. Daarom hebben we een bondgenoot nodig. Eén met vele namen.'

De zon kwam bijna op. Primus voelde het. Hij haatte het licht.

'Zijn bekendste naam is Spiegelmann.'

30

Het was al donker toen ze bij de Put aankwamen. Gus klemde een ver-
zegelde envelop verpakt in krantenpapier in zijn hand en droeg een
schoudertas en wapens onder zijn motorjack. Caius dacht terug aan de laatste woorden die hij met zijn vrienden had gewisseld. Gus had een hele dag
nodig gehad om de in kranten weggestopte envelop te vinden. Hij had tegen Caius alleen gezegd dat de envelop van fundamenteel belang was.

Pilgrind zou met Koning IJzerdraad tarotkaarten leggen in de Obsessie.
Hij had de jongen beloofd dat, wanneer er slechte voortekenen waren, zijn
onafscheidelijke, metalen vriend hem dit zou laten zien en hij naar de tombe zou stormen om hen weg te halen. Buliwyf zou de buurt afspeuren naar
Jagers, maar beloofde ook aan te komen snellen zodra Pilgrind vermoedde
dat er iets niet in de haak was. Caius hoefde zich geen zorgen te maken.

Rochelle was voor hem gaan zitten om vervolgens moederlijk zijn jas
dicht te knopen. Ze had naar hem gelachen en simpelweg gezegd: 'Ik blijf
hier.' Meer nog dan alle bemoedigende woorden van Gus, Pilgrind en de Lykantroop had haar glimlach hem vertrouwen gegeven.

'Kijk,' zei Gus terwijl hij naar een klein huis wees met een hoog en lang-
werpig dak met vuurrode dakpannen en op patrijspoorten lijkende vreemde ronde ramen, die uitkeken op het plein. De ramen werden verduisterd
door zware gordijnen die verhinderden dat iemand een blik kon werpen op
het interieur van het huis.

Het huis viel niet op tussen de majestueuze gebouwen die de Kikkerfontein omringden. Als Gus er niet op gewezen had, was het Caius compleet
ontgaan.

Een van de lantaarns werd even verduisterd door een vleermuis en bezorgde Caius koude rillingen. Opeens realiseerde hij zich dat ze in Dent de Nuit
liepen en hij nooit van zijn leven alleen de weg terug naar huis zou vinden.
Naar het huis waar hij niet meer woonde.

Ondanks de lichte vorst had Caius het warm.

'Je kunt het!' moedigde Gus hem aan.

Een klein laagje ijs kraakte onder hun schoenen. Ze liepen een paar stoepen over en stonden toen voor een deur waarop in gouden letters DE PUT stond. De deur was recent in een mooie, opvallende, fonkelende en ongebruikelijke kleur groen geverfd. Er stond geen naam op het bordje naast de bel, die niet nodig bleek.

Gus had nauwelijks zijn vuist in de aanslag om te kloppen, of de deur ging al open. De man achter de deur was bijna even lang als Buliwyf, maar graatmager. Zijn jukbeenderen staken uit en zijn ogen waren zo uitgehold dat Gus en Caius niet konden zien of ze open waren of dicht. Hij droeg een zeer elegant, zwart pak. Hij nam hen aandachtig op. Eerst Gus en daarna Caius.

Uiteindelijk zei hij: 'Jullie mogen niet naar binnen zonder uitnodiging.'

'Dat is geen probleem.'

'Ik vrees van wel. U bent gewapend, meneer.'

'Dat stelt niets voor. Ik ken de huisregels. Dat is niet het probleem.'

'Wat u ook beweert, meneer, dit is een privéclub. Zonder uitnodiging mag ik u helaas niet toelaten.'

Gus glimlachte. 'Ik heb een geschenk bij me...'

De man stak zijn hand uit zonder van gezichtsuitdrukking te veranderen. 'Ik ben benieuwd.'

Uitermate voorzichtig, bijna alsof het om een explosief ging, gaf Gus hem het pakje. Terwijl hij het hem aanreikte, maakte hij een soort verlegen buiging. De man pakte het aan, als bij toverslag gretig, zonder zijn ogen van het lachende gezicht van Gus af te wenden; hij hoopte een verandering van uitdrukking bij Gus te bespeuren, maar die vertrok geen spier en hield de haast valse grijns vast.

Caius sloeg dit merkwaardige schouwspel gefascineerd gade. Hij kreeg het gevoel te assisteren bij een ceremonie, als Marco Polo voor het aanschijn van Koebilai Chan, of te kijken naar een geraffineerde voorstelling van het No-theater.

'Een fluitje.'

'Van zilver,' benadrukte Gus.

'Speciaal?'

Gus gaf geen antwoord. De magere lat draaide het fluitje besluiteloos rond in zijn hand. Maar toen bracht hij het langzaam, bijna voorzichtig naar zijn lippen en blies zachtjes. Het fluitje leek stuk te zijn. Het produceerde geen geluid.

Caius' hart klopte in zijn keel. De man blies nogmaals, deze keer harder, en fronste.

Caius keek uit zijn ooghoeken naar Gus en zag dat die niet ophield met grijnzen. Misschien was hij zich er niet van bewust dat de rimpels om de mond van de magere man van bitter, nors en bedachtzaam waren veranderd in hard en beestachtig.

Caius slikte. Ineens raakte iets zachts zijn gezicht. Een vlinder. De vlinder werd gevolgd door een tweede vlinder en uiteindelijk door tientallen. Ze hadden verscheidene kleuren. Magenta, blauw, lila, geel en azuur. Sommige vlinders hadden ingewikkelde tekeningen en vielen op. Andere hadden kleine vleugels en vlogen zo vliegensvlug rond dat Caius het moeilijk vond hun exacte vorm en tekening te onderscheiden.

Ze doken in stilte op uit de nacht en begonnen om het hoofd van de man heen te vliegen die, met een grote lach op zijn gezicht, zijn armen uitstak om ze aan te raken. De vlinders leken vrolijk, net als de man. Ze fladderden en praalden gracieus met hun levendige vleugels. Na een paar minuten vlogen ze terug de nacht in.

'Het zijn er niet zo veel, omdat het zo koud is,' legde Gus uit. 'Maar in de lente...'

De man keek peinzend, maar Caius kon weer rustig ademhalen. De man stopte het zilveren fluitje in de zak van zijn broek met onberispelijke vouw, grijnsde geheimzinnig naar hen en stapte toen uiteindelijk opzij om hen binnen te laten.

'Jullie kennen de regels?'

'Natuurlijk.'

Alsof de man Gus niet had gehoord, begon hij de regels op te dreunen: 'Niet praten, niet moorden, geen bloed vergieten en geen overmatig alcohol gebruiken.' De deur sloeg achter hen dicht.

Terwijl ze naar binnen liepen, vroeg Caius zich af wat er gebeurd zou zijn als de man het cadeau van Gus niet geaccepteerd had. Die majordomus had vast en zeker de deur voor hun neus dichtgesmeten, of misschien wel erger.

Enigszins bezorgd liep hij achter Gus en de man aan naar een ronde kamer met een plafond vol fresco's, die hem het idee gaven onder twijgjes in een bos te lopen. Het was een geniaal en realistisch werk.

De majordomus knikte in de richting van twee lege fauteuils en verdween achter een toonbank. Bijna overal zagen ze figuren. Elegant en soms wat excentriek geklede Wisselaars. Iedereen was stil. Niemand keek naar hen. Dit was ook een van de regels van het huis. Niemand ging naar de Put om gezellig een biertje te drinken en wat te kletsen. Het was geen plek waar werklieden hun frustraties konden bespreken en geliefden elkaar lieflijk toe konden fluisteren. Het was een plek die gewijd was aan de stilte. Toch werden er vriendschappen gesloten onder de leden van de club. Maar vaak bloedden deze dood zonder dat de vrienden elkaars naam wisten. In de Put werd alleen geobserveerd, niets gedaan. Hier stond de tijd stil.

Caius was nauwelijks binnen of hij voelde zijn hoofd draaien. Hij werd zelfs zo duizelig dat hij zich vast moest grijpen aan een tafeltje. Hij slingerde het tafeltje vervaarlijk heen en weer. Een aantal Wisselaars draaide zich afkeurend naar hem toe. Caius probeerde zijn mond open te doen om Gus te roepen, maar bedacht zich. Hij kreeg geen lucht meer. Het voelde alsof hij stikte. Zijn keel zat dicht en zwarte vlekken dansten voor zijn ogen. Hij trilde zo hevig dat hij bijna viel. Gus ving hem op en bracht hem geschrokken naar zijn stoel.

Caius probeerde hem gerust te stellen met een glimlach tot hij voelde dat zijn voeten nat werden. Hij keek naar beneden en zag, hoe absurd ook, dat de Put razendsnel volliep met water. Zijn glimlach vervaagde abrupt. Hij keek Gus met grote ogen aan en probeerde hem met wilde armbewegingen te waarschuwen, maar Gus zag niets. Hij begreep zelfs niet wat de magere jongen hem probeerde duidelijk te maken.

Het water steeg en steeg. Caius raakte in paniek. Het water was inmiddels tot zijn hoofd gestegen en hij probeerde zich tevergeefs stevig vast te klampen. Een felle pijn drong zijn bewustzijn binnen en schopte zijn gedachten door elkaar. Hij overtrad een van de regels van de Put: hij kreunde.

Opnieuw draaide een aantal hoofden zich naar hen om. Een breed gamma aan uitdrukkingen was van hun gezichten af te lezen. Van irritatie tot woede en onderdrukt mededogen. Caius merkte hier niets van, maar Gus wel. Hij greep de jongen beet en sleepte hem naar de andere kant van de ronde kamer, naar een deur waarop in kleine letters TOILET stond. Daar legde hij hem op de grond en maakte zijn gezicht nat met wat water. Maar Caius reageerde niet. Hij staarde in de leegte. Hij voelde hoe het water tot zijn lippen kwam en vervolgens zijn mond in liep. Daarna ook zijn neus en oren, net zolang tot zijn lichaam vol met zout water zat.

Gus sloeg Caius in zijn gezicht, maar kreeg opnieuw geen reactie. Hij sloeg hem nogmaals, maar nu harder. Niets. Even dacht hij vlammen uit de vingertoppen van de jongen te zien komen. Geschrokken sloeg hij hem nog een keer. Niets.

Het water bleef stijgen. Caius stond op, spuugde en hoestte.

Het water bleef stijgen. Waarom zag Gus het niet? Caius stootte een soort gesnater uit. Hij proefde hoe zout het water was en probeerde te zwemmen, maar zijn lichaam leek loodzwaar en werkte niet mee.

Het water steeg maar en steeg maar. Hij ging nu kopje onder. Maar onder water kon hij ademen en zien. Hij zag hoe hij verdween, werd opnieuw getroffen door intense pijnscheuten en werd in het donker opgenomen. In het donker zag Caius alles.

31

In de met sterren bezaaide duistere hemel stond een witte streep licht. Deze streep hield een duidelijke koers aan, een licht afbuigende stroom in de ijzige leegte.

Het duurde miljoenen jaren. Hij zag de zon. Hij zag de hemel als een rijpe vrucht openspringen en bloed spugen.

Huiveringwekkende geluiden deden hem beven en zijn tanden barsten. Een kabaal dat het einde van deze wereld en het begin van een andere inleidde. Duizenden nucleaire explosies, de Apocalyps volgens mensen die door peyote waren bedwelmd. Een monsterlijk geluid dat trommelvliezen deed knappen.

Daarop volgde een stilte. Een perfecte, ijzige stilte. Een licht getjirp. Aanhoudend geklos. Luidruchtiger getjirp. Bladeren die bewogen. Takken die bewogen. In de verte was vuur. Een ondoordringbare hete muur. Het vuur slokte het bos op. De muur veranderde in gloeiend houtskool. De houtskool in as. Bloemen en planten ontloken. Het werd lente. Nog meer bomen, nog meer struiken. De Put vulde zich met water. Aardbevingen. Uitbarstingen. De Put barstte open. Bergen werden vlakten en vlakten werden greppels.

Dieren verdwenen. Nergens lag hun bloed of waren andere sporen te bekennen. Ze waren verdwenen, ver weg van de put die alles en iedereen opslokte. Nooit cirkelden er valken boven het woud. Nooit spitten knaagdieren er de grond om, op zoek naar sappige wortels.

Er was een enorm gebrek aan voedsel. Dieren werden geteisterd door honger, waren uitgemergeld, werden blind en dol en verdwenen. Geen geloei, geen gehuil. Ze verdwenen.

Uiteindelijk kwamen de mensen, van heinde en verre. Ze bouwden hutten, bruggen en tenten, kanaliseerden beekjes, groeven meren en rivieren, joegen en stookten vuren. Ze brachten offers aan de goden die ze om zich heen zagen. Aan de regen, de zon en de meest gevreesde van al, de winter. Ze leerden met koper werken en daarna met brons. IJzer maakte hen sterker en wreder dan de beesten die nog niet verdwenen waren. De mensen hadden meer te eten, meer tijd om vazen te beschilderen en te dromen. Een dorpje werd een stad en vervaagde weer. Branden. Dood en verderf. Andere mensen uit de bergen arriveerden. Dezelfde soort, maar toch ook weer niet. Ze ploegden de grond, zaaiden en hielden van hem. Ze zorgden beter voor de aarde dan voor hun eigen kinderen, omdat kinderen gemakkelijk te krijgen waren, en graan slechts met bloed, zweet en tranen. De mensen bouwden hooischuren en vulden deze zingend. Ze aten brood en leerden druiven en olijven persen. Ze leerden, observeerden en leerden nog meer. Het leek alsof ze gemaakt waren om nieuwe dingen te leren.

Ze leerden ook hun kinderen in de put te gooien. Twee keer per jaar. Dat leek hun genoeg.

De steden groeiden. Er kwamen nieuwe goden en nieuwe veroveraars. Er werden oorlogen gevoerd, er werd gevochten en er ontstonden pestepidemieën. Soms werden veroveraars verjaagd, soms mengden ze zich onder het volk. Nieuw gebroed ontstond en de doden werden vergeten. De volkeren leerden van ver gekomen munten te gebruiken, kenden de edelsmeden die de munten geslagen hadden en toonden hun trots hun land.

Vervolgens waren ze genoodzaakt te vechten tegen in ijzer geklede mannen en werden ze overmeesterd door de wolf waar de mannen in harnas van afstamden.

Ze begonnen stoutmoedig de rivieren te bevaren, tot ze bij de oceaan en verre eilanden aankwamen. Ze leerden nieuwe talen en kleedden zich in kostbare gewaden. Ze leerden lezen en schrijven.

Sommige mensen verbreedden hun horizon en zochten hun geluk in de hoofdstad, Divina Urbs, de goddelijke stad die nog nooit overmeesterd was geweest. Ze verlangden naar moderne spullen, naar thermen, spelen en mooie vrouwen die opgemaakt waren als nimfen. Nog steeds werden er tweemaal per jaar twee kinderen de put in gegooid. Iedereen had het wel een keer moeten doen.

Vervolgens kwamen er mensen die met kruizen zwaaiden alsof het zwaarden waren. Ze vertelden over brood dat vlees was en wijn die symbool stond voor bloed en ze spraken over de hel. Onderwerpen waar geen acht op geslagen werd en die te moeilijk waren voor het volk dat twee kinderen per jaar offerde. De mensen met kruizen kwamen onvermoeibaar terug. Ze droegen vodden en vieze kleren met vlooien, zaten onder de schurft en pronkten met hun wonden. En ze praatten en praatten maar. Ze spraken over genade. Ook dit kon het volk maar niet begrijpen en het ging gewoon door met het offeren van kinderen.

De mensen met de kruizen kwamen opnieuw terug. Beter gekleed en beter geïnstrueerd. Ze waren het zat uitgelachen en genegeerd te worden. Ze bouwden brandstapels, namen zwaarden en speren ter hand en spoorden aan tot moorden. Ze vervloekten de wederopstanding in extase, met dolle, vrolijke ogen. De oudere volken uit de bergen begrepen er nog steeds niets van.

De vreemde mensen met hun kruizen gaven niet snel op, ze hielden voet bij stuk. Ze stampten eigenaardige, duistere en benauwde tempels uit de grond en spraken van verlossing en het Lam Gods. Van een offer. O, dat konden de volkeren wel begrijpen. Ze wisten wat een offer inhield. Het was een woord dat ze al millennialang kenden.

Ze bleven hun kinderen in de put gooien.

De geur van vuur hing in de vochtige lucht. Er was een feest geweest. Caius had het gezien door de betraliede ramen van de hut van stro. Mannen en vrouwen hadden gedanst en gedronken. Ze hadden een stier geslacht, geroosterd, in stukken gesneden en het kokende vet opgevangen. Iedereen was er.

Caius had de manke paardensmid gezien, de lieflijke Evelina met haar sproetjes, waar hij gek op was, de boeren en de slager met zijn rode gezicht en grote handen. Iedereen was er, ook de pastoor, klein van stuk, met grote zweetdruppels op zijn kale kruin en vreemd, zo zonder zijn habijt.

Uiteindelijk waren de vlammen uitgegaan en bleef Caius bezorgd achter in de nacht. Iedereen was naar huis, behalve hij. Hij had zijn portie stierenvlees gehad. Zelfs het beste stuk. Na zich drie dagen volgepropt te hebben met zoetigheden had hij het stuk stier toch nog verslonden. Ze hadden hem ook wijn met honing gebracht en nu was het licht in zijn hoofd. Hij was vrolijk, maar ook bezorgd.

Voordat het feest begon, had zijn moeder hem stevig omhelsd, een weesgegroetje gemompeld terwijl ze haar tranen verborg, en de deur achter zich dichtgetrokken. Zijn vader had zich niet laten zien. Caius had gezien dat hij dronken was, nauwelijks op zijn benen kon staan en ondersteund werd door zijn broers. Ze lachten allemaal, maar waren niet gelukkig.

Toen het middernacht was, verdween zijn vader. Hij zag lijkbleek. Zijn adem stonk naar wijn, maar hij was niet langer dronken. Hij kwam met twee mannen, Waldo en Chrétien, naar Caius. Het waren twee stropers die leefden van het villen van dieren. Caius lachte naar zijn vader, maar deze deed alsof hij hem niet kende.

'Ik ben het, Caius, je zoon,' zei de jongen, terwijl de twee stropers hem bij de arm grepen en naar buiten sleepten. Buiten rook het naar geroosterd vlees en brandend hout. Het was donker. 'Ik ben het, papa, Caius. Breng je me naar huis?' Ze stopten een prop stof in zijn mond en brachten hem naar het woud. De angst sloeg toe. Caius probeerde zich los te rukken, maar wat kon hij beginnen tegen drie grote, sterke mannen?

De put, de put, dacht hij.

Hij zou tegen zijn vader willen schreeuwen dat hij hem los moest laten. Hoe vaak had hij niet horen praten over de put? Hoe vaak had zijn moeder hem niet gezegd er nooit in de buurt te komen? Maar waar was zijn moeder nu, deze nacht? Waarom was ze niet hier om hem gerust te stellen? Om zijn hand vast te houden, net als wanneer hij koorts had. Waar was ze nu hij zo bang was? Zo bang...

Hij viel en raakte iets met zijn hoofd. Het was donker. Hij was alleen. Het was stil. Er kwam warme lucht uit het binnenste van de aarde. Een verstikkende geur. Caius voelde hoe zijn blaas het begaf en urine zijn nieuwe broek bevochtigde. De broek die zijn moeder hem voor Kerstmis had gegeven. Hij huilde. Hij spuugde het stuk stof uit en riep om hulp.

Het voelde alsof hij blind was geworden, net als de oude Igraine met haar uitgedroogde huid, die gekke verhalen vertelde bij het vuur en geen tanden en man meer had. Iedereen was bang voor haar en gaf haar cadeaus. Ze had witte ogen. Caius had weleens gevraagd hoe het kwam dat ze blind was, maar zijn vader had hem gezegd te zwijgen, omdat dat geen zaken waren voor kinderen. Zijn moeder had meer begrip getoond en hem verteld dat de Heer gaf, maar ook nam. Hij had het zicht van de oude Igraine afgenomen, maar haar daarvoor in de plaats de gave om met het vuur te praten gegeven. Caius was er diep van onder de indruk geweest. Hij had wekenlang aan de oude Igraine gedacht en uiteindelijk geconcludeerd dat hij zelf nooit akkoord zou gaan met zo'n ruil, als er ooit een engel aan hem zou verschijnen, zoals aan de Heilige Maagd.

Een geluid. Iets wat zich snel voortbewoog.

Donker.

32

'Nee!' schreeuwde Caius.
'Rustig maar, jongen.'
'De Levantijn!'
'Doe je ogen open, Caius.'
Hij luisterde en dwong zichzelf de beelden los te laten.
'Ik heb hem gezien, Gus,' zei hij, terwijl hij zijn slapen masseerde.
'De Levantijn?'
Caius schudde zijn hoofd. 'Niet echt. Het ging allemaal heel snel, maar ik heb hem aan zien komen. Ik heb gezien wat hij de afgelopen eeuwen gedaan heeft. Heb jij dat ook gezien?'
'Ik heb alleen gezien dat je flauwviel, Caius. Verder niet.'
'Het was vreselijk.'
'Rustig maar.'
'Wat is er gebeurd? Heb ik een visioen gehad?'
'Ik denk het wel.' Gus keek hem onderzoekend aan. 'Doet je hoofd pijn?'
'Een beetje. Het wordt al minder.'
'Mooi. En je borst?'
'Die doet geen pijn. Alleen mijn hoofd, maar dat...'
Gus greep hem bij zijn schouder. 'Weet je het zeker? Alleen je hoofd? Voel je niets op je borst?'
Caius maakte zich los uit Gus' greep. 'Niets.'
'Dat is maar goed ook.' Gus balde een vuist. 'Geloof me, dat is maar goed ook.'
'Gus?'
'Wat is er, jongen?'
'Het is hieronder. Ik voel het. Het Sacellum.'
'Ik voel het ook. Het is een krachtige plek.'
'Maar...' Caius maakte zijn lippen nat. 'Ik voel dat het leeg is. Snap je?'
'Leeg? Natuurlijk, het is een tombe. We hoeven alleen' – Gus wierp een blik op de gesloten wc-deur – 'deze vervloekte vloer kapot te slaan voordat er iemand binnenkomt en ons uit de voeten te maken.'

'Ja, maar...'

'Maak je geen zorgen, met een Wissel is dat een eitje. Jammer dat ik me daarna niets meer herinner van het gesprek met Jaz Coleman, maar het is niet anders.'

'De tombe is leeg, Gus.'

'En ik zeg nogmaals: het is een tombe. Wat jij voelt is de dood. Er is daar beneden niets levends.'

'Jawel. Er is leven. Maar niet de Levantijn. Ik voel een mensenleven. Of iets wat daar op lijkt.'

'Hoe weet je dat?' Wederom diezelfde argwanende blik. Of was Gus geschrokken?

'Ik weet het niet, maar ik voel dat er beneden iemand is, net zoals ik voel dat de Levantijn dood is. Morsdood. Zijn stof is niet tot leven te wekken.'

Gus bleef hem nog even aankijken. Hij wist niet goed wat te doen. Uiteindelijk zei hij: 'We moeten de tombe in. We moeten wel.'

'Het heeft geen zin.'

'Je bent in de war, dat is alles. Je hebt een visioen gehad en een visioen is zo complex dat je je hoofd er beter niet over kunt breken. Dat kan later alsnog, goed? Dit is niet het juiste moment om het erover te hebben en ik ben niet de juiste persoon om er iets over te zeggen. Misschien weet Pilgrind wat er zojuist met je is gebeurd, maar ik niet. En trouwens,' Gus deed zijn best te glimlachen, 'het is alleen maar beter als het Sacellum leeg is, toch? Laten we de tombe in gaan, kijken of zelfs de laatste nagel van de Levantijn verdwenen is en dan...'

'Volgens mij heeft hij geen nagels,' zei Caius bevend.

'... leggen we het dynamiet neer en smeren we 'm.'

'Maar...'

'Luister, we moeten het wel doen. We kunnen niet meer terug. Je was het met me eens, toch? Of ben je opeens van gedachten veranderd?'

Caius schudde zijn hoofd. Hij gaf zich over. 'Nee. Ik ga mee.'

Al zou hij willen, dan nog had Caius niet aan Gus uit kunnen leggen wat hij voor onheilspellende gevoelens in zijn buik had. 'Leeg' was het woord dat door zijn hoofd spookte als hij naar de grond in het toilet van de Put keek. Hij voelde een bizarre tinteling van zijn handen uitstralen naar zijn armen en uiteenbarsten in zijn borstkas. Nee, het was geen pijn.

'Leeg' verwoordde bij lange na niet wat Caius aan Gus duidelijk wilde maken. Natuurlijk voelde hij dat de tombe leeg was, maar hij werd ook vervuld van een oneindige droefenis. De droefenis van tonnen botten die door de millennia heen opeengestapeld waren en stoffig waren geworden.

Caius hoorde de echo van de pijn en het gehijg en soms zelfs gerochel van iedereen die verdwaald was in de schuilplaats van de Levantijn. Iemand die op die vervloekte plek een tombe gebouwd had, moest wel ambitieus én krankzinnig zijn.

Het Sacellum was niet leeg, althans, niet zonder leven. Integendeel, het zat vol levende wezens. Er waren insecten, wormen, ratten met venijnige, rode oogjes, kakkerlakken, mieren en organismen die slechts uit weinig cellen bestonden en niet thuis te brengen waren. Maar verder waren er ook nog ontelbaar veel andere vreselijke dingen. Dingen die niet in de biologie thuishoorden en die de jongen dus niet kon herkennen.

Het Sacellum was niet leeg, er waren levende dieren. 'Leeg' was slechts een woord. De realiteit was anders, maar Caius kon niets anders doen dan zijn lot accepteren. Gus had gelijk. Ze waren vlakbij en zouden geen tweede kans krijgen om het Sacellum binnen te gaan. Bovendien was het Sacellum belangrijk voor Spiegelmann, daar was geen twijfel over mogelijk.

Maar wat als het een val was? Caius gebruikte Gus' filosofie om daar een antwoord op te geven. Dat is alleen maar des te beter, zei Caius tegen zichzelf, terwijl hij zich tegen de muur drukte. Dat zou betekenen dat hij oog in oog zou komen te staan met Spiegelmann.

'Maak je klaar.'

Gus legde zijn handen op de grond, haalde diep adem en mompelde een aantal woorden.

De vloer barstte open.

33

De geur van ontbinding die omhoog kwam uit de door Gus veroorzaakte kloof, bevestigde dat het Sacellum een tombe was. Verwijzingen naar de dood omringden Caius en Gus als een lijkwade en drongen zich zo gewelddadig aan hen op, dat ze zich ertegen moesten beschermen. Beiden sloegen een hand voor het gezicht om de geur van rotting af te weren, alsof het een beest met lange nagels en scherpe tanden betrof. Ze werden misselijk en kregen tranen in hun ogen door de doodswalm. Het duurde dan ook enkele minuten voordat de twee weer normaal konden ademhalen, alsof ze aangeraakt waren door een onzichtbare kwal.

'Gadverdamme,' zei Gus gruwend.

Onder hun voeten verscheen een lange, brede, uit de rots gehouwen grijze trap. Gus drukte zijn donkere bril stevig op zijn neus en begon, zonder achterom te kijken, aan de afdaling. Caius volgde zijn voorbeeld. Meteen werd duidelijk dat het een bijzonder onprettige afdaling zou worden. De traptreden waren immens, ze konden slecht wennen aan de misselijkmakende doodsgeur en er was weinig licht, ondanks de elektrische fakkel die Gus in zijn hand had. Behalve die lichtbol zagen de twee geen hand voor ogen. Gus had zijn pistool in de aanslag en Caius hield zich vast aan de hobbelige muur naast hem. De lucht werd steeds zwaarder naarmate ze de trap afliepen.

'Caius?'

'Ik loop vlak achter je.'

'Blijf dicht bij me. Hier wordt het breder.'

Nu er ruimte was om naast elkaar te lopen, voelde Caius zich een stuk beter. Hij versnelde zijn pas om Gus bij te kunnen houden. Op dat moment zette de vrieskou in. Een koude wind sneed langs hun gezicht en maakte hun adem zichtbaar. Caius kreunde. Gus kneep in zijn pistool en ontgrendelde het. De traptreden kraakten onder hun schoenzolen.

Gus hield de fakkel bij zijn voeten en zag dat de treden bedekt waren met rijp en ijs en glommen als diamanten. Ze konden beter hun pas wat inhouden.

'Het bevalt me niks hier,' mompelde Gus.

Elke holte, elke hobbel en elke groef vormde een schaduw op de muur. Iedere minuut ging er kostbare warmte verloren. Hun longen leken bevroren, hun spieren verstijfden en het lopen werd steeds zwaarder.

'Gaat het nog?'

'Ja hoor. Het gaat wel.'

Net toen Gus en Caius dachten dat ze de ijzige kou die het zweet op hun hoofden bevroren had, niet meer konden verdragen, werd het warmer en lichter. Gus doofde de fakkel. Die was immers niet meer nodig.

Ze kwamen een kamer binnen waarvan de muren overblijfselen waren van de spelonk waar ze doorheen gelopen waren, maar waarvan de vloer duidelijk gemaakt was door mensenhanden. Het plafond was versierd met guirlandes, die op hun beurt bedekt waren met ijsversiersels. Ze hoorden ergens water druppelen. Het kristalachtige geluid had een ontwapenende uitwerking op hen.

Uit het niets klonk een stem. 'Cid, ben jij dat? Ik kan het niet goed zien. Ben jij dat?'

De reusachtige man boog voorover naar Caius, zijn gezicht bedekt met rijp en blauwe plekken, zijn ogen halfdicht en zijn lippen bijna verdwenen.

'Ben jij Cid niet?' vroeg hij nu.

'Nee.'

Gus hield opnieuw zijn pistool in de aanslag, maar richtte deze nog niet op de gigant. 'Stap weg van de jongen, Paulus. Ik wil je geen pijn doen.' Dat meende hij.

De man sperde zijn ogen open bij het horen van zijn naam. 'Ken je mij?'

Gus gaf geen antwoord. Caius wel. 'We kennen de Cid.'

Paulus glimlachte moeizaam. De wondjes op zijn smalle lippen barstten open, maar bloedden niet.

'Ik mis Cid.'

'We zullen je straks naar hem toe brengen. Eerst moeten we verder.'

Paulus schudde zijn hoofd. 'Nee, dat kunnen jullie beter niet doen. Daar beneden is het niet pluis. Het is er gevaarlijk.'

'Maar we moeten daar beneden zijn. Jij kunt ook mee, als je wilt.'

'Nee, nee. Ik wil hier weg.'

'Maar...'

'Laat hem maar, Caius,' zei Gus, terwijl hij zijn pistool terugstopte in het holster. 'Loop jij maar door, Paulus,' zei hij vervolgens tegen de man. 'Wij moeten echt verder naar beneden. Jij kunt naar boven lopen, als je wilt. Daarheen.'

Paulus pufte en wankelde toen naar het duister toe. Toen hij bijna omarmd werd door het donker, bleef hij staan en draaide zich om. 'Ik zie niks.'

Caius liep naar hem toe, nam zijn grote hand liefdevol in de zijne en fluisterde: 'Kom met ons mee, Paulus. Ik hou je vast. Dan gaan we straks naar boven en brengen we je naar de Cid.'

Paulus glimlachte. Nog meer gebarsten wondjes. Geen bloed.

'Beloofd?'

'Beloofd.'

'Paulus, weet jij waar deze grot op uitkomt?' vroeg Gus, terwijl hij dichterbij kwam.

'Op de kamer met schilderingen.'

'Schilderingen?' herhaalde Gus.

'Ja, daar beneden, waar het schip is.'

'Maar waar precies?' drong Gus aan.

'Onder de weg met tekeningen. De tekeningen vertellen een verhaal. Uiteindelijk wist ik waar het over ging, weet je dat? Maar nu ben ik het vergeten. Ik ben een beetje in de war,' lachte de reus. 'Het is onder het riool. Het stinkt er naar rotte vis en het is er mistig.'

'Rue Félix, Paulus? Komt deze weg uit in rue Félix?' vroeg Gus verbijsterd.

'Ja. Zo heet de straat. Cid zei dat we een schat hadden gevonden, maar...' Het werd opnieuw donker. 'Ik kan het me niet goed meer herinneren. Het lukt me gewoon niet.' Hij keek teleurgesteld. 'Rue Félix is die straat vlak bij de Kikkerfontein. Ik hou niet van die fontein.'

'Rue Félix en... de Kikkerfontein?' vroeg Gus perplex. 'Weet je zeker dat...'

Caius gaf hem een por met zijn elleboog en richtte zich tot Paulus. 'Het geeft niet,' zei hij. 'Je hoeft jezelf niet te dwingen. Zullen we gaan?'

'Ik ben niet moe, hoor. Wat mij betreft kunnen we verder.'

Gus en Caius liepen achter de gigant aan, het duister tegemoet.

'Denk je dat hij het weet?' vroeg Caius zachtjes.

'Wat?'

'Weet hij dat hij dood is?'

34

Toen ze aankwamen bij een witte boog, hadden Gus, Caius en Paulus geen besef meer van tijd en ruimte. Minuten of uren, boven of beneden, links of rechts, ze waren er niet mee bezig. Gus en Caius waren moe en gespannen, maar hielden vol en waren alert op elk dreigend geluid en elke onverwachte beweging. Overal loerde gevaar. Door hun lusteloos voortbewegen was de ene na de andere illustere schaduw op de muren van de grot verschenen.

Ze waren onthutst toen ze de boog zagen. Hij was niet zo puur en onschuldig als ze van een afstandje gedacht hadden. Hij werd gestut door cement en botten. Dijbenen, scheenbenen, schedels en ribben hielden het tien meter hoge gevaarte moeiteloos omhoog. Ze vermoedden dat het eeuwen geduurd had voordat het werk compleet was.

Achter de boog bevond zich het kolossale Sacellum, waarvan elke centimeter was gebouwd volgens een krankzinnig soort esthetisch ideaal. Langs de muren van de ondergrondse tempel stond een duistere zuilengalerij die bestond uit levensgrote zuilen met een omtrek van meer dan zes personen. Elke zuil stelde een van de priesters van de Orde voor, die eeuwenlang de legende van de Levantijn levend had gehouden. De gigantische monden van de priesters vormden een kinderlijke grijns, hun starende ogen waren bedekt door ijs dat onheilspellend schitterde en hun uitgestrekte armen ondersteunden het pikzwarte plafond waarop sterrenbeelden blonken. Geen van deze sterrenbeelden was echter zichtbaar in de hemel boven Parijs. Dit was geen tempel, dit was een necropolis, dacht Gus.

Op de grond lagen sarcofagen van steen, goud en ijzer en enkele van zilver en lood. Het Sacellum straalde uit dat niets onmogelijk was.

'Is dit het Sacellum?' vroeg Caius met een zucht.

'Ik denk het wel,' was het antwoord. 'Ik geloof niet dat ik genoeg dynamiet bij me heb om...'

Paulus wees naar iets in dat in het midden van het Sacellum opdoemde. 'De schat.'

Dat was waar ze naar op zoek waren. De tombe van de Levantijn: een met cherubijnen getooide, ijzeren kist van twee meter hoog en vijf meter breed. De cherubijnen hadden de vorm van vleermuizen-, duiven- en vlindervleugels. Het Kwaad straalde ervan af. Alleen Paulus leek immuun voor het onbehaaglijke gevoel dat de tombe opriep.

'De Levantijn...'

Op hun hoede slopen Caius en Gus achter Paulus onder de boog door. Ondanks de blinkende ogen van de zuilen waren sommige hoeken van het Sacellum donker en hadden ze toch de fakkel nodig. Er heerste een doodse stilte, die alleen af en toe onderbroken werd door het geluid van hun voetstappen. Dit was het ideale moment voor een omsingeling.

Gus was nerveus en versnelde zijn pas.

In Paulus' hoofd wisselden gevoelens en sprankjes helderheid elkaar af. De wereld om hem heen vormde één grote chaotische rebus. Vanwege zijn staar moest Paulus raden naar de vormen die hem omringden. Het kostte hem geweldig veel moeite te bewegen, omdat hij zich moest concentreren bij elke samentrekking van elke spier. Hoewel hij geen vermoeidheid voelde zoals Caius en Gus, was hij uitgeteld. Hij voelde geen angst, maar was toch schrikachtig.

Het gezicht van de Cid had hem uit het Sacellum gevoerd, dat voor hem nog steeds het souterrain in rue Félix was, waar iets was gebeurd dat hij zich niet meer kon herinneren. Het was de herinnering aan zijn broer die hem ervan had overtuigd dat hij de jongen die zijn hand liefdevol had vastgepakt, kon vertrouwen. Die liefdevolle aanraking bracht herinneringen aan de tijd in het weeshuis naar boven, toen de Cid er was om hem te troosten.

Opeens struikelde Paulus ergens over. Hij stopte, strekte zijn armen uit als een koorddanser en keek omlaag. Daar zag hij een lichaam liggen. Hij wreef in zijn ogen om de melkachtige waas weg te krijgen die hem het zicht belemmerde. Het lichaam lag vastgebonden aan sissende, bewegende touwen. Het was groot en herinnerde hem ergens aan. Hij kon het moeilijk zien en knielde. Een van de touwen wierp zich op hem, het leek wel een gigantische witte worm. Paulus kneep hem fijn zonder er bij stil te staan dat hij weleens gebeten kon worden. De beet van de worm bracht slechts een licht brandend gevoel bij hem teweeg.

Paulus bestudeerde het gezicht dat bij het stijve, witte lichaam hoorde. Het kwam hem bekend voor. Hij wreef nogmaals zijn ogen uit. Het gezicht was niet knap, erg hoekig en uitgehold en hield zijn blik gevangen. Hij herkende het en zakte door zijn knieën.

Zijn gezicht.

'Kijk.'

Paulus zat over een uitgedroogd lijk gebogen en huilde.

'Kijk,' stamelde hij. 'Kijk.'

Gus slaakte een trieste zucht toen hij de wormvormige wezens zag die door Paulus waren gedood. 'Niet kijken, jongen.'

Maar Caius luisterde niet. Zijn blik werd naar Paulus getrokken die zijn eigen lijk streelde en beweende.

'Ik ben dood,' zei Paulus.

'Bijna,' antwoordde Gus, terwijl hij voorzichtig zijn hand op de rug van de kolos legde. Paulus' blik sneed door zijn ziel.

'Hoezo, bijna?'

Hoe moest hij hem uitleggen dat Herr Spiegelmann een van de meest perverse en afschrikwekkende Wissels op hem had botgevierd?

'Je bent niet dood, maar ook niet levend,' zei Gus.

'Wat ben ik dan?'

Het is net alsof ik een kind moet uitleggen wat de dood is, dacht Gus verdrietig. 'Je bent de projectie van een verlangen, van jouw laatste verlangen. Je wilde vluchten, toch?'

Paulus trok zijn wenkbrauwen op. 'Nee,' zei hij. 'Ik wilde Cid vinden.'

'Cid is...' fluisterde Caius. 'Het spijt me, Paulus, maar Cid is dood.'

'Dood?' Paulus hield zijn hoofd scheef en herhaalde wezenloos: 'Dood?'

Gus knikte. 'Spiegelmann heeft hem vermoord. Weet je wie dat is?'

'Dood...' Paulus begon het lijk te wiegen.

'Het spijt me.'

'Dood hem,' gebood Paulus ineens. Een fractie van een seconde zag Caius een glimp van het temperament dat de gigant had toen hij nog leefde. 'Dood het lichaam.'

'Dat kan ik niet,' antwoordde de jongen.

'Jij, dan.'

Gus greep zijn pistool en zette het tegen het voorhoofd van het uitgedroogde lijk.

'Niet doen, Gus!'

'Jawel. Zo is het geen leven voor Paulus.'

'Maar ook geen dood,' protesteerde Caius. 'Paulus, als we het lichaam doden, sterf jij ook. Misschien is er onder de Wissel uit te komen. Pilgrind kan...'

'Zelfs Pilgrind kan hem niet meer redden, Caius,' mompelde Gus.

De hand waarin hij zijn pistool had, trilde. Hij liet hem zakken.

'Ik kan het niet, Paulus. Ik kan het niet.'

Paulus staarde Gus en Caius lange tijd om de beurt aan, knikte toen en boog lijdzaam zijn hoofd.

'Cid wilde een schat stelen, maar die is er niet. Ik heb er in gekeken.'

'Heb je de kist opengemaakt?' vroeg Gus, terwijl hij naar de ijzeren kist wees.

'Ja. Hij is zwaar.'

'Is hij leeg?'

'Nee. Er ligt stof in dat prikt aan je handen.'

Gus vloekte. 'Het is een val, verdomme!'

'Alleen maar stof,' herhaalde Caius.

'Dat is niet waar,' zei Paulus met een zuur gezicht. 'Niet alleen maar stof. Ook muziek. Horen jullie het niet?'

De grond trilde onder hun voeten. Onder de boog van botten verscheen een rossig licht.

De muziek kondigde de komst van de Kalibaan aan.

35

De Kalibaan moest ergens een hart hebben, dacht Caius, terwijl hij naar het ritmisch verschijnen en verdwijnen van de rossige gloed keek. Dit was het ritme dat Caius voelde als hij zich terugtrok en zijn gedachten de vrije loop liet.

Ook moest de Kalibaan longen hebben, omdat de schrille muziek –geklingel van klokken, getik van trommels en gekwetter van doedelzakken en trompetten – die het wezen produceerde, luider en zwakker werd, alsof het ademde.

Het was duidelijk dat het lusten had, gezien de honderd open- en dichtgaande monden op het lichaam van het schepsel. Bij honderd monden hoorden honderd magen en duizenden tanden.

Caius kon zich voorstellen dat een wezen met deze kenmerken er walgelijk en buitenaards uit zou zien, maar de Kalibaan was niet smerig. Het schepsel was prachtig.

Na twee keer goed gekeken te hebben schreeuwde Caius luid. De eerste keer zag hij de torso van de Kalibaan: een perfecte, sensuele en zachte romp van een vrouw. Of eigenlijk, naar het idee van een vrouw. Een platte buik, een ronde navel, volle, stevige borsten, een maagdelijke, zijdezachte huid en harde, opwindende tepels. Verder had ze een ranke, perfecte nek en een even perfect vrouwengezicht waarop te lezen was dat ze zich bewust was van haar schoonheid. Haar zachte krullen bewogen als vuurtongen. In plaats van armen had de Kalibaan reusachtige verenvleugels. Veren van glimmend ijzer en platina. Aan elke veer hing een gouden draad en elke gouden draad werd vastgehouden door een vlinder met vleugels zo groot als vijgenbladeren en zo wit als marmer. De Kalibaan was als Persephone op aarde. De Schoonheid zelve. Caius had geen andere woorden voor het wezen.

Op het tweede gezicht zag hij de minder duidelijk aanwezige helft van het wezen: een verteerd en verslonden organisme uit de zee dat braakneigingen opriep, een kolossale inktvis, een haai zonder geraamte en een stinkende en rottende, door Spiegelmann gecreëerde slak met tentakels en vijftig oogkassen. De tentakels bedekten de muur rond de boog van botten die wiebelde en bijna instortte. De Kalibaan schoot parasieten en gif in het rond uit zijn tentakels.

'We moeten weg hier! Weg!' brulde Gus, maar Caius kon niet stoppen met schreeuwen en kijken.

'Caius!' bulderde Gus, terwijl hij met zijn twee pistolen schoot. 'We moeten hier weg!'

Het gif van de Kalibaan raakte Gus in het gezicht en op de borst. Zijn huid sprong open door het bijtende zuur en zijn kleren begonnen bloedsporen te vertonen.

Gus gooide zijn pistolen op de grond. Het had geen zin om dit wezen met lood te lijf te gaan. Hij sloeg de handen ineen in een wanhopige poging een Wissel te produceren. Hijgend concentreerde hij zich. Er schoot een lichtflits uit zijn handen langs de gehele lengte van de tombe, op weg naar de romp van de Kalibaan. Caius werd naar achteren geslingerd door de impact van het licht.

Zonder af te wachten of zijn eerste Wissel het gewenste effect had, sloot Gus zijn ogen voor een tweede. Het deed ontzaglijk veel pijn. Het voelde alsof iemand een stuk gloeiend heet stuk ijzer in zijn hart schoof.

Hij kokhalsde.

Geslepen donkere stenen, die veel weg hadden van samengeperst lava, schoten af op het gevaarte dat zich voortsleepte in het Sacellum. Een mengsel van botten en vlees vloog in het rond als in een wervelwind. Een aantal tentakels brak af en knetterde als vuur door deze onverwachte aanval. Het heeft geen zin, dacht Gus. Het schepsel kwam steeds dichterbij zonder vaart te minderen. Af en toe werd de muziek die het maakte wat zwakker, maar vervolgens klonk ze weer luider dan ooit tevoren. Het was nu de beurt aan de Kalibaan om in de aanval te gaan.

Een tentakel, subtiel als een stilettohak, bewoog in de richting van Gus. De tentakel leek hem in tweeën te gaan rijten, maar verdween, na een stuk vlees uit Gus' dij gehaald te hebben, in de wirwar van Kalibaantentakels. Gus greep naar zijn dijbeen en vocht tegen de misselijkheid die hij voelde opkomen.

'Doe je ogen dicht, jongen!' beval hij toen hij wat op adem gekomen was en klaar was om zich opnieuw te concentreren. Dat was niet gemakkelijk. Er sijpelde bloed uit zijn neus en mond. De Wissel was geen spelletje. En als het al een spelletje was, ging het om leven of dood.

'Verdomme,' vloekte hij.

Stukken gloeiend heet metaal schoven tussen de tentakels van de Kalibaan. Als antwoord werd Gus opnieuw getroffen door gifspetters. Hij kromp in elkaar van de pijn en de moeite die het hem kostte de Kalibaan aan te vallen.

Zijn Wissel was niet krachtig genoeg om de Kalibaan uit te schakelen. Misschien, dacht Gus, had Pilgrind iets kunnen bewerkstelligen tegen dit monster. Hij niet. Hij was aan het eind van zijn krachten. Hij vloekte nogmaals en spuugde bloed.

Plotseling werd de muziek van de Kalibaan zachter en hoger van toon. Gus sperde zijn ogen wijdopen. Hij was verbijsterd. Pas na drie Wissels nam de Kalibaan de aanval serieus. Gus was beledigd. De muziek bereikte een hoogtepunt en stenen vlogen door de lucht. De Kalibaan was kwaad.

Paulus en Caius werden opgeslokt. De jongen voelde hoe hij opgenomen werd in de algen en het slijm in het lichaam van het monster. Hij stootte zijn hoofd en ellebogen tegen iets hards, werd misselijk en voelde zich alsof hij verdronk. Hij schopte en spartelde. Hij zag de ingewanden van de Kalibaan en het kronkelen van de darmen, die opgeblazen waren als rijpe druiventrossen. Verder zag hij naast zich hoe Paulus, nog steeds met die onnozele glimlach op zijn gezicht, een uitweg probeerde te vinden.

De Kalibaan stopte op een paar meter afstand van Gus, terwijl hij zijn kop van links naar rechts slingerde. Gus zat uitgeteld op de grond en had moeite met ademen.

Caius voelde hoe hij vastgegrepen werd door honderden pootjes en probeerde te schreeuwen. Er kwam geen enkel geluid uit zijn mond. De pootjes hechtten zich aan zijn huid en sleurden hem mee, het lichaam van het monster uit. Hij zag echter dat het lot Paulus minder goedgezind was. Paulus' gezicht en lichaam begonnen opeens te vervormen, alsof ze aangetast werden door een bijtend zuur. Zijn vingers losten op en daarna ook zijn handen. Zijn benen spleten in stukken en verdwenen vervolgens in het niets. Zijn ogen waren als laatste aan de beurt. Zijn levendige ogen, die zich bewust waren van wat er gebeurde.

'Gus!' schreeuwde de jongen. 'Gus!' Omdat Caius achter de Kalibaan stond, kon hij niet zien waar Gus zich voor aan het klaarmaken was.

Gus was gewond en te moe om nog een Wissel te produceren. Hij had te veel bloed verloren en had te veel pijn om zich te kunnen concentreren op een herinnering die machtig genoeg was om de Kalibaan te gronde te kunnen richten. Hij wist wat hem te wachten stond als hij nog een poging zou wagen het monster aan te vallen. De dood was dichterbij dan ooit. Toch maakte Gus zich op om aan deze afschuwelijke scène te ontsnappen. En wel

p de enige manier die hij kende: strijdend. De Kalibaan had zijn huid aangetast en hij had veel bloed verloren, maar hij had zijn trots nog.

De muziek zwol aan.

'Kom maar op, kloothommel.'

Krijsend zette de Kalibaan de aanval in.

Het was het begin van het einde.

36

Suez was een Wisselaar van niks. Het beste wat hij kon met zijn Wissel, was water koken in een theepot, of ijs produceren om aan een lauw geworden drankje toe te voegen. Hij had weinig verstand van de Wissel en interesseerde zich er ook niet voor.

Maar zoals alle Wisselaars wist ook Suez van het bestaan van tarotkaarten. Hiermee konden Wisselaars het heden en het verleden bestuderen. Iemand die goed tarotkaarten kon lezen, kon gebeurtenissen interpreteren. Niet de toekomst voorspellen, want die moest nog gevormd worden. Je moest wel gek zijn om te denken te weten wat er in de toekomst zou gebeuren. Om iets zinnigs over de toekomst te zeggen waren eerder logica en intuïtie nodig, dan tarotkaarten of een Wissel.

Kaarten waren, van alle instrumenten die een Wisselaar tot zijn beschikking had, de meest betrouwbare. Zeker in de handen van een deskundige, als Pilgrind, maar meer nog in de handen van Koning IJzerdraad.

Pilgrind was zich bewust van de spanning die in de Obsessie heerste en had opgemerkt dat geen van de aanwezige Wisselaars, die aan tafel of op het balkon wat kletsten, in gedachten verzonken voor zich uit staarde. Alle Wisselaars bespraken merkwaardige voorvallen of onverwachte sterfgevallen. Pilgrind hoorde hen praten over geschrokken Caghoulards die beefden als bange puppy's, over opengebroken vensters en dichtgespijkerde deuren. De stamgasten haalden verhalen op, die ze vervolgens analyseerden, in de hoop meer zicht te krijgen op het onprettige gevoel dat er die avond heerste. Door de gebeurtenissen in het Sacellum hing er een mysterieuze en onrustige sfeer.

Naast een vol glas bier zat Koning IJzerdraad de uiteinden van de metalen punten, die hij had in plaats van handen, langs elkaar te wrijven, waardoor er vonkjes ontstonden.

Koning IJzerdraad had V-vormige ogen, als kippenveren. Hij was blind en was daarom de aangewezen figuur om tarotkaarten te lezen. Door zijn blindheid werden zijn andere zintuigen versterkt. Hij voelde en rook de sfeer die in Dent de Nuit heerste op zo'n onnatuurlijk duidelijke manier, dat zelfs Pilgrind er alleen maar van kon dromen dit te kunnen. Koning IJzerdraad bemerkte veranderingen in de lucht, analyseerde deze en vertaalde ze in tekens.

Koning IJzerdraad draaide de kaarten om met zijn metalen, puntige armen en maakte Pilgrind zijn intuïtie duidelijk. Dit kwam neer op een soort ridderend spelletje patience met Pilgrind als gespannen toeschouwer. Het duurde drie uur, totdat Koning IJzerdraad op het moment kwam waar de groep zich opsplitste. Buliwyf op zoek naar Jagers, Caius en Gus naar het Sacellum en Pilgrind daar in de Obsessie.

In de eerste twee uur had Koning IJzerdraad slechts twee kaarten laten zien: de Nacht en de Maan. Het begin van de reis. Positieve kaarten.

In geen enkele kroeg, zelfs niet in de best verborgen kroegen, gebeurde zoiets wonderlijks als in de Obsessie. Toeschouwers zouden niet begrijpen waar Koning IJzerdraad en Pilgrind mee bezig waren, omdat ze oude en vergeten codes gebruikten. Vergeten door de meeste Wisselaars.

Het spel kaarten dat Koning IJzerdraad gebruikte, had Pilgrind gevonden na een zoektocht van een jaar op het Oude Continent. Hij had ervoor moeten vechten en doden. Enkele keren had hij moeten smeken en zich laten bespotten. Hij had er alles voor over om het spel kaarten te bemachtigen. Uiteindelijk had hij het in een vervallen klooster in Hongarije gevonden en werd zijn wens vervuld. Het spel kaarten lag op hem te wachten in een wijwatervat, waarvan gezegd werd dat het ongeluk bracht. De afbeeldingen op het oude, ruwe papier hoorden bij geen enkel ander spel. Er stonden geen azen, heren of vrouwen op. Dit spel kaarten werd gebruikt om op delicate en slinkse wijze de waarheid te onthullen. De rand van de kaarten was besmeurd met bloed.

De Kat.

Alles werd duidelijk. Nieuwe straten doemden op onder het maanlicht. Letterlijk en figuurlijk. De Kat was een dubbelzinnige kaart en betekende 'openbaring', het opdoemen van straten, het oplossen van mysteries en het begin van een innerlijke dan wel aardse reis.

De Put.

Deze kaart betekende voor Pilgrind dat het Gus en Caius gelukt was het gebouw vlak bij de Kikkerfontein binnen te komen. De kaart betekende echter ook afdaling, helder worden en hoop op succes.

Pilgrind wachtte in spanning af, terwijl hij zich een slok bier toestond en een snelle blik met Suez wisselde.

Uiteindelijk legde Koning IJzerdraad ook de derde en vierde kaart neer: de door vuur omringde Slang en de Maki.

Pilgrind werd onrustig. De door vuur omringde Slang, een ringslang niet meer dan een zwart streepje op de kaart dat omgeven werd door vlammen, moest betekenen dat Caius en Gus in gevaar waren. Maar in combinatie met de Maki kon de kaart betekenen dat de twee zijn hulp niet nodig hadden.

De Maki, een klein aapje met grote bolle ogen, was actief tijdens de nacht en had zijn verstand verloren doordat hij te lang naar de maan had gestaard. Pilgrind beschouwde de kaart als bijzonder positief.

De volgende kaart. Het Bord. De Baardman hield zijn adem in. Het gevaar was geweken.

Koning IJzerdraad snoof de lucht op en maakte een koprol. Vervolgens ging hij met zijn hoofd naar beneden zitten en begon uit machteloosheid gaatjes in het tafelblad te prikken van de tafel waar Pilgrind aan zat. Het figuurtje had de geur van ramp en tegenspoed geroken. Het drukte zijn puntige arm in de duim van Pilgrind, totdat er een druppeltje bloed uit sijpelde.

Pilgrind merkte echter niets. Hij analyseerde aandachtig de getrokken kaarten.

De Schedel.

Het teken dat een gevaarlijk wezen van ver op weg is naar de...

Tombe.

Dode mensen die zich verzetten tegen de toestand waarin ze verkeren. Deze kaart betekende dat de Nacht en de Maan zich in een oorlogssituatie bevonden en dat was gevaarlijk voor de Kat. De Nacht en de Maan voorspelden niet veel goeds. Dan was er...

De Zon.

Deze kaart betekende dat de zon niet meer zou schijnen of moedige strijders zou helpen en dat de Nacht triomfeerde. Verder kon de Zon betekenen dat de natuur in de war was.

De Natuur.

Doden leven en levenden sterven.

Pilgrind sloeg met zijn vuist op tafel en brulde: 'De Kalibaan!'

De Dame.

De Dame kon geluk, maar ook angst betekenen. Ze was weergegeven als de *Lente* van Botticelli, maar had slangen op haar hoofd als Medusa. De

Dame was Medea, Persephone en Hekate in één. Bedrog, verraad en list.

De wrede sirene.

Deze kaart stond voor het omverwerpen van de orde, voor de dood, voor verraad, de verwoesting van Jericho, fouten die uitmonden in nog meer fouten, brandend Troje en onzekerheid.

De Druppel.

Er was iemand dood. Pilgrind had een knoop in zijn maag. Koning IJzerdraad schudde zijn hoofd. Caius en Gus leefden allebei nog. Wie was dan gestorven? Misschien had de Maki er iets mee te maken? Pilgrind maakte aanstalten om op te staan, maar werd tegengehouden door Koning IJzerdraad, die hem opnieuw in zijn vinger prikte. Vervolgens sprong het figuurtje in de lucht. Licht als een veertje, wapperend als een blaadje in een storm. Als het een lichaam van vlees en bloed had gehad, had het pijn geleden, maar het was slechts een figuurtje van metaal.

Koning IJzerdraad draaide nog een kaart om: de Overwinning. Op deze kaart stond een lachend, gekroond konijn tussen bloedrode rivieren en in stukken gescheurde lichamen. Het konijn was de koning van de droom en het bloedbad en symboliseerde dat alleen door furie een vijand overwonnen kan worden. Overwinning betekende geen vrede.

Op dat moment gebeurde er iets wat Pilgrind zijn ogen open deed sperren en hard op de tafel deed slaan: de Overwinning veranderde in de Nachtvlinder.

De Nachtvlinder was een huiveringwekkend zwart wezen, met mensenbenen, vleugels van vlees en ogen in de vorm van bijenkorven. De kaart werd als onnodig beschouwd en betekende 'breuk'. Hij kwam in geen enkel ander tarotkaartspel voor, alleen in dat van Pilgrind en was nog nooit eerder gedraaid. Wie had de macht de aarde op zijn grondvesten te laten trillen?

'De Nachtvlinder!' riep Pilgrind verbaasd. Als bij toverslag kon de Baardman het duivelse plan van Herr Spiegelmann ontrafelen. Elk stukje van de puzzel viel op zijn plaats, overal vond Pilgrind een antwoord op.

Toen hij opstond en tafels omver begon te kieperen, kregen de aanwezige Wisselaars hem in het oog en schrokken. De kolos stormde schreeuwend tussen hen door.

De Wisselaars bleven stil zitten. Niet omdat ze bang waren dat hij een vloek over hen uit zou spreken of hen zou beheksen, maar omdat ze hoorden wat hij schreeuwde.

'Een breuk! Een breuk!'

Suez liet een bierglas vallen.

'Zoek dekking!'

'Een breuk?' vroeg een andere Wisselaar.

De één dacht dat het een grap was, de ander begon te bidden. Weer een ander vroeg wat Pilgrind met dat woord bedoelde. Niemand antwoordde, maar de gezichten van de Wisselaars die wisten wat een breuk inhield, spraken boekdelen.

Een breuk betekende een kloof. Iets wat opengaat.

Het bestaan van licht betekende het bestaan van donker. Licht en donker bestonden altijd al, met ieder een eigen kleurschakering en een bijzondere relatie tot elkaar. Deze relatie werd zichtbaar tijdens bliksem, of tijdens duistere nachtmerries.

Licht en donker. Beide werkelijk en ontastbaar tegelijk en vol betekenis. Beide echter gehoorzaam aan regels. Oeroude regels. Nu waren deze regels gebroken.

Dat betekende de breuk.

37

'J ij bent het Wonderkind,' kraste de stem in het hoofd van Caius. Het waren de stemmen van Pilgrind, Gus en Herr Spiegelmann, samengesmolten tot één stem.

Hoewel hij niet wist wat de woorden betekenden, vond Caius het prettig ze te horen.

'Jij bent het Wonderkind.' Caius lachte, terwijl hij daar stond, bedekt met etensresten en slijm van de Kalibaan, alsof hij in aanraking was gekomen met buitenaardse straling die zijn huid had aangetast.

'Ik ben het Wonderkind.'

Hij was een kind met een bijzondere gave. Net als Mozart, Harry Potter, Merlijn en duizend andere helden uit zijn geliefde boeken.

'Ik ben het Wonderkind,' herhaalde hij, terwijl Gus wankelend vocht tegen de dood.

Wat had Pilgrind ook al weer gezegd? De Wissel is geen magie. Je kunt de wetten van de fysica buigen door je herinneringen te gebruiken.

'Ik ben het Wonderkind!' brulde Caius.

Hij sloot zijn ogen, bracht zijn handen naar zijn borst en dacht na. Hij dacht aan zijn ouders en aan zijn school. Om de Kalibaan te vernietigen, had hij een belangrijke, krachtige herinnering nodig. Hij dacht aan die bijzondere, magische dag waarop hij het voor het eerst koud had gehad. Was dat misschien de gelukkigste dag van zijn leven geweest? Waarschijnlijk wel.

Caius had vanwege zijn ziekte zijn hele jeugd doorgebracht op bed en mocht nooit het huis uit. Hij kende het wisselen van de seizoenen alleen van wat hij door de ramen kon zien en van zijn favoriete boeken. De zon, die tussen de jaloezieën naar binnen straalde in de zomer, de kleuren van de herfst, nagebootst in een encyclopedie voor kinderen. De lente, het steeds luider wordende getjilp van de mussen op de vensterbank. Hij had nog nooit een sneeuwpop gemaakt, of op blote voeten door een beekje gelopen. Verder was hij nog nooit plezierig verrast door een verkoelende regenbui en had hij nog nooit een eigen paraplu gehad.

Tot hij op een dag, plotseling, op onverklaarbare wijze genezen was. Hij voelde zich als herboren. En op die dag in septemberoktobernovember december, hadden zijn ouldershemeenzijnouders hem een blauwe winterjas aangetrokken. Zijn eerste jas en, o wat herinnerde hij het zich nog als de dag van gisteren. Zijn vader had hem puffend als een locomotief op de nek genomen en met hem in het rond gerend. Caius herinnerde zich de voorbijgangersdielachtenomhettafetafereel en zijn moederdiebangwaswasdathijzouvallen. Lachten en huilden wat ze van. Wat hadden ze gehuild van het lachen die dag! ZijnvaderzijnmoederlachtennetalszelfCaiusterwijlauto'stoeterdenenoudevrouwtjesglimlachtenoudevrouwtjes.

het
was
glad
hij
moest
oppassen

Caius sperde zijn ogen wijdopen en schrok. De Wissel had ervoor gezorgd dat de Kalibaan verging tot stof. Het monster kreeg niet de tijd zich te verweren. Een grote steekvlam had het vlees van de Kalibaan aangetast. Na het stof was er slechts een lichtbol van hem over. Deze bol raakte de muren van het Sacellum en verpletterde de oudste zuil van de galerij. Enorme stenen sloegen tegen de grond en veroorzaakten barsten. De sarcofaag van de Levantijn brokkelde af. De witte boog stortte ineen. Het gehele Sacellum werd getroffen door een hevige aardschok. Op de plek waar de Kalibaan stond, was alleen nog een zwarte vlek te zien. Deze zwarte vlek zoog lucht, stof, dode lichamen, stenen en marmeren en gouden voorwerpen naar binnen en gilde moord en brand. Daarna werd de vlek kleiner, om uiteindelijk in het niets te verdwijnen. Toen klonk de donder. Het was alsof de aarde zelf zich verzette tegen de Wissel van Caius.

Gus staarde hem aan. 'Nee toch, Caius! Wat heb je gedaan?' vroeg hij.

Caius zag Gus aan de andere kant van het Sacellum staan en schrok. Hij had geen huid meer. Die was na de aanval van de Kalibaan en de Wissel weggeschroeid.

Gus schreeuwde: 'Blijf daar!'

38

De Lykantroop was een roofdier. Hij werd gedreven door wat hij geleerd had van zijn voorouders, door zijn instinct en door zijn bloed.

Door zijn instinct te volgen, dat sterker was dan dat van welke Jager ook, kwam hij bij het plein van de fontein terecht, waar hij wachtte.

Na een paar minuten kwam Herr Spiegelmann uit een halfdonker steegje tevoorschijn. Hij danste in de lucht. Een onzichtbare wind tilde hem van de grond. Spiegelmann was in trance, in een staat van algehele concentratie. Buliwyf kreeg er kippenvel van. Het leek alsof de Verkoper een choreografie volgde. Hij vormde met zijn vadsige lichaam geometrische figuren in de lucht, als een schilder die zijn eigen lichaam als penseel en de ijzige luchtmassa als doek gebruikte. Hij lachte en bewoog zijn vingers.

Buliwyf vond het een verontrustend tafereel. De vingers van de Verkoper bewogen zich los van elkaar, alsof ze ieder een eigen wil hadden. Ze werden langer, bogen naar voren, om vervolgens naar achteren te schieten. Ze krulden als linten en vertakten zich. Loom, dan weer haastig, langzaam en dan weer snel. De vingers waren continu in beweging.

De ene beweging volgde de andere op. En na elke beweging wachtten de vingers op een teken. Iedere keer als Spiegelmann over een lantaarnpaal wreef, maakten zijn vingers een nieuwe capriool. Geruisloos en huiveringwekkend doorkliefde de Verkoper de lucht. Toen hij uitgedanst was, hield hij stil op de Kikkerfontein, knipte met zijn vingers, opende zijn ogen en lachte. Herr Spiegelmann balanceerde als een circusartiest met de punt van zijn voet op het vredig lachende, ronde hoofd van de kikker. Hij wreef zich ongegeneerd in zijn handen en deed geen enkele moeite zijn vreugde te onderdrukken.

Buliwyf zag zijn geschminkte gezicht en zijn vadsige lichaam. Hij had een te brede mond, te lange vingers en te dunne benen. Een koorddanser, een bedrieger en een moordenaar was hij.

Niemand klapte. Niemand durfde te voorspellen wat er ging gebeuren.

Als Buliwyf zijn oren gespitst had, had hij kunnen horen hoe de bewoners van het plein hun televisies harder zetten, luidruchtig begonnen te discussiëren of harder begonnen te snurken. Alle luiken waren omlaag. Er stonden nergens auto's. Er was verder niemand buiten.

De wolf in Buliwyf belette hem op de huiselijke geluiden te letten, al zijn spieren waren gespannen. Hij was klaar om aan te vallen, had zijn mes al in zijn hand geklemd. Hij kon niet wachten zich de overwinning te laten smaken, maar moest nog even geduld hebben. Hij moest zijn adrenaline niet verspillen, de furie bedwingen en nog even wachten. Hij moest wachten en de voorwerpen rond de fontein analyseren. Het was een berg vuilnis. Prullen, waarvan Buliwyf meteen begreep waar ze vandaan kwamen. Kousen, kaarten, verkleurd speelgoed, opgezette dieren, sjaals, kettingen, oude boeken zonder kaft, bekers, pennen, knopen, beschimmelde schotels, onleesbare brieven. Kortom, voorwerpen zonder waarde, de voorwerpen die de Caghoulards gestolen hadden.

Buliwyf hield zijn adem in en gehoorzaamde de wolf in hem die hem beval te wachten. Hij keek minutenlang naar de voorwerpen. Toen hoorde hij een oorverdovende knal. De aarde begon te schokken. Hij zag hoe het gebouw naast hem begon te bewegen. Door de explosie sprongen pijpleidingen en riolen open, trilden ramen in hun vensters, ontstonden barsten in de stoep, doofden en bogen lantaarnpalen, knetterend als vuurwerk tijdens Oudjaar.

Buliwyf keek verbijsterd omhoog naar de hemel. De donkere regenwolken die de hele dag en nacht boven de stad gehangen hadden, werden rafelig, klitten aaneen en vormden ten slotte een spiraal. Dit alles in minder dan één minuut. Achter de spiraal kon Buliwyf de opaalachtige contouren van de maan onderscheiden.

Even was het doodstil. Net toen de Lykantroop begon te huiveren door deze stilte, hoorde hij Spiegelmann krijsen.

'Breuk! Breuk!' jubelde hij met zijn schelle stem.

'Breuk! Breuk!' herhaalde hij op misselijkmakend vrolijke wijze.

De aarde schokte opnieuw. Buliwyf voelde hoe een verzengende hitte zich verspreidde door de ijzige lucht. Een hitte die haren verschroeide en ogen deed prikken. Plassen verdampten, gras en takken blakerden zwart en stof waaide op. Buliwyf sloeg een hand voor zijn gezicht.

De onnatuurlijke, warme wind kondigde de komst van twee bijzondere wezens aan: Nachtvlinders.

Van alle soorten vlinders waren dit de lelijkste en de grootste. Ze hadden vleugels zo zwart als de nacht en bezaten een wonderbaarlijke eetlust. Ze verlangden naar licht, naar leven, naar warmte en naar honing.

De vlinders, die aangekondigd werden door de warme wind, waren echter geen gewone nachtvlinders. Ze waren niet op zoek naar warmte, ze bráchten warmte. En ze verlangden niet naar licht, maar smachtten naar Herr Spiegelmann. Ze vlogen rond het schaterlachende gezicht van de Verkoper, die niet geschrokken was van de plotselinge verschijning van de twee wezens en luidruchtig bleef jubelen. 'Breuk! Breuk!'

De vlinders hoorden bij de Boom, had Pilgrind Buliwyf eens verteld. 'Breuk' betekende...

'Godallemachtig!'

Plotseling begreep de Lykantroop alles. Hij was net op tijd. De grond voor de fontein spleet open en slokte stenen en bankjes op. Het gat was ongeveer zo groot als een klein zwembad. Daar kwam de warme wind vandaan.

Buliwyf vond dat het gat eruitzag als een oven, waarachter een onbekende hel schuilging.

De lucht bewoog alsof hij zich wilde ontdoen van de onbekende hete luchtstroom uit het gat. Alles aan het plein stortte in. De sterke iepen die de twee schokken overleefd hadden, verschrompelden en stierven.

Herr Spiegelmann krijste: 'Ik ben je baas, niemand anders! Ik!'

Als bij toverslag lagen er kettingen in zijn handen.

'Deze zijn voor jou, mijn slaaf. Je bent van mij!' brieste hij. Op dat ogenblik wierp hij de kettingen het gat in.

'Je luistert naar mij!'

Spiegelmann heeft zijn netten uitgeworpen, dacht Buliwyf. Nu maar afwachten wie of wat hij gevangen heeft.

Wederom gebeurde er iets wonderlijks in de Obsessie. Dit keer waren er echter geen toeschouwers bij. Het café was inmiddels leeggelopen. Het Konijn dat veranderd was in de Nachtvlinder, veranderde nog een keer. De afbeelding op de kaart transformeerde in een dolle hond met schuim om zijn bek en sprinkhanenogen. De Nachtvlinder werd een Yena.

39

Hij heette Yena Metzgeray en leefde in een gloeiende hel, waar rood, in allerlei schakeringen, de heersende kleur was en waar, behalve voor hem, geen leven mogelijk was. Er kon geen enkele plant groeien in die dorre woestijn waar hij woonde. Ook geen dieren of andere organismen. Zelfs demonen moesten niets van Yena's hel hebben. Zij waren immers verwant aan de mens en daar was niets menselijks te bekennen.

Yena Metzgeray doolde rond in dat eeuwige vuur en at zand. Hij zag er weerzinwekkend uit en werd de Grote Blinde Slager genoemd. Waar Yena was, was bloed.

Hij was gedoemd de tekenen van zijn gewelddadige aard uit te dragen. Van zijn hoofd was nog slechts een masker over. Hij had geen ogen en geen lippen, waardoor er een doodse grimas op zijn gezicht leek te liggen. Hij droeg een ouderwetse, brede, zwarte hoed, torste buitensporig grote bijlen met zich mee en droeg een leren jas, die niet was gemaakt van koeien- of slangenleer maar van de huid van mensen en beesten die hij zelf gevild had. Tragische wezens die de pech hadden gehad Yena's aandacht getrokken te hebben.

Yena Metzgeray sloeg zijn ogen op naar de hemel. Zodra de kettingen zich om zijn nek sloten siste hij van de pijn en verontwaardiging. Hij probeerde ze open te breken, maar zonder succes. Hij begreep dat het geen zin had het nog eens te proberen en liet zich meevoeren naar het gat in de fontein. Daar zag hij degene die hem gevangen had genomen over de rand leunen. Het was een pafferige, weerzinwekkende, geschminkte kerel. Blakend en vrolijk en het tegenovergestelde van het verbrande en ontvelde wezen dat tussen de vlammen leefde.

Yena Metzgeray schreeuwde omdat hij de slaaf was geworden van deze vadsige man.

Hij was niet gemaakt om te gehoorzamen of iemands slaaf te zijn. Hij verliet zijn imperium alleen als hij daar zelf zin in had en behoefte had aan een andere omgeving. Meestal werd hij dan teleurgesteld en vertrok weer naar de hel waar hij koning was.

Yena dacht niet na zoals Buliwyf, die zijn ogen niet kon afwenden van de gespannen kettingen die rookten en smeulden. In het hoofd van het furieuze monster was het woord 'breuk' opgekomen. Hij bedacht hoe ironisch het eigenlijk was dat die vadsige man hém wilde gebruiken om het evenwicht van het universum te herstellen en probeerde een manier te vinden waarop hij zijn voordeel zou kunnen doen met de situatie. Hij begon er plezier in te krijgen. Toen Yena Metzgeray uiteindelijk naar boven was getrokken, ver verwijderd van zijn geliefde rode, stoffige hel, schaterde hij het uit.

Spiegelmann zweette peentjes. Zelfs hij was geschrokken van de skeletachtige figuur die hij uit het gat had getrokken.

Buliwyf trilde als een bange pup en schaamde zich daar niet voor. Dit helse wezen was afschuwelijk.

'Yena Metzgeray, slaaf!' riep Spiegelmann met een bibberig stemmetje. Vervolgens rechtte hij zijn rug en herhaalde, om gewichtig over te komen, met nog hogere stem: 'Slaaf!'

Yena gaf geen kik en deed alsof hij het commando niet begreep. Met zijn vijf meter kon hij Spiegelmann recht in zijn gezicht kijken. Hoewel de koning geen ogen had, kon de Verkoper voelen hoe hij brandde van woede. Hij wist dat hij maar een klein foutje hoefde te maken of hij werd door Yena zijn hel in gesleurd, maar wilde dit risico wel nemen.

'Slaaf!' gilde hij, terwijl hij Yena geselde met de kettingen.

Metzgeray viel op zijn knieën.

'Ik heb je geroepen.'

'Waarom?' De stem van het monster was een foltering voor de trommelvliezen. Hij klonk als het doffe gezoem van een hoogoven, het geraas van een brandend woud en als het gesmeul van zwavel. De stem was doordrenkt van emoties. Spiegelmann merkte meteen dat hij een fout had gemaakt. In de stem van Yena weerklonk niet alleen woede, maar ook verachting en plezier.

Herr Spiegelmann was verbijsterd en ontdaan. Zijn stem klonk nog feller. 'Je luistert naar mij!'

'Waarom?'

Spiegelmann twijfelde even, maar antwoordde toen jammerend: 'Omdat er een breuk is gepleegd. Een enorme breuk en de Nachtvlinders...' hij slikte, '... de Wet...'

'Ik weet wat er in de Wet staat,' antwoordde het monster spottend. 'Ik wil alleen maar weten wat je van me wilt, schepsel.'

Spiegelmann beet op zijn lip. Hij begreep niet goed wat Yena Metzgeray bedoelde en waarom hij met hem spotte, maar dat was niet van belang. Binnenkort zou alles radicaal veranderen. Binnenkort zou iedereen aan zijn voeten liggen en zou hij een fonkelnieuwe wereld scheppen, naar zijn evenbeeld. Een grenzeloze wereld waarin alles zou bestaan uit muntgeld: het water, de regen, de zeeën en de vissen. Hij zou warmte verkopen aan de zon, zout aan tranen en vrijheid aan de vogels, maar eerst had hij nog wat stappen te gaan.

'Ruik, jaag en dood!' krijste de Verkoper. 'Dood en heb geen genade! En als je klaar bent, wil ik hém, Metzgeray.'

Er verscheen een rimpel van begrip op het hoofd van Yena. Hij bekeek de voorwerpen rondom de fontein.

'Wisselaars,' gniffelde het helse schepsel. 'Gierige wezens zijn het.' Hij barstte in schaterlachen uit. 'Verachtelijke ronddolende wezens.'

De wind trok aan. Buliwyf sloot zijn ogen, omdat ze begonnen te prikken.

Yena zoog fluitend wat lucht naar binnen. 'Jij wilt... macht.'

'Ja.'

'Zo gaat het nou altijd,' grijnsde Metzgeray.

'Ik wil macht,' krijste Spiegelmann. 'En jij gaat daarvoor zorgen. Ik weet dat je dat kunt!'

'Natuurlijk kan ik dat. En ik zal ervoor zorgen.'

Op de een of andere manier klonken zijn woorden onheilspellend. Spiegelmann schudde de kettingen heen en weer. 'Als je maar niet denkt dat je me te slim af kunt zijn. Binnenkort zal ik... zullen wij...'

'Wij?' vroeg Metzgeray. Maar opeens begreep hij het. 'Natuurlijk. Wij.'

'Ga nu! En doe wat ik je gezegd heb!'

'Jij wilt macht.'

'Ja, dat wil ik! Ik wil macht!' kakelde Spiegelmann. 'Ik wil macht! Ik wil hun handen! Ik wil hun handen! Die heb ik nodig!'

Metzgeray richtte zich op. Ondanks de kettingen kon Spiegelmann hem niet tegenhouden.

'Deze...' zei Metzgeray terwijl hij de kettingen één voor één losmaakte, '... zijn niet nodig. Het staat in de Wet en ik ben koning, dus hou ik me daaraan. Dat geldt ook voor wat jij van me verlangt.' Hij bracht zijn hoed naar zijn hart en lachte honend. 'Jij krijgt alle handen die je wilt, en hem. Je hebt mijn woord.'

'En macht.'

'Meer dan je lief is.'

Yena boog voorover naar de voorwerpen die de Caghoulards gestolen hadden en hield ze één voor één voor zijn neus. Hij snoof elk kenmerk van elk voorwerp gulzig op.

Buliwyf had een knoop in zijn maag.

'Ze stinken naar de Caghoulards. Ik zie het al voor me: het ene verachtelijke wezen roept andere verachtelijke wezens aan,' zei Yena terwijl hij de Verkoper doordringend aankeek.

'Hoe durf je!'

'Ik ben gehoorzaam aan de Wet, niet aan jou,' was het antwoord.

Het monster trok zijn mes.

'Schiet op!' krijste Spiegelmann. 'Ga nu!'

Gierend van het lachen ging Metzgeray op jacht.

40

Na de tweede aardschok kroop de Splendide voor de ramen waarop haar onmogelijke liefde afgebeeld was. Zo zou ze zich het meesterwerk blijven herinneren: duister en trillend door de schok.

Een paar bekers vielen op de grond en braken. De muren kraakten. Rochelle lachte geruststellend naar de vrouw naast haar. 'Alles komt goed.'

Capucine werd niet rustiger. Ze was een krachtige, zelfverzekerde vrouw, maar van deze eigenschappen was door de schokken weinig te merken. Ze was zich rot geschrokken.

'Was dat de laatste, denk je?'

'Ik hoop het,' antwoordde Rochelle.

'Je hoeft niet zo je best te doen, hoor.'

'Wat bedoel je?'

'Je hoeft je niet sterk te houden en te blijven lachen. Er valt vannacht weinig te lachen.'

'Je hebt gelijk.'

'Maak je je zorgen om hem?' vroeg ze, terwijl ze naar de wolf in het midden van de ruit wees.

Rochelle knikte. 'Voel jij ook die...'

'Wind?'

'Ja. Heb jij ooit zo'n warme wind gevoeld?'

'Rochelle!' riep Suez met zijn rauwe stem. 'Rochelle! Verdomme, doe open!'

De barman beukte tegen de deur alsof hij van plan was hem open te breken. Rochelle en Capucine wisselden een blik.

'Rochelle!'

'Niet open doen,' smeekte Capucine.

'Het is Suez maar, maak je geen zorgen.'

'Is hij ook een... zo'n...?'

'Ja, en hij doet geen vlieg kwaad.'

Met het hart in de keel zag Capucine hoe de Splendide naar de deur liep. Rochelle opende hem een stukje en zag hoe ongeduldig Suez was. Zijn gezicht was rood aangelopen van de adrenaline en de spurt die hij gemaakt had, en hij had een koortsachtige en angstige blik in zijn ogen.

Rochelles ogen traanden door de warme wind.

'Kom binnen,' zei ze zacht.

Suez was vroeger vast een mooie man, dacht Capucine, die normaal gesproken niet viel op massieve, met tatoeages bezaaide mannen. Jammer dat hij iets eigenaardigs over zich had. Ze beet op haar lip en liep naar Rochelle en Suez toe.

'Ik moet Buliwyf en Gus spreken. Waar zijn ze?' vroeg Suez, zonder aandacht aan Capucine te schenken.

'Wat is er aan de hand?' vroeg Rochelle.

'Ik moet ze spreken. Waar zijn ze?'

'Hier zijn ze niet, Suez. Zeg me wat er aan de hand is!' Rochelle las de angst in zijn ogen en zag hoe hij het zweet van zijn voorhoofd veegde.

'Nu nog niets... Pilgrind had het over een breuk. Hij brieste dat we moesten schuilen. Ik dacht dat Gus en Buliwyf...'

Rochelle pakte een stoel voor Suez en Capucine schonk een glas water voor hem in.

'Weet je het zeker dat hij het over een breuk had?'

Na zijn dorst gelest te hebben, antwoordde Suez: 'Ja. Hij zat de hele avond aan een tafel een soort patience te spelen en toen barstte hij opeens in paniek uit en joeg alle gasten weg. Ik heb de bar meteen dichtgegooid en ben hierheen gekomen.' Hij sperde zijn ogen open, alsof hij zich iets belangrijks herinnerde. 'En de jongen? Waar is die?'

'Die is bij Gus.'

Suez keek alsof hij iets absurds hoorde. 'Bij Gus?'

Rochelle knikte. 'Ja. Ze zijn de Put in gegaan.'

Deze keer keek hij haar aan alsof hij water zag branden. 'De Put in? Waarom in hemelsnaam?'

Rochelle kreeg niet de kans daarop te reageren. Het geschreeuw was begonnen.

Yena Metzgeray ging op jacht.

Fabien Chatang was een Wisselaar die in een appartement aan de Chroniquesboulevard woonde dat eigenlijk te groot was voor hem alleen.

Hij zat in kleermakerszit op een kussen, met in zijn rechterhand een joint en in zijn linker- een flesje bier. Hij had een muur van blikjes en flessen gebouwd in de hoop de wind buiten de deur te houden.

Hij had het appartement gekregen van zijn ouders. Zij hadden erop gerekend dat hij snel met Florence zou trouwen en het teveel aan ruimte snel opgevuld zou zijn. Helaas bleek de aankoop van het appartement het begin van het einde. Florence had hem plotsklaps verlaten voor een muzikant met wie ze alle eilanden van de wereld wilde bezoeken. Fabien kon het nog steeds niet bevatten. Niet dat Florence hem had verlaten, maar dat ze op reis ging met die muzikant. Ze haatte reizen. Het appartement dat hem eerst slechts wat te groot leek, voelde nu ook leeg aan.

Tijdens de verhuizing was de helft van Fabiens spullen aan de andere kant van de stad beland en nu vroeg hij zich af, dronken zoals hij zelfs niet tijdens zijn schooltijd was geweest, waarom de kamers zo leeg waren en er niets aan de muur hing. Hij voelde zich leeg van binnen. Leeg en ongelukkig. Hij vond het dan ook niet erg om te sterven, toen Yena Metzgeray kwam binnenstormen.

Muriël en Laure hadden elkaar leren kennen bij een metrohalte, tijdens een hoosbui. Ze hadden telefoonnummers en adressen uitgewisseld en al snel waren ze onafscheidelijk.

Tijdens een wandeling door Belleville had Laure haar liefde aan Muriël verklaard. Muriël had haar toen midden op straat gezoend en veel voorbijgangers hadden geklapt. Het was een prachtig, maar tegelijkertijd gênant moment geweest.

Muriël was een Wisselaar en vond dit vreselijk. Geen van zijn ouders was Wisselaar. Ze hadden de hulp ingeroepen van psychologen en experts, hem geanalyseerd en grondig onderzocht. Toen Muriël een Wissel had geproduceerd en een zilveren beeldje tevoorschijn had getoverd, had iedereen zich geschrokken van hem afgekeerd, ook zijn ouders. Muriël had daarom zijn koffers gepakt.

In Dent de Nuit had hij van andere Wisselaars geleerd om te gaan met zijn gave. Hier voelde hij zich geaccepteerd en dolgelukkig met Laure. Laure was een bijzonder meisje. Extravert, intelligent, spiritueel en een getalenteerd schilderes. Laure wist niet waar Muriël toe in staat was. Hij had haar niets verteld over de Wissel, omdat hij bang was dat ze net zo zou reageren als zijn ouders.

Na het bezoek van Yena zou Laure enkel nog huiveringwekkende zwarte figuren, omringd door een rode wind, kunnen schilderen.

'Wat is dat in...?'

François rolde bijna uit zijn bed door de ontplofte muur. Zijn vrouw, Emilie, zat opgerold en verstomd in een hoekje van de kamer en wees ergens naar.

'Wat is dat in hemelsnaam?'

François dacht eerst dat ze werden aangevallen door terroristen, maar zag toen Yena Metzgeray en hij dacht niets meer.

De volgende dag werd hij gevonden, naakt, het levenloze lichaam van Emilie in zijn armen wiegend.

Die nacht bezocht de Grote Blinde Slager een aanzienlijke hoeveelheid Wisselaars in Dent de Nuit. De meeste Wisselaars stierven alleen, zonder getuigen, maar toch werd er een onderzoek ingesteld naar de moorden.

De politie werd overladen met telefoontjes. Voordat de politieagenten de plaats van bestemming konden bereiken, moesten ze echter minutenlang rondjes rijden door Dent de Nuit, omdat de verkeersborden veranderden zodra ze ervoor stonden. Wezens met scherpe tanden doken op en knaagden aan de banden van de politieauto's en aan de schoenen van de agenten.

Slechts weinig Wisselaars konden nog gered worden in het ziekenhuis, bijna allemaal eindigden ze in een zwarte zak in het mortuarium. Politieagenten, ziekenhuismedewerkers en journalisten hadden er moeite mee de onverklaarbare verschijnselen te rapporteren die ze aantroffen in Dent de Nuit, een wijk die op geen enkele kaart stond aangegeven. Ze waren bang hun geloofwaardigheid te verliezen.

Uiteindelijk werden de gebeurtenissen in Dent de Nuit in de doofpot gestopt en de gestorven Wisselaars vergeten.

De deur en de muur om de deur van de Verloren Dagen heen vergingen tot stof. Het meesterwerk van Jensen viel in scherven uiteen. Een stuk glas, zo groot als een televisiescherm, raakte Rochelles been. De Splendide kon niet bloeden, maar voelde wel pijn.

Capucine schreeuwde de longen uit haar lijf, maar produceerde slechts een droog, krassend geluid. Toen Yena Metzgeray, omgeven door stof, het café binnenkwam, was ademen haast onmogelijk. De etiketten van de flessen krulden om en alle planten stierven ogenblikkelijk door de verzengende hitte die de koning uitstraalde.

De lach van Yena galmde door het café. Het monster had twee met bloed besmeurde messen in zijn handen. Het was duidelijk wat hij van plan was.

Suez probeerde een Wissel te produceren, maar kon zich niet concentreren omdat hij twijfelde, bang was en het gekrijs van Capucine hoorde. Hij was een slechte Wisselaar. Daarom deed hij wat hij ook altijd in de Obsessie deed als er een vechtpartij ontstond: hij pakte een stoel en slingerde die naar de rood-met-zwarte figuur. De stoel viel echter uiteen, zonder zijn doelwit geraakt te hebben.

'Wat is dat voor beest? Wat is dat?' krijste Capucine.

Rochelle, verkrampt van pijn, voelde hoe het monster met de dampende schedel naar haar staarde. Yena was verbaasd over de drie die hij samen had aangetroffen. Een mens, een Splendide en een Wisselaar, zo voor het grijpen. Dent de Nuit zat vol verrassingen. Hij was ineengestrengelde geliefden tegengekomen, verslaafden die bloed uit hun lichaam persten over versleten Manufacten en zelfs Caghoulards die samenwoonden met een stel muizen, maar dit was de eerste Splendide die hij zag. Splendiden waren zeldzaam.

Maar zijn interesse voor de Splendide was snel verdwenen. Hij had een missie te volbrengen. Hij moest de Wet gehoorzamen en revanche nemen. Hij had geen tijd te verliezen.

'Wisselaar!' riep hij.

Suez draaide zijn hoofd om en maakte zich klaar om met het monster op de vuist te gaan. Hij hield zich sterk en durfde het monster zelfs uit te dagen.

'Ga weg,' zei hij. 'Of ik zal je eens een lesje leren.'

Yena draaide de messen in zijn handen rond, als een ware vaandelzwaaier.

'Heb genade, o grote Koning,' smeekte Rochelle plotseling. Hoewel ze bang en gewond was, dwong ze zichzelf trots en dapper over te komen. 'Grote Blinde Slager.'

'Wat sta je daar nou nog te zwetsen?' sneerde Suez. 'Maak dat jullie wegkomen!'

Ze gingen niet weg. Capucine stond als aan de grond genageld en Rochelle wilde niet weg omdat ze wist hoe ze het monster moest benaderen.

'Hij is een koning,' zei ze, terwijl ze naar het gigantische schepsel bleef kijken. 'Hij heet Yena Metzgeray en hoort hier niet te zijn. Wij hebben respect voor je, Grote Blinde Slager, en smeken je...'

'Ik ben waar ik wil zijn, Splendide!' brulde Yena.

De messen draaiden nog steeds vervaarlijk in zijn handen en maakten een fluitend geluid, waardoor Capucine zachtjes begon te huilen.

'Wat wil je van ons?'

'Niets,' antwoordde hij. Hij wees naar Suez.

'Wil je mij?'

Yena lachte. 'Ik wil je handen.'

'Je wilt mijn...?'

Het deed geen pijn. Niet meteen tenminste. Yena bewoog met een onnatuurlijke snelheid. Capucine draaide haar hoofd weg en gaf over. Ze spatte haar vormloze trui onder. Rochelle sloot haar ogen toen een warme, karmijnrode damp haar gezicht raakte. Suez knipperde met zijn ogen en keek vervolgens naar zijn handen. Ze waren weg. Ze lagen op de grond. De linkerhand tot een vuist gebald. De middelvinger van de rechterhand uitgestoken.

Suez keek van de ene naar de andere hand en daarna naar de stompjes. Het waren twee perfecte rechte verwondingen, waar bloed uit gutste. De pijn was afgrijselijk.

'Smerige eeltbuil!'

Yena hinnikte van het lachen.

'Smerige...'

Yena hield niet op met lachen.

Suez slaakte een kreet en wierp zich op het monster. Verrast door deze onvoorziene actie liet Yena de messen zakken waarmee hij de wervelkolom van Suez had willen doorsnijden. Het was verbazingwekkend hoe de furieuze barman zijn laatste energie gebruikte om Yena aan te vallen. Hij liep door de rode, warme walm en sloeg op de Grote Blinde Slager in met zijn stompjes. Door het contact met het monster werd de pijn haast ondraaglijk. Het voelde alsof hij getroffen werd door minuscule glasscherven. Hij snakte naar adem, trok zich terug en maakte zich klaar om opnieuw aan te vallen, voordat het doek voorgoed zou vallen en hij zou sterven.

De warme, stoffige walm wervelde om de koning heen, maar schrikte Suez niet af. Zijn hoofd draaide en alles werd wazig. Hij wankelde naar achter en wilde alleen nog maar liggen en slapen. Voor altijd slapen. Zich laten omarmen door het duister. Maar eerst wilde hij het monster nog één keer raken. Hij wankelde en belandde op zijn knieën.

Yena wierp zijn messen tegen de muur, greep Suez bij zijn schedel, liep met zijn vingers over zijn gezicht en tilde hem op. Suez zag ergere dingen dan de dood in de ogen van Yena. Het honende gelach van de koning was oorverdovend. De barman voelde dat zijn einde nabij was.

Yena liet hem los, strekte zijn arm uit en pakte de messen. Vervolgens draaide hij zich om en liep weg. Toen waren ze nog met z'n drieën in de Verloren Dagen. Rochelle kon niet stoppen met trillen, Capucine draaide met haar ogen en Suez' zwartgeblakerde armen rookten en smeulden. Suez rochelde. De pijn was gruwelijk, zijn handen waren weg, maar hij leefde nog.

41

De Verkoper stond doodstil op de kop van de grootste kikker van de Kikkerfontein, met de armen in de lucht en een extatische uitdrukking op zijn misvormde gezicht. Zijn lichaam veranderde.

Zijn lichaam zag er zo perfect, zuiver en helder uit, dat het misselijkmakend was. Hij was verrezen uit de diepte, waar hij Yena Metzgeray gevangen had genomen, de helse koning die omringd werd door een vuurstorm, alsof hij de ware hoofdpersoon van Spiegelmanns plan was.

Buliwyf, die zich verschool achter zijn herstelde barricade, vond dat de Verkoper iets weg had van een gletsjer op een zomerse dag. De ogen van de Lykantroop reageerden op dezelfde manier als hij naar Spiegelmann keek, ze brandden en traanden. Maar dit was niet het enige wat hem opviel aan de vadsige man. Er was nog iets anders, iets wat hij niet kon bevatten: Herr Spiegelmann was aan het uitdijen.

Eerst dacht Buliwyf dat het optisch bedrog was, maar dat was niet zo. Het lichaam van Herr Spiegelmann nam buitensporige proporties aan. Zijn maanvormige hoofd begon eruit te zien als een enorme leren ballon op spanning, zijn lippen leken op die van een baviaan, zijn handen zwollen op en zijn vingers leken op worsten. Ook zijn buik bolde op, alsof hij gevuld werd met lucht en eten.

Herr Spiegelmann werd omgeven door een blauwig schijnsel en dijde steeds meer uit naarmate dit schijnsel blauwer werd. De Verkoper voedde zich. Buliwyf vermoedde dat er een verband was tussen het monster dat uit het gat was gekomen en het geschreeuw dat hij om zich heen hoorde. Het helse wezen was iets afschuwelijks aan het doen en dit voedde de Verkoper. Spiegelmann schrokte gulzig het leed op dat in de lucht hing. Buliwyf moest actie ondernemen als hij een einde wilde maken aan deze ramp.

Hij maakte zich klaar om aan te vallen, maar werd gedwarsboomd door Pilgrind, die plotseling achter hem stond.

'Kloothommel,' mompelde de Baardman, terwijl hij naar Spiegelmann keek.

'Wat is hij aan het doen?'

'Hij voedt zich.'

'Waarmee?'

Pilgrind keek hem doordringend aan, voordat hij antwoordde: 'Met Wisselaars.'

'Dat kan niet.'

'Jawel,' antwoordde Pilgrind. 'Dat kan. Er is vast iets gebeurd in het Sacellum. Heb jij gezien wat voor wezen hij opgeroepen heeft?'

Buliwyf probeerde het monster te beschrijven dat hij uit het gat had zien komen, maar vond niet de juiste woorden. Hij beperkte zich tot: 'Een gigantisch wezen. Zwart.'

'Ik moet meer weten, Buliwyf,' drong de Baardman aan.

Buliwyf deed nog een poging. 'Spiegelmann noemde dat monster Yena. Yena nog iets.'

Pilgrind trok wit weg. 'Hij is niet goed bij zijn hoofd. Maar misschien kan dit nog goed uitpakken.'

'Wat bedoel je?' vroeg Buliwyf verbijsterd. 'Hoor je dat geschreeuw niet? Ruik je de geur van bloed niet? Dit is een oorlog, verdomme. En jij beweert dat dit nog goed kan uitpakken? Dat monster...'

'Dat monster is een koning en met koningen valt niet te spotten. Spiegelmann heeft zichzelf overschat, zoals hij wel vaker doet.' Er speelde een voorzichtige glimlach om Pilgrinds mond.

Buliwyf deed een stap naar achter.

'Wat ben je van plan, Lykantroop?'

'Ik ga hem vermoorden.'

'Niet doen. Niet nu althans. Als je hem nu doodt...' Pilgrind wees naar Spiegelmann die zichtbaar uitdijde, '... vernietig je half Dent de Nuit. We moeten wachten.'

Buliwyf ontspande een beetje. 'Wat is er aan de hand, Pilgrind?' fluisterde hij angstig.

De Baardman zuchtte. 'Ik denk dat Spiegelmann dit van begin af aan zo gepland heeft. Hij heeft ons om de tuin geleid en ervoor gezorgd dat wij ons opsplitsten. Hij heeft ervoor gezorgd dat Caius naar het Sacellum ging en een breuk veroorzaakt heeft.'

'Wat is een breuk? Waarom is die zo gevaarlijk?'

'De kaarten waren duidelijk. Er is een breuk gepleegd. De Nachtvlinder...'

'Nachtvlinder? Ik heb twee Nachtvlinders gezien.'

'Er bestaan wetten, Buliwyf. Onveranderlijke wetten. Caius heeft er één overtreden en daardoor is de Orde uit balans geraakt. Alleen op deze manier kon Spiegelmann het gat maken bij de fontein. Wij zijn in zijn val gelopen. Ik vermoed dat de jongen een Wissel heeft geproduceerd en dat mag hij niet, want hij is het Wonderkind. En dit' – Pilgrind wees naar het plein en de Verkoper' – is het gevolg. Hij kon het niet weten. Hij is nog jong. We hadden hem alles moeten vertellen.' Pilgrind mijmerde nu tegen zichzelf. 'Maar als we dat hadden gedaan, had hij zich alles weer herinnerd en dat...'

'Wat bedoel je? Wat had hij zich dan weer herinnerd? Allemachtig!' schold de Lykantroop. 'Wil je stoppen met in raadsels te praten? Ik begrijp er niets van!'

'Spiegelmann zuigt de energie van bijna alle Wisselaars in Dent de Nuit op. Weet je nog dat de Caghoulards die prullen hadden gestolen? De waarde van die spullen interesseerde Spiegelmann niets. We hebben het verkeerd begrepen. Hij had die spullen nodig zodat Yena Metzgeray de eigenaars kon vinden en hun handen kon afhakken.'

Buliwyf snikte van schrik en afschuw. 'Is dat de oorzaak van het geschreeuw? Is die demon de handen van alle Wisselaars aan het afhakken?'

Nog nooit zag Pilgrind er zo moe en oud uit als nu. 'Ja, de handen van de Wisselaars waar de Caghoulards spullen van gestolen hebben.'

'Maar... waarom?'

Pilgrind liet Buliwyf de palm van zijn hand zien. 'Met je handen kun je dingen veranderen, modelleren en creëren. Wisselaars gebruiken hun handen om een Wissel te produceren. Hun handen zitten vol energie en Spiegelmann laat Yena Metzgeray die energie voor hem stelen. Alleen op die manier kan hij vernietigen wat Gus, Koning IJzerdraad en ik hebben gecreëerd.'

'Wat dan? Wat wil hij vernietigen?'

'Hij... Pas op, Buliwyf!'

Er klom iets op de schouder van de Lykantroop. Een hand.

Het hele plein was bezaaid met handen.

42

De eerste was een vrouwenhand met smalle vingers en gelakte nagels. Het was een rechterhand. De nagels waren niet meer zo mooi gevormd als ze eerst waren, omdat ze voortdurend over het natte asfalt krasten. De pink was gebogen en het bovenste kootje bungelde er doelloos bij. Tijdens het bewegen maakten de vingers een tikkend geluid, als de scharen van een krab.

De hand stopte, alsof hij snuffelde aan de lucht om zich heen. Daarna wees hij met de wijsvinger, waar bijna alle nagellak vanaf gesleten was, naar de Kikkerfontein. Een andere hand, de stevige en sterke hand van een zwarte man, voegde zich bij de vrouwenhand en samen kropen ze in de richting van het rossige licht van de walm van Yena.

De zwarte hand was niet zo netjes afgesneden als de vrouwenhand en sleepte pezen achter zich aan, omdat de eigenaar van de hand zich verzet had tegen de messen van de Grote Blinde Slager.

Dit waren de eerste twee handen die reageerden op het bevel van Herr Spiegelmann. Ze waren nog jong, sterk en opgewonden en genoten van hun plotselinge onafhankelijkheid.

Ze bevatten nog een sprankje van het karakter van de Wisselaars waar ze eerst bij hoorden en dit beïnvloedde hun manier van voortbewegen. De rechtervrouwenhand probeerde de diepste plassen, uitwerpselen en afvalresten te ontwijken en zo schoon mogelijk te blijven. Maar de mannenhand zigzagde over straat en dook vrolijk vuilnisbakken in, als een blije, jonge hond.

De afgesneden handen bewogen zich vlug voort, alsof ze door een impuls of door iemand aangespoord werden nooit meer te stoppen en roekeloos door te gaan. Sommige handen werden platgereden door mensen die gek waren van angst, of verscheurd door zwerfhonden en -katten.

Degene die hen commandeerde op te schieten, rees boven de Kikkerfontein uit en was niet geïnteresseerd in het welzijn van zijn troep handen, maar alleen in het aantal. Het eerst peloton bereikte hem al snel, gevolgd door het tweede, derde en vierde. De aantocht van het handenleger werd aangekondigd door het doffe getrommel van honderden vingertoppen. Buliwyf en Pilgrind sloegen het apocalyptische spektakel vol afschuw gade.

Terwijl de handen zich verzamelden, drukten ze de ruggen tegen elkaar, rippelden koortsachtig en rolden over elkaar heen.

Hun gedrag hing niet alleen van het karakter af van de Wisselaar waar de handen bij hadden gehoord, maar vooral van de restjes Wissel die ze nog in hun vingertoppen hadden. Bij elke Wissel hoorde een ander soort energie.

De handen werden hiërarchisch ingedeeld. Er waren kolonels, kapiteins, sergeants en ten slotte korporaals, soldaten en knechten. Er was geen enkele deserteur. De handen van zeer getalenteerde Wisselaars hadden de eer de groep soldaten aan te voeren, die bestond uit de handen van Wisselaars die niet wisten dat ze Wisselaar waren, of niets hadden met het bovennatuurlijke en weifelden bij de bevelen van de Verkoper. Deze soldaten reageerden houterig en langzaam en maakten bonje. Hun vingers kronkelden agressief om elkaar heen en hun handpalmen botsten vurig tegen elkaar, als stieren in een arena. Duimen probeerden wijsvingers om te draaien en middelvingers werden in onnatuurlijke bochten gewrongen. De sterkste en wijste handen trachtten de orde te herstellen.

Het was geen massa die perfect en soepel samenstroomde op het plein, maar ook geen complete chaos. Buliwyf en Pilgrind konden rustig in hun schuilplaats blijven staan, zonder omver gewalst te worden.

43

Yena Metzgeray steeg op en sleepte een regenboog in de kleuren van het bloedbad dat hij had aangericht achter zich aan. Rood, geel, zwart en gallig groen. Hij werd omgeven door een wolk die schitterde als hematiet.

De drie zielen die gedoemd waren getuige te zijn van de korte nachtelijke vlucht van de Grote Blinde Slager – een vuilnisman die schuilde achter een blauwe Volvo, een prostituee die achter een losgeslagen bankje zat en een ontsnapte Wisselaar – beefden van angst toen ze merkten dat er in het zand, waar de hete, blinkende stofwolk van Yena uit bestond, wezens bewogen die in zekere zin nog levend waren. De ongelukkigen onderscheidden vervormde, grijnzende en grimmige gezichten van demonen die ooit mensen moesten zijn geweest. Mensen die door Yena van het leven beroofd waren. Hiermee leerden ze meer over het bestaan in het helse gat waar Yena leefde. In dit gat stierf niemand helemaal.

Yena schoot door de lucht, die siste als bij een adelaar in duikvlucht. Opeens maakte hij een scherpe bocht en veranderde van koers. Hij stoof regelrecht op de Kikkerfontein af, maar landde uiteindelijk bruusk vlak bij de Put. Hij bleef echter dalen en de grond spleet open, alsof die bang was contact te maken met het wezen dat Spiegelmann had opgeroepen. Stukken purpersteen schoten tegen gebouwen aan als wapengeschut, lieten diepe gaten achter en sloegen stukken steen uit de muren. De aardlaag onder het asfalt, waar wormen en kakkerlakken leefden, deukte in als een zacht stuk boter. Yena doorkliefde de grond met onvoorstelbare snelheid. Hij drong door tot de kalklaag en werd zelfs niet gehinderd door de lagen ijs die de priesters als een beschermende cocon om het Sacellum hadden gelegd. Zijn vuur was allesoverheersend. Hij was koning en nog veel meer.

Hij schoot uiteindelijk door de laatste laag cement en verwijderde de architraven van de ondergrondse tempel, die hem in de weg stonden. Hij had een missie te volbrengen en drong daarom dat wat over was van het Sacellum binnen. Het was een hoop met bloed besmeurd puin. Yena grijnsde toen hij zag wat er nog over was van de Kalibaan: een ronde wasem die nog knetterde van de energie die vrijgekomen was bij de Wissel.

Yena Metzgeray richtte zijn kolossale gestalte op en liet zich bewonderen door de laatste levende wezens in de tombe. De Wisselaar was ernstig gewond, maar niet dood. Hij heette Gus van Zant en was de laatste op Yena's lijst. Gus aanbad Yena niet, maar verachtte hem en wist wat hem te wachten stond. Hij sleepte zich, voor de voeten van Yena, naar de ijzeren kist van de Levantijn, terwijl hij zijn best deed zijn huiveringwekkende verwondingen te verbergen, de verwondingen waarvan Caius geschrokken was. Zijn gezicht was ontbloot, niet meer bedekt door een masker. Gus was vervuld van woede en wanhoop. Bloed gutste uit zijn ogen, oren, neus en mond. Zijn rechterarm bungelde slap aan zijn verbrijzelde schouder. Toch probeerde hij aan Yena te ontkomen. Hij moest doen wat hij beloofd had. Zijn tijd was nog niet gekomen. Hij moest blijven leven.

Yena Metzgeray was niet onder de indruk van Gus en schaterlachte.

Toen hij deze lach hoorde, die klonk als glas tegen glas, kromp Caius ineen achter een steen, die ooit de hand van één van de priesters van de Orde moest zijn geweest, en bracht zijn duim naar zijn mond. Hij staarde in de leegte. Straks zou Yena ook met hem afrekenen, dacht hij.

De helse koning voelde hoe, honderden meters boven zijn hoofd, het leger afgesneden handen uit alle hoeken van Dent de Nuit zich verzamelde voor de Verkoper, die het lef had gehad hem tot slaaf te maken. Hij moest opschieten als hij zijn missie tot een goed einde wilde brengen. Hij draaide zijn messen rond in zijn handen en stormde op Gus af.

Gus richtte zijn pistool op hem. 'Blijf... daar...' waarschuwde hij.

'Je bent niet levend, maar ook niet dood,' antwoordde Yena.

'Ik weet wie jij bent.'

'Ik kan hetzelfde over jou zeggen, Wisselaar.'

Gus' hand begon te trillen. 'Dat betwijfel ik.'

'Maar ik denk dat híj dat niet weet.' Yena wees met zijn bottige vinger naar Caius. 'Overbodige wezens zijn jullie. Blinde wezens.'

Gus spuugde bloed. 'We zijn bedrogen, Koning,' corrigeerde hij meteen.

Er brokkelden stukken van de tempel af, omdat Yena niet stopte met lachen. 'Wat is het verschil?'

Opeens voelde Gus zich generaties ouder. Niet alleen uitgeput door het gevecht met de Kalibaan, of beschaamd omdat zijn nieuwe, onmenselijke gezicht zichtbaar was, maar breekbaar, als een stervende man die het niet gelukt is een betekenis te geven aan zijn ontberingen. Zijn vermoeidheid was sterker dan zijn woede en zijn verlangen te leven.

Gus gooide zijn pistool in het gruis. Het leek hem nutteloos een monster als Yena te proberen te verslaan met kogels. Hij strekte zijn armen uit en deed daarbij zijn best niet te laten merken hoeveel pijn en moeite dit kostte.

'Ik weet...' kreunde hij, 'waar je mee bezig bent.'

Yena lachte honend. 'Je hebt geen idee waartoe ik in staat ben,' antwoord de hij en hij boog zich langzaam voorover, tot op een paar centimeter van het verminkte gezicht van Gus.

Gus voelde hoe de hitte die het kolossale lichaam van Yena uitstraalde het laatste stukje huid op zijn gezicht verschroeide, maar dat interesseerde hem niet. Zijn gezicht, zijn masker, was toch al verdwenen.

Illusies in illusies in nog meer illusies. Gus verschilde inmiddels weinig meer van Herr Spiegelmann, met zijn schmink en maskers. Zowel Gus als de Verkoper waren onherkenbaar. Gus had geen gezicht meer, de Verkoper duizend-en-één gezichten. De Wisselaar herkende zichzelf niet meer en dacht aan de leegte die hij voelde en aan hoe hij iedereen had teleurgesteld.

Caius had gezien wat hij beter niet had kunnen zien. Zijn verminkte ge zicht. Monsterachtig na de strijd die ze jaren geleden leken te hebben ge wonnen. De jongen was geschrokken, vond het misselijkmakend en afschu welijk.

Misschien was de dood nog niet zo'n vervelend alternatief voor de leegte die hij nu voelde, bedacht Gus.

Yena haalde diep adem. Het stof om hen heen werd donker. Gus spuugde bloed in de kleur van verkoold vlees. Zijn ogen draaiden naar achteren en hij verloor zichzelf.

Gus verloor zich in de zwarte, diepliggende oogkassen van de helse ko ning. Hij voelde hoe iets hard aan de onderkant van zijn buik rukte. Een koord dat hem naar de oogkassen van Yena Metzgeray trok. Hij probeerde zich met zijn laatste krachten los te sjorren, maar het had geen zin. Hij was niet sterk genoeg. Yena was een koning. Als hij iets wilde, gebeurde het.

Gus werd schreeuwend meegezogen in een onbeschrijfelijk duister, waar het naar dood en verderf stonk. Het duister dreef hem tot gekte, als nagels die zijn brein binnendrongen. Vlijmscherpe nagels die zijn diepste schuld gevoelens doorwroetten en zijn ergste nachtmerries en herinneringen naar boven brachten. Het was alsof hij krankzinnig werd, maar tegelijkertijd nog helder was. Het was meer dan gek worden. Maar uiteindelijk, toen Gus dacht dat zijn hoofd in duizend rokende stukjes zou barsten en Yena hem voor eeu wig zou blijven martelen, liet Yena hem los. De onzichtbare nagels hadden hun werk gedaan. Als zijn traanzakken niet waren aangetast door Yena's hit te, had Gus tranen van opluchting gehuild.

Eenmaal los van Yena's blik en terug in de werkelijkheid, zag Gus dat het gezicht van de koning nog steeds vlak bij hem was, stil als een standbeeld. Hoewel hij de hete gloed voelde die Yena uitstraalde en die zijn huid brandde, gaf hij geen kik. Hij wilde niet in het duister teruggezogen worden. De Grote Blinde Slager grijnsde manisch.

'Weet je nu waartoe ik in staat ben?' vroeg hij.

'Ja, nu wel.' Hij strekte opnieuw zijn armen uit.

Yena bewoog zijn handen traag, als een ballerina onder invloed van drugs. Het lemmet was van ijs en glom. Het stopte op een paar centimeter van Gus' hand. Toen raakte het lemmet zachtjes Gus' huid. Het bloed gutste eruit.

'Wat...? Wat...?'

'Ik ga je niet doden, Wisselaar,' zei de helse koning triomfantelijk, terwijl hij zich oprichtte. 'Maar de Wet is heilig en de jongen heeft hem geschonden. Hiervoor moet hij boeten.'

Yena vergat Gus, draaide zich om en liep naar Caius.

44

De magere jongen was net een lijk, zo bleek en doods zag hij eruit. Zijn zwakke hartslag bewees echter dat hij nog leefde. Hij reageerde nergens op, zelfs niet op de zanderige mist die om Yena hing en zijn longen en maag binnendrong. Zijn lichaam bewoog slechts mechanisch. De jongen had stuiptrekkingen en braakneigingen, slingerde heen en weer en hapte zand, zonder enige emotie te tonen. Hij staarde in de leegte en had zijn duim stevig in zijn mond. Hij leek zich bijna in een andere dimensie te bevinden, in een dimensie die zo ver weg en onbereikbaar voor anderen was, dat zelfs de helse koning hem niet kon bereiken zonder hem onherstelbaar te pijnigen. Normaal gesproken had Yena geen seconde getwijfeld om iets of iemand wakker te schudden en te folteren, zoals hij bij Gus had gedaan, maar dit waren andere omstandigheden en Caius was niet zomaar een jongen.

Yena werd woedend toen hij Caius' lege blik zag.

'Ha! Een Wonderkind!' lachte hij honend.

Nog steeds geen reactie van Caius. De koning was niet gewend te worden genegeerd en begon zijn messen in zijn handen rond te draaien.

'Wonderkind!' bulderde hij.

De mist om Caius en Yena werd dikker, omdat Yena zich kwaad maakte. Het rode en gele zand dat Caius had ingeslikt en opgesnoven, jeukte en schuurde in zijn neus en keel. Zijn lichaam reageerde, maar de jongen zelf toonde nog steeds geen emotie.

'Hij heet Caius,' riep Gus naar Yena.

'Nee,' mompelde de jongen, terwijl hij zijn ogen bedekte.

'Zeg dat hij het je uitlegt, jongen,' smeekte de Wisselaar.

'Nee!' riep Caius uit en hij begon heen en weer te schommelen.

'We maken nog een kans. Luister naar me,' drong Gus aan.

'Nee!' schreeuwde Caius, terwijl hij zijn oren bedekte.

'Caius!' riep de Wisselaar nogmaals. 'Luister naar me, jongen.'

Gus zweeg na een gebaar van Yena en was zo verstandig zijn lippen stevig op elkaar te houden.

'Zo kwetsbaar en toch zo machtig,' kraste de koning. 'Zo immens machtig.'

'Iuscaiuscaiusikbencaiu.'

Caius wiegde heen en weer, met toegeknepen ogen en bedekte oren. Hij wiegde heen en weer. Van voor naar achter en...

Het had geen zin. De stem van Yena bereikte alsnog zijn oren en daarna meteen zijn hoofd.

'Een Wonderkind, zo weerloos.'

Caius verhief zijn stem. 'Ik ben Caiuscaiuscaiusikheetcaiuspierrevictornevrouwtorrancemamapapa...'

Yena greep hem bij zijn schouders en tilde hem op als een lappenpop.

'Allesisgoedisgoedwisselsbestaannietalleendefysicamechanicaschei...'

Yena schudde hem door elkaar. Caius beet tot bloedens toe op zijn tong, maar stopte niet met zijn gejammer. Hij begon te krijsen als een klein kind. 'Erbestaangeenwisselsogoedegodonzevader...'

Yena lachte, hard en lang.

Gus struikelde. De pijn gaf hem kracht. Moeizaam en zacht zei hij een bijbelvers op.

'God bestaat niet, Wonderkind,' zei Yena venijnig. 'Daar boven in de hemel zit niemand, maar als je doet wat ik zeg kan de plaats op de hemelse troon van jou zijn. Als je echter niet luistert, zul je voor eeuwig wees blijven.'

Caius reageerde. Hij was weer terug in de werkelijkheid. 'Je liegt!' schreeuwde hij en hij sloeg en trapte om zich heen. 'Laat me los!' brieste hij.

Gus probeerde hem te helpen en riep met bloedende mond: 'Laat hem los! Ga weg! Je hebt gedaan wat Spiegelmann je had opgedragen, laat de jongen gaan!'

Yena wierp hem een vernietigende blik toe. 'Niemand commandeert een koning,' fluisterde hij.

Iets deed Gus verslappen. Opnieuw werd hij opgezogen door het duister. Het duurde slechts enkele ogenblikken, maar het was lang genoeg om Gus te laten beseffen dat Yena kwaad was.

'Ik heb hem nodig,' zei de helse koning, terwijl hij de Wisselaar liet gaan. 'Ik heb hem nodig.'

Hij sloot Caius in zijn vuist en wierp zich tegen het plafond. Daarbij verwoestte hij het majestueuze Sacellum. Gus werd getroffen door een stenenregen maar kon, wonderbaarlijk genoeg, de grootste stenen ontwijken.

'Caius! Nee!'

Terwijl Yena zich een weg baande door de lagen aarde en steen op weg naar de Kikkerfontein, pakte Gus zijn pistool en sprintte, ondanks de pijn, schreeuwend naar de uitgang, hopend de fontein te bereiken voordat het te laat was. Als hij niet op tijd was en zijn belofte niet na kon komen, zat er niets anders op dan te sterven.

Hij had nog twee kogels. Dat moest genoeg zijn, dacht hij.

45

Het plein om de Kikkerfontein stond stampvol handen. Blanke handen met kloofjes, donkere handen met een trouwring om de ringvinger, mannenhanden, vrouwenhanden met gebroken nagels, nagels in alle kleuren van de regenboog, getatoeëerde handen, geschaafde handen, harige en zijdezachte, verzorgde handen. Veel handen waren verminkt. Er waren er met maar vier vingers, er waren er zonder vingers en er waren er die een deel van de onderarm, of zelfs delen van de bovenarm meesleepten over de grond.

De handen stonden stil, in afwachting van de bevelen van de godheid die hen had bevrijd van slavernij. Sommige leunden tegen regenpijpen aan, of tegen geparkeerde auto's, andere bungelden als spinnen aan wat er was overgebleven van de verkoolde iepen. Maar al snel werden ze onrustig en gespannen. Ze frunnikten aan elkaar en tikten met hun vingertoppen op de grond.

Yena Metzgeray was genadeloos geweest. Van elke Wisselaar die een voorwerp miste, had hij de handen afgehakt. Van alle Wisselaars, behalve Gus van Zant. Waarom Gus aan dit lot ontsnapt was, was niet geheel duidelijk. Misschien omdat Yena verbluft was doordat Gus de moedigste van alle Wisselaars was geweest?

Spoedig zou Yena Caius voor de voeten van Herr Spiegelmann neerzetten en hiermee zijn missie volbrengen. Yena was koning en zou nooit ofte nimmer een belofte breken. Hij had de Verkoper handen beloofd en het Wonderkind, dus die kreeg hij. Dit betekende echter niet dat Yena de regels niet een beetje kneedde en naar zijn hand zette, net als andere koningen en keizers door de eeuwen heen, die oorlogen voerden zoals van hen verwacht werd, maar naar eigen goeddunken het bloed lieten vloeien. De Verkoper had Yena tot slaaf gemaakt en hem een opdracht gegeven, als ieder ander willekeurig wezen, als een Aanvreter of een Caghoulard. Hij wilde een leger handen, dus regelde Yena een leger handen, maar dan wel een leger van dénkende handen.

De helse koning had de handen een sprankje bewustzijn gegeven en Spiegelmann een leger levende wezens geleverd, dat weliswaar simpel was, maar grote schade aan zou kunnen richten en Spiegelmann zou kunnen dwars bomen. Eén foutje of vergissing kon zijn einde betekenen.

Spiegelmann was zo geconcentreerd en ging zo op in zijn Tegenwissel dat hij niet merkte dat de handenmenigte hysterisch begon te worden. Voor hem waren de afgehakte handen slechts wezens die hem gehoorzaamden. Hij wist niet hoe de vork werkelijk in de steel zat en begon zich al een overwinnaar te voelen. Hij voelde zijn triomf naderen, het moment waarop zijn moeite beloond zou worden. Hij had jarenlang naar dit moment toegewerkt.

Hij had na zijn eerste gevecht de dood in de ogen gekeken en had moeten wachten tot zijn wonden geheeld waren, voordat hij de strijd opnieuw kon aangaan. Sterker en gevaarlijker dan ooit. Hij had een nieuw leger geregeld dat hem aanbad en hem gehoorzaamde. Hij had een netwerk aan contacten opgebouwd dat nog beter verborgen en nog sluwer was dan het vorige. Deze contacten waren zijn ogen en oren in de wereld van de Wisselaars.

Verder had hij veel tijd gestoken in het voorbereiden van een plan dat hem de overwinning zou moeten brengen en oppermachtig zou moeten maken. Hij wist dat hij de fijne kneepjes van de Wissel moest kennen om deze op elk gewenst moment te kunnen produceren en had daarom alle handpalmen in Europa bestudeerd.

In Spanje had hij een bezeten non bezocht. Zij had hem gezegd dat ze een gehoornde god aan de andere kant van de oceaan had gezien. In Portugal had hij iedereen gek gemaakt met vragen over het vangen van dingen die nog nooit gezien waren in de zee, of op het land. Vervolgens had hij in Monte Carlo een magiër bezocht, die hem had gezegd toegang te hebben tot een van de best bewaakte kluizen in Zwitserland, waar zeer interessante dingen in lagen. In Denemarken had hij de dochter van een bibliothecaris ontvoerd, alleen om aan een muf boek van een onbekende achttiende-eeuwse wiskundige te kunnen komen. Hij had de Hongaarse wouden overwonnen en het droge Ruhrgebied doorkruist. Hier hadden oude mijnwerkers hem verteld over hiërogliefen waar niemand wijs uit kon worden. Daarna was het hem gelukt een gecodeerd dagboek van een slavendrijver uit Bergen-Belsen te ontcijferen, waarin werd gesproken over de laatste wil van een Praagse rabbijn, een expert op het gebied van kabbala en de Wissel van het Hier.

Hij had nauwelijks leesbare antieke manuscripten in de kelders van het British Museum gevonden en deze ontrafeld en vijftiende-eeuwse sonnetten uit een Italiaanse bibliotheek gestolen, waarin stond hoe hij stoffen die het lichaam afgescheiden had, terug kon krijgen.

En in Griekenland had hij gedichten in lineair schrift verkregen over het bereiken van een trance die zo sterk was en waardoor zoveel energie opge-slagen werd, dat hij er veertig robuuste mannen mee zou kunnen doden.

Spiegelmann was zo geconcentreerd dat hij nog steeds niet merkte dat de handen rond de Kikkerfontein ongeduldig en rusteloos waren, precies vol-gens Yena's plan. Ze bogen hun vingerkootjes, als honden die aandacht wil-den en sprongen tegen elkaar op als hardrockers. Ze zochten troost bij el-kaar, gebruikten hun gescheurde nagels en knokkels om te communiceren en gaven elkaar knuffels en kneepjes.

Alle handen vroegen zich af wat er nu ging gebeuren.

Opeens verscheen Yena uit de grond, met Caius in zijn vuist geklemd. De kolossale hand van de Grote Blinde Slager had hem behoed voor krassen en breuken, maar had zijn doodsangst alleen maar versterkt.

Caius beefde als een rietje na de vreselijke reis door de aarde en zweette peentjes door het contact met de helse koning. Zodra hij de geur van vlees op het plein rook en de strijdmacht van wachtende handen zag, keerde hij gedurende enkele ogenblikken terug in zichzelf, in de trance waaruit Yena hem kort daarvoor ruw had wakker geschud.

De helse koning legde hem op de grond. Meteen vormden de handen een cirkel om de jongen en bekeken hem als een stel nieuwsgierige beesten. Caius durfde zich niet te bewegen en haalde oppervlakkig adem, bang de handen te prikkelen, die naar hem wezen, elkaar prikten, over elkaar heen rolden en vochten. Hij keek naar boven, zodat hij de walgelijke afgehakte handen niet hoefde te zien, om te bevatten wat er gaande was en in te schat-ten wat er met hem zou gaan gebeuren.

Yena had zijn armen over elkaar geslagen en lachte. Hij wist waar Caius, Buliwyf en Pilgrind aan dachten, hoewel de laatste twee zich verborgen voor de Verkoper en zijn vijfvingerige trawanten. Hij genoot van dit moment. Hij zou spoedig terugkeren naar de hel waar hij koning was, maar wachtte eerst op het applaus dat hij in zijn ogen verdiend had.

Herr Spiegelmann opende langzaam zijn rechterhand. Vanwege de druk in zijn lichaam schoten zijn vingers naar achter, als die van een marionet-tenpop in een horrorfilm. De Verkoper was veranderd in een soort zuig-pomp, klaar om zich nog voller te zuigen met energie. Enorm uitgedijd maakte hij zich klaar om uiteen te barsten.

Met één hand greep hij in de lucht. Zijn mond ging open. Even kwamen zijn tanden tevoorschijn. Toen barstte zijn schedel in tweeën. Zijn mond begon bij zijn ene oorlel en eindigde bij zijn andere. Zijn kaak hing wijdopen, zwart als de nacht.

Uit zijn keel klonk een gegorgel van verzadiging en wat Caius vreesde, gebeurde. Na een enorme explosie stroomden minuscule sliertjes uit Herr Spiegelmann. Deze draaiden om hun as en belandden ieder in een andere hand. Zodra een sliertje in een hand haakte, kromp deze ineen van de pijn. Een aantal handen begon te bloeden. Omdat ze niet meer vastzaten aan een lichaam, was het bloed bruinig, dik en koud en stolde het vrijwel meteen.

De handen reageerden verschillend op de draadjes. De braafste handen aanvaardden de pijn als een noodzakelijk kwaad om over te kunnen gaan naar een nieuwe organische, onvoorspelbare vorm. Ze dachten dat hun vrijheid voorbij was en ze te maken zouden krijgen met een andere vorm van slavernij, die hopelijk minder vervelend was dan de eerste, en verzetten zich niet.

Andere handen waren niet zo onderdanig en gingen de strijd aan. Ze balden zich tot vuisten en rolden door het stof dat om Yena heen danste, in de hoop zich van de draadjes los te maken en daarmee hun vrijheid te herwinnen. Weer andere handen bogen naar elkaar toe als forellen naar een vishaak. Nog een andere groep sloeg van schrik om zich heen.

De slimste handen, die bij de meest begaafde Wisselaars hadden gehoord, probeerden elkaar te helpen. Ze grepen de draadjes van hun buren en rukten er hard aan. De touwtjes, die de Verkoper in hen had geharpoeneerd, waren echter te sterk voor hen. Toch hielden ze vol. Herr Spiegelmann waarschuwde dat ze het zouden bezuren als ze zich bleven verzetten en concentreerde zich opnieuw. Hij moest de opstandelingen verpletteren. Dit was zijn moment. Resoluut en meedogenloos ondernam hij actie.

Hij stuurde, als een elektriciteitsmast, pijnscheuten door de draadjes naar de opstandige handen. Het uitstralen van de pijn ging gepaard met een monotoon gegons en de geur van ozon. Het effect was meteen zichtbaar.

De huid van sommige handen verschrompelde als een brandend stuk papier, op andere handen vormden zich etterbuilen, of brandblaren. Hun botten en kraakbeen schokten mechanisch op en neer.

De Verkoper had hen onder de duim gekregen en was de overwinnaar. Slechts weinig handen probeerden zich na deze bestraffing nog te verzetten en als ze het deden, deden ze het onopvallend. Spiegelmann kon verder gaan met zijn oorlog. Hij maakte zich op voor de cruciale fase van de Wissel. Hij ademde uit. Groene, dikke rook kwam uit zijn neusgaten. Toen ademde hij in en verdween de rook in zijn longen.

De ene na de andere handpalm begon te trillen. Een blauw schijnsel omringde het opgeblazen lichaam van Spiegelmann, dat inmiddels de omvang
had van een zeppelin. De draadjes in zijn keel, waarvan het andere uiteinde
in de handen gehaakt was, zoemden en floten, door de energie die erdoor-
heen stroomde. Energie die Spiegelmann gulzig opzoog als nectar. De handen voelden zich steeds slapper worden.

Als Herr Spiegelmann er nog uit had gezien als een mens, had hij het gevoel dat hij nu had, omschreven als erotisch. Maar hij leek nog maar in weinig opzichten op een mens en ervoer de hoeveelheid energie die hij tot zich
nam als iets hemels. De Verkoper voelde zich als een supernova: een ster die
op een schitterende manier explodeert. Hij voelde zich goddelijk en verza-
digd.

De kwetsbaarste handen bezweken als eerste. Hun vingertoppen werden
blauwig, alsof ze onderkoeld waren. Daarna werden de handen zwart tot aan
de pols. Andere, wat sterkere handen kronkelden en probeerden zich los te
rukken. Hun aders waren duidelijk zichtbaar en hun vingertoppen verkalk-
ten. Hun builen knapten open en hun nagels barstten in duizenden stukjes
uiteen. De handen begrepen nu waarom ze losgemaakt waren van het lichaam waar ze aan vast hadden gezeten en bereidden zich voor op het ergste. Vele bleven futloos op de grond liggen, als dode kakkerlakken. Andere
spatten uiteen en vergingen tot stof. Al snel stonk het plein naar slachtvlees.

De handen rond Caius trilden, krabden tot bloedens toe aan de stenen en
sprongen op en neer van pijn. Ze zaten onder de builen en wonden en verlangden weer naar de tijd van slavernij, toen ze nog vastzaten aan de Wisselaars. Ze voelden zich verraden door Herr Spiegelmann.

Caius sloot zijn ogen. Hoewel hij slechts getuige was van Spiegelmanns
oorlog, voelde hij zich deelgenoot van het leed van de handen.

De Verkoper slokte nog steeds gulzig de restjes energie op van de overgebleven handen. Hij begon zich nu, behalve sterk en machtig, ook anders te
voelen. Hij kon het niet goed thuisbrengen.

Hij was verbaasd, want hij dacht dat hij dit soort gevoelens achter zich
had gelaten, nu hij zich vulde met Wisselaarsenergie. Vervolgens sloeg de
angst toe. Hij had pijn, veel pijn. Hij had kramp in zijn maag, een brandend
gevoel in zijn keel dat geen enkel drankje zou kunnen verzachten en ogen
zo groot als biljartballen die tegen zijn schedel duwden en bedekt waren met
wimpers die zo dun waren als vloeipapier en zo bijtend als zuur. Hoewel hij
zo goed als blind was, gaf hij zich niet gewonnen.

Hij had al gelezen dat het pijnlijk zou zijn, maar had nooit gedacht dat deze pijn zijn plan zou kunnen dwarsbomen. Hij had zichzelf overschat. Hij was tenslotte, achter dat opgeblazen figuur, ook een mens. En een mens kan niet oneindig veel pijn verdragen. Hij probeerde het nog enkele seconden vol te houden.

Toen hij de pijn echt niet meer kon verdragen en bang werd dat hij zou vergeten wat hij in al die zware jaren geleerd had en dat zijn plan in het water zou vallen, sperde hij zijn ogen wijdopen en begon aan het ritueel.

Hij had geen goede herinnering meer die hij kon gebruiken voor de Tegenwissel. Zelfs de herinneringen van een wereldreiziger zouden niet sterk genoeg zijn en met het tekort aan energie zou zelfs Hercules dit niet klaar kunnen spelen. Spiegelmann kende de regels, maar had een idee hoe hij zijn probleem kon omzeilen.

Terwijl de Tegenwissel, in de vorm van regendruppels, uit de toppen van zijn vingers verscheen en Caius zijn slapen voelde kloppen en even later een stekende pijn op de borst kreeg, verdween de herinnering aan de Tegenwissel meteen uit het hoofd van de Verkoper. Het heden veranderde in verleden en het verleden werd meteen gewist. Dit was de enige mogelijkheid om zijn plan toch te laten slagen.

Yena schaterlachte.

Buliwyf keek ontzet toe hoe het lichaam van Caius verstijfde en er speeksel uit zijn mond sijpelde. Ver weg hoorde hij hoe Pilgrind vloekte en tierde. Al zijn aandacht ging uit naar de magere jongen die op zijn borst krabbelde, daarbij het vest dat hij van Rochelle had gekregen aan stukken scheurend. Caius kraste zijn magere borst met evenveel gedrevenheid open als waarmee hij zojuist zijn vest aan flarden had gescheurd. De pijn die hij voelde door het krabben, was niets vergeleken met de pijn die de Verkoper veroorzaakte. Buliwyf wist het zeker: Herr Spiegelmann was de oorzaak van de zelfkastijding van het Wonderkind.

Daar boven op de fontein, met zijn gebalde vuist, blauwige gezicht en opengesperde mond waarmee hij de energie uit de overgebleven handen zoog, was de Verkoper een makkelijk doelwit. De wolf in Buliwyf beval hem aan te vallen, maar zijn verstand raadde hem aan te wachten. Als het hem al zou lukken het plein over te steken, de smeulende, rokende handen te ontwijken en Spiegelmann te bereiken, zou hij met Spiegelmann misschien ook Caius kunnen doden.

'Pilgrind...'

'Dit is het einde, Buliwyf.'

'Ik kan hem doden.'

'Nee, dat is ons ook eerder niet gelukt.'

'Ik kan hem hebben, verdomme. Ik weet het zeker. Ik wil dat jij me dekt. Dat kun je. We doen het samen.'

Pilgrind zag er verslagen uit. 'Ik zei het al eerder, jongen. Dent de Nuit, Parijs, misschien wel het hele land is verwoest. Als door een meteoor. Wij zullen sterven, maar ook God weet hoeveel onschuldige mensen. Ik kan het niet meer aanzien dat er onschuldigen sterven.' Hij wees naar het plein. 'Hoeveel zouden er vannacht gestorven zijn, Buliwyf?'

Na een lange stilte zei Pilgrind: 'Het is niet anders.'

Buliwyf greep de Baardman bij de kraag van zijn regenjas en keek hem vernietigend aan. 'Wil je zeggen dat we niets kunnen doen?'

'We kunnen wel íéts doen.'

'Wat dan?

'Wachten op hem.' Pilgrind wees naar Yena, die nog steeds met zijn armen over elkaar op de fontein stond. 'Misschien is hij wel onze laatste hoop.'

'Maar dat is een monster!'

'We hebben niet zoveel te kiezen. We moeten maar vertrouwen op een monster.'

Caius had hem herkend, als hij niet met zijn hoofd ergens anders was. Ver weg van de Kikkerfontein.

Pilgrind herkende hem na twee keer kijken, ondanks de afstand en zijn verwondingen. Herr Spiegelmann besteedde geen aandacht aan hem en ook Yena gunde hem geen blik waardig. Buliwyf herkende hem niet.

Het was Gus, zonder gezicht. Hij had weinig menselijks meer. Zijn hoofd zag eruit als dat van een insect en dat van een reptiel, en zijn hals leek op die van een sprinkhaan. Zijn borst was bedekt met schilfers en korstjes en zijn stevige, lange armen zaten onder de stekels.

Hij sleepte zich voorbij het puin, hijgend als een paard. Hij knielde op de grond en probeerde al zijn krachten bij elkaar te rapen. Hij greep naar zijn behaarde kaken en voelde een glibberige massa over zijn rug lopen. Dat was bloed met lymfvocht, wist hij. Hij leefde nog. Hij had nog maar weinig bloed, maar genoeg om op te staan. Hij struikelde en viel op zijn knieën. Zijn spuug spetterde tegen de straatstenen.

Hij stond op en zag Herr Spiegelmann en Buliwyf. Verder zag hij de kikker op de fontein, vredig als altijd, en Yena Metzgeray, de koning die hem gespaard had. Ver weg, in zijn hoofd, hoorde hij Pilgrind iets schreeuwen, maar hij kon hem niet verstaan.

Hij greep zijn pistool. Hij had nog twee kogels. Eén voor zichzelf en één voor Caius.

Zijn lichaam leek op dat van een zeekat, uit zijn wonden droop lymfvocht, zijn longen, beschermd door een sterk en rossig schild als dat van een fossiel, hadden liever water dan de zuurstofrijke lucht die hij nu inademde en zijn ogen brandden. Hij richtte zijn pistool en huilde.

46

Balancerend op het hoofd van de kikker genoot Herr Spiegelmann zichtbaar van zijn triomf. Jarenlang had hij van dit moment gedroomd en zich proberen voor te stellen wat overwinnaars voelden en proefden. Nu wist hij het. De smaak van een overwinning ging ieders fantasie te boven.

Hij grijnsde toen hij de Wisselaarshanden zag die hij leegzoog en toen hij Caius zag, die op sterven na dood was door de energie die Spiegelmann naar zijn hoofd en borst straalde.

De Verkoper zag er weerzinwekkend uit. Op zijn gezicht lag een uitdrukking van gelukzaligheid, zijn bolle ogen zagen eruit als die van een geelzuchtlijder, zijn wangen en kaken waren niet meer te onderscheiden, zijn schouders en rug bestonden uit een wirwar van spieren en pezen en uit zijn zwartgeblakerde worstenvingers kwamen kringetjes rook.

De pijn was bijna niet meer te verdragen. Het was zijn lichaam, een misvormd omhulsel, dat leed, maar dat gaf niets. Herr Spiegelmann had inmiddels begrepen dat zijn lichaam van weinig belang was in de wereld. Wat kon een bot of een volle maag uitrichten in een wereld vol helse koningen en raadsels? Alles draaide om de rede. Alles begon bij de gedachten van een dromer. Het lichaam was slechts een noodzakelijk obstakel voor ondergeschikte wezens, een massa die bestond uit zuren en herinneringen. En deze zuren waren niets anders dan herinneringen met een dubbele helixstructuur. Het geheugen was als de Heilige Graal voor een strijder, voor een overwinnaar.

Het hoofd – de ratio – van Herr Spiegelmann was niet bezig met wat er op het plein gebeurde, maar was in een roes die hem verbond met elke seconde en elke steen van de stad en zelfs met de planeten die, verborgen achter de wolken, in de ruimte om hun as draaiden.

Met de Tegenwissel had Spiegelmann een brug gecreëerd tussen zijn hoofd en dat van Caius. Hij voelde hoe de energie van de Wisselaarshanden in het hoofd van de jongen ronddoolde, zocht, brak en vernietigde. Dat de Verkoper hierdoor crepeerde van de pijn, deerde hem allerminst. Er bevond zich een muur in Caius' hoofd, een blokkade die Spiegelmann met de grond gelijk wilde maken, omdat hij anders zijn plan in de war zou kunnen schoppen. Als deze muur eenmaal afgebroken was, zou alles anders worden. Hij, Herr Spiegelmann, de schepper van een nieuwe wereld, degene die de wet omzeild had en zelfs de Grote Blinde Slager had durven uitdagen om zijn doel te bereiken, zou beloond worden.

De muur die afgebroken moest worden alvorens de stralende kern van het Wonderkind te bereiken, begon al barstjes te vertonen. Zinnen vielen in woorden uiteen en verdwenen vervolgens zonder enig spoor achter te laten, beelden vervaagden en andere verschenen. Uit verschillende hoeken van Caius' onderbewustzijn doken woorden op, die snel ook zinnen zouden vormen. Deze zinnen zouden op hun beurt verhalen vormen en vervolgens door Caius als herinnering ervaren worden.

Spiegelmann lachte zo hard en zo schel dat vleermuizen uit de dakgoten vielen waar ze zich verborgen hielden, alsof ze getroffen waren door de bliksem, en ongeboren kuikens stopten met ademen. Buliwyf boog zijn hoofd, hij voelde zich moedelozer dan ooit tevoren. Zelfs Pilgrind, die over het plein denderde, dwars door het leger handen heen – in de hoop Gus op tijd te kunnen bereiken – hield zijn hand voor zijn mond om niet in huilen uit te barsten.

De schaterlach van Herr Spiegelmann was het requiem voor de gehele wereld.

De vrouwenhand had geen nagels meer. Ze had ze verloren tijdens een spasme waarbij ze ze tussen de straatstenen had gestoken. De huid van de hand was rood en op sommige plekken verdwenen. Het draadje van Herr Spiegelmann zat in het topje van de wijsvinger gehaakt en vanaf daar straalde de pijn uit naar de rest van de hand.

Naast de vrouwenhand, leunend op een babyhandje, stond de donkere mannenhand. Die leverde ook geen mooi plaatje op. Zijn pink was in rook opgegaan en zijn nagels waren gesprongen toen hij zich tegen de Verkoper had geprobeerd te verzetten. De zwarte hand was niet van plan weer een slaaf te worden en wilde liever strijdend ten onder gaan. Hij had zich naar de vrouwenhand gesleept, rekenend op de onoplettendheid van de Verkoper, en probeerde met haar te communiceren.

Omdat ze beide geen keel, tong en strottenhoofd hadden, waren ze aangewezen op dat wat er nog over was van hun handen. Ze gebaarden voorzichtig en raakten elkaar aan. Een tikje of een aai om de aandacht te trek-

ken. Hun taal was simpel en een beetje onhandig. De donkere mannenhand
moedigde de vrouwenhand aan en troostte haar.

'Kom op, wees sterk. We zijn nog niet verloren. Hou vol.'

De vrouwenhand begreep niet goed wat haar buurman bedoelde. Ze was
met haar gedachten te veel bij de pijn die ze voelde en bij de Verkoper. Maar
de hand van de rugbyer liet het er niet zomaar bij zitten. Het woord 'opgeven' kwam niet voor in zijn vocabulaire.

De mannenhand sleepte zich recht voor de vrouwenhand en drukte zich
hard tegen haar aan. De vrouwenhand had niet de kracht om zich te verzetten. De donkere hand wreef tegen haar aan en prikte in haar handpalm,
tot hij zag dat ze haar aandacht op hem richtte en openstond voor wat hij
haar wilde zeggen. Hij legde zijn plan uit. Nu begreep de vrouwenhand
het.

Samen kwamen de twee handen in verzet. Ze draaiden zich op hun rug
en grepen, vechtend tegen de pijn, de haak met de draad vast. Als ware acro-
baten rolden ze in de richting van de fontein. Andere handen observeerden
de twee die zo moedig waren het onwaarschijnlijke te proberen: zich te verzetten. Ze waren onder de indruk.

Er was nog maar minder dan een derde van het leger afgehakte handen
over, een stuk of honderd. De andere handen waren inmiddels verkoold of
verdroogd door de Tegenwissel, of trokken spastisch samen. De handen die
nog over waren, zagen een goed voorbeeld in de twee handen die naar de
fontein rolden en besloten hen te volgen.

Het plan van Yena Metzgeray werkte. Zijn wraak was zoet.

Yena hinnikte van het lachen. Toen trok de wind aan.

De Lykantroop sperde zijn ogen open. Hij kon niet geloven wat hij zag.
Het leger handen kwam in opstand. Terwijl hij zijn door het schouwspel veroorzaakte misselijkheid onderdrukte, stapte hij uit zijn schuilplaats om alles beter te kunnen zien. Zijn mond viel open van verbazing. Zelfs de wolf
in hem liet niets van zich horen.

De handen strompelden langzaam naar de fontein en lieten daarbij brui-
nige vlekken en hompjes vlees achter. Zelfs van grote afstand was duidelijk
hoeveel pijn de handen hadden. Wondvocht droop uit hun wonden en vingers bleven steken en braken. En toch gaven de handen niet op. Ze waren
onvermurwbaar.

De eerste handen begonnen de fontein al te beklimmen, op weg naar de
Verkoper. Was dit de laatste hoop waar Pilgrind het eerder over had? Buli-

wyf zocht naar de Baardman. Hij zag dat die hijgend naar de hoek rende waar hij de zeekat had gezien, die hij Gus had genoemd – de figuur die zijn pistool op Caius had gericht.

En Caius? Caius was zich, net als Herr Spiegelmann, niet bewust van wat er gebeurde. Spiegelmann stond gelukzalig op de kop van de kikker, terwijl de jongen gebroken en gepijnigd op de grond lag. De eerste belichaamde de Overwinning, de tweede de Nederlaag.

Caius was ernstig gewond. Bloed gutste uit zijn borst, zijn hoofd was naar achteren gebogen, zijn mond hing open als die van een dode, zijn handen waren besmeurd met bloed en hij prevelde onbegrijpelijke dichtregels, die zowel smeekbeden als vloeken konden zijn.

Buliwyf keek naar de scène en zocht een teken, een mogelijkheid om in de aanval te gaan. Hierdoor was hij niet alert genoeg en kon hij niet reageren toen de Jagers hem grepen.

De albino Jager stootte Primus aan. 'Het is een mooi exemplaar,' mompelde hij in zijn oor, omdat zijn woorden anders niet te verstaan waren door de wind.

Primus knikte.

'Laat hem maar aan mij over,' zei de derde Jager, die stond te trappelen om zijn tanden in Buliwyf te zetten.

'Dit is niet het moment,' antwoordde Primus kortaf. 'Alles op zijn tijd. Herr Spiegelmann heeft gezegd, dat als hij wordt tegengewerkt, dit bij de bron aangepakt moet worden. We wachten op zijn bevel, voordat we de Lykantroop doden.'

'Waarom?'

Primus greep hem bij zijn nek. De derde Jager reutelde van de pijn en de andere Jagers schrokken op.

'Omdat Dent de Nuit van ons is, zodra Spiegelmann heeft wat hij wil. Het wordt ons persoonlijke jachtterrein, zoon.' Hij liet de Jager los. 'Je moet nog even geduld hebben.'

De pilotensjaal die zijn gezicht bedekte, wapperde in de wind als een met bloed besmeurde vlag. 'Een goede Jager heeft geduld, is sterk, maar bovenal gehoorzaam. Als je me nog eens in de reden durft te vallen, of niet gehoorzaamt, dood ik je.'

Dreiging hing in de lucht.

De derde Jager ontblootte zijn tanden. 'Wat doen we met de Lykantroop, vader? Mag ik hem aftuigen?'

'Ik wil dat jij hem buiten westen slaat, Philippe, maar zonder zijn huid te beschadigen,' beval Primus. 'Die wil ik meenemen als trofee.'

Met een grijns wierp de Jager zich op Buliwyf.

'Jullie grijpen de jongen, levend en wel. Op mijn teken.'

De wolf reageerde te laat. Buliwyf had nauwelijks zijn hoofd omgedraaid en de schaduw gezien van de Jager die hem aanviel, of hij voelde een stekende pijn in zijn nek. Verblind door deze pijn wankelde hij naar voren.

Na de tweede klap was hij buiten bewustzijn en kon de hoofdgetuige van de handenopstand de laatste akte van de tragedie niet meer bijwonen.

47

De hand van de donkere rugbyer stopte boven op de neus van de kikker. Hij hielp met zijn ringvinger de vrouwenhand, die hem op de hielen gevolgd was, omhoog. Beide handen stonden nu vlak bij de voeten van Herr Spiegelmann en voelden hoe het lichaam van de man die hen verraden had, kracht uitstraalde. Beide wisten dat die energie hen verpulverd zou hebben als ze niet in actie waren gekomen. Ze gaven elkaar een laatste knuffel.

Andere handen waagden nu ook de klim naar de ronde, lachende kop van de kikker en voegden zich bij de eerste twee. De vlugste en de kwaadste van de groep was de rechterhand van een kind van nauwelijks zeven jaar. Ondanks de krassen en wonden die de hand had opgelopen, waren de sporen van de jeugd, die hij niet af zou maken, nog duidelijk te herkennen. Het kind waar deze hand bij hoorde, zou, als de Grote Blinde Slager hem niet toegetakeld had, zeker een legendarische Wisselaar zijn geworden.

De loggere en grotere hand die achter de kinderhand aan strompelde, was de getatoeëerde hand van Suez. Deze werd gedreven door de restjes van het sterke karakter van de barman, zeker niet door de overblijfselen van zijn laatste Wissel. Stevig en sterk als hij was, ontfermde de hand van Suez zich meteen over een pafferige vrouwenhand. Deze verging echter, zodra de twee handen elkaar raakten, tot stof. Dit was niet de enige hand die de opstand niet overleefde. Overal lagen verrimpelde, verkoolde en veraste handen.

Op dat moment leek de Verkoper te merken dat er iets niet in de haak was. De hand die hij open boven zijn hoofd hield, balde hij tot vuist, hij bewoog zijn prikkende, doorzichtige oogleden en vertrok zijn mond, die inmiddels niet veel meer was dan een gat. De eerste druppel van de storm die de geschiedenis in zou gaan als de heftigste aller tijden in Frankrijk, kletste tegen zijn prominente buik en verdampte meteen.

Dit was voor de rebellen het teken om in de aanval te gaan.

De hand van de rugbyer en die van Suez bestormden de Verkoper als eerste. Ze gingen aan zijn broekspijpen hangen en klommen, met het laatste restje energie dat ze nog hadden, naar zijn knieën, bovenbenen en torso, tot ze uiteindelijk bij zijn keel aankwamen. Ze wilden zijn keel dichtknijpen en openrijten tot zijn hoofd eraf viel. Net zoals zij van de armen afgesneden waren van de Wisselaar, die ze zich nog maar met moeite konden herinneren.

Andere handen, die niet zo snel waren, rukten op naar de gewrichten. Ze wilden niets liever dan het afgodsbeeld vernietigen en samen met hem tot stof vergaan.

Zodra de hand van Suez de wang van Herr Spiegelmann aanraakte, smakte hij tegen de grond. Toch had hij een jaap achtergelaten in het gezicht dat nu niet veel meer was dan een zwartgeblakerde, zachte brij. De zwarte hand bracht nog minder fysieke schade toe aan Herr Spiegelmann. Hij raakte met zijn rug de bundel draden die uit de obscene, opengesperde mond van de Verkoper kwamen en werd geëlektrocuteerd. Hij was op slag dood.

Zijn dood was echter niet vergeefs geweest. Herr Spiegelmann mompelde met verstikte stem een vers, terwijl de energie van de Wisselaarshanden niet meer in toom gehouden kon worden door de draden, hij werd er nu in vlammen door omringd. Gedesoriënteerd en uit evenwicht sloeg hij zijn ogen op, zag de rebellen en begon te schreeuwen. Maar zijn geschreeuw werd overstemd door het honende gelach van Yena Metzgeray die, rechts van hem, nog steeds met zijn armen over elkaar, genoot van zijn wraak.

De zandstorm die Yena omringde, bevatte ook een roedel honden. Ze omcirkelden Gus, die het niet voor elkaar kreeg te schieten omdat hij te zwak was door zijn verwondingen. Caius rolde huilend over de grond en werd met rust gelaten door de honden, alsof ze bang van hem waren.

De jongen was gestopt met zijn borst open te krabben. Hij raakte weer bij bewustzijn en vroeg zich af waar hij was en waarom hij zich zo gepijnigd had. Verder begreep hij niet wat de Verkoper hem had aangedaan en vooral niet hoe hij dat had klaargespeeld. Hij voelde zich anders. Anders, maar toch ook hetzelfde. Alsof hij omgewisseld was voor zijn spiegelbeeld.

Huiverend bekeek hij zijn borst, die hij kort daarvoor nog onbewust had toegetakeld, en moest kokhalzen. Herr Spiegelmann had geen invloed meer op hem, het werd rustig in zijn hoofd. Hij had moeite met ademen en een brandend gevoel op de borst.

Hij keek nogmaals. Er stond iets op zijn borstkas. Iets wat omringd werd door een rossig schijnsel en dat Caius herkende, hoewel hij er nog nooit één gehad had. Het leek op een tatoeage, een brandmerk dat de vorm aannam van een bloem.

Caius wist dat zijn handen niet gestuurd waren door een of ander gewelddadig oerinstinct. Hij had zijn nagels niet willekeurig in zijn borst gezet. Nu hij zijn misselijkheid onder controle had, zijn slapen niet meer klopten en het aanmoedigende handgeklap was opgehouden, kon hij duidelijk zien wat hij zelf in zijn vlees had gekerfd. De brandende inkepingen in zijn borst vormden nu de rest van de afbeelding.

'Wat? Wat? Wat?'

Hij huilde.

'Waarom?'

De handen hadden het gezicht van de Verkoper bereikt. Sommige probeerden zijn ogen uit te krabben en andere wurmden zijn mond binnen. Weer andere handen scheurden zijn buik open, kropen in zijn darmen en rukten die uiteen. Nog een andere groep greep Spiegelmann bij zijn knieën en enkels en trok er als krankzinnigen aan. Alle handen waren moordlustig en wilden Spiegelmann te gronde richten.

Nu de Verkoper hun energie niet meer naar binnen zoog, vloog deze terug naar de legitieme eigenaars, naar de Wisselaarshanden en gaf ze hun kracht terug. Soepel en snel sprongen de handen omhoog, grepen de Verkoper vast, sloegen en knepen hem.

Herr Spiegelmann gilde en viel tegen de grond.

De handen doken op hem.

'Niet doen, Gus.'

De zeekat draaide zijn hoofd. Hij was buiten adem en had rode ogen van angst en door Yena's storm. Pilgrind belette Gus te doen wat beiden hadden gezworen te doen, wat er ook zou gebeuren.

Gus voelde zich bedrogen door zijn vriend. 'We hebben het beloofd!'

'Niet doen,' antwoordde Pilgrind rustig.

'We moeten wel!'

'Dat is niet waar.'

'Ik moet...' zei Gus, terwijl hij zijn hoofd schudde.

'Hij ligt op de grond, kijk', wees de Baardman.

Spiegelmann lag op de grond, als een dode. De handen belaagden hem als een zwerm vliegen een kadaver.

'Je kijkt niet goed, Pilgrind.'

Gus wees naar het lichaam van Caius, dat omringd werd door een karmijnrood licht, dat veel leek op dat wat Yena Metzgeray omsloot.

'Het ritueel is nog niet ten einde, er is nog hoop.'

Gus richtte zijn pistool op Pilgrind. 'Wil je me tegenhouden terwijl ik slechts mijn plicht doe? Onze plicht?' Gus corrigeerde zichzelf. 'Of ben je vergeten wat we beloofd hebben?'

'Jij bent geen moordenaar, Gus.'

Gus zuchtte gelaten. Elk woord kostte hem ontzaglijk veel moeite.

'Ik heb nog twee kogels, Pilgrind. Eén voor het Wonderkind en één voor mij. Ik kan er zelf ook best op een andere manier een eind aan maken. Je houdt me toch niet tegen.'

Pilgrind schudde zijn hoofd. 'Niet doen, Gus.'

'Kijk naar zijn borst.'

Caius lag plat op zijn rug met zijn armen opzij, als een kruis. Hij snakte naar adem. Op zijn ontvelde borst was een inkerving zichtbaar die er eerst nog niet was. Het leek wel een tatoeage die met vuur gezet was, een brandmerk dat zichtbaar werd zodra Caius inademde. Het deed vast veel pijn. Zowel Gus als Pilgrind wist wat het teken betekende. Het was de Roos.

'Zie je de Roos van Algol?' vroeg Gus, terwijl hij Pilgrind aanstootte.

'Ik zie haar,' antwoordde Pilgrind fronsend. 'Jij bent degene die je ogen wilt sluiten.'

'Spiegelmann heeft gewonnen, Baardman.'

'Hij heeft de Tegenwissel niet afgemaakt. Er is nog een kans.'

'Dat zegt niets,' antwoordde Gus geïrriteerd. 'Het proces is slechts vertraagd. Caius zal het zich herinneren. Hij zal het zich herinneren, verdomme!'

'We kunnen hem tegenhouden.'

'Hoe wil je dat doen?'

'Het is ons al eerder gelukt.'

Gus' mond viel open toen hij dit absurde antwoord hoorde. Zijn gezicht, dat meer leek op dat van een insect of een amfibie dan op dat van een mens, vertrok van verbazing. Pilgrind vond het niet huiveringwekkend, eerder meelijwekkend.

'Je bent niet goed snik, Pilgrind. Kijk naar me.'

'Ik zie je, Gus.'

'Niet liegen. Je weet dat het proces onomkeerbaar is. Het enige wat wij kunnen doen, is er een eind aan maken en dat kan maar op één manier.'

Hij richtte zijn pistool op Caius. De jongen was een makkelijk doelwit, nu hij daar zo roerloos op zijn rug lag en met een glazige blik naar de hemel staarde.

In de verte klonk de donder. Yena krijste.

'We weten niet zeker of het onomkeerbaar is. We wisten eerst ook niet of er een Tegenwissel bestond.'

Gus wankelde en spuugde een kwak slijm op de grond. Vervolgens maakte hij aanstalten Caius uit zijn lijden te verlossen.

'Je zult een moordenaar zijn, Gus!' riep Pilgrind moedeloos.

En je zult er van mij ook één maken, dacht hij.

'Ik ben toch al een monster. Wat kan jou het schelen?'

Zodra het de Verkoper lukte zich een stukje op te richten, doken de handen opnieuw op zijn lichaam. Hij had moeite met ademhalen. Verbijsterd over zijn situatie – hij kon zijn overwinning ruiken, maar werd in het stof gedrukt – was hij niet in staat een Wissel te produceren die hem zou kunnen redden uit de handen van de rebellen. Geschrokken en verbaasd probeerde hij na te gaan waar hij de fout ingegaan was, waar hij gefaald had. Hij had elk detail zorgvuldig gepland en uitgedacht. Hij had de twee broers, de Cid en Paulus, ontvoerd om iedereen in de war te brengen en in de val te laten lopen, hij had Primus, de beste Jager, geregeld om de Lykantroop en de Baardman bij hem uit de buurt te houden en Yena Metzgeray zo ver gekregen dat hij voor voldoende Wisselaarsenergie zorgde om zijn plan te laten slagen. Ten slotte had hij het Wonderkind met zijn rug tegen de muur gekregen en hem gedwongen een breuk te veroorzaken.

Hij had overal aan gedacht en toch lag hij daar, met zijn mond vol bloed en stof. Hij haatte die smaak. Bloed en stof smaakten naar mensen. Dat was het enige wat van een mens overbleef en hij, Herr Spiegelmann had geprobeerd aan dit tragische lot te ontkomen, zijn lichaam, huid en geest zo te veranderen dat hij weinig meer gemeen had met de mens – en toch was zijn einde hetzelfde: bloed en stof. Was dit echt zijn einde? Of kon hij het tij nog keren?

Ja, dat kon nog. Hij moest stoppen te denken als een mens. Hij was nog niet verloren. Hij leefde nog, ondanks de Tegenwissel die hij geproduceerd had. De Tegenwissel die vele andere, minder sterke en goede Wisselaars gedood had. Hij voelde zich trots en kreeg zijn kracht terug. Hij grijnsde. De strijd was nog niet voorbij, hij was nog niet verslagen. Hij zou overwinnen, al was het niet deze nacht.

Hij zette zijn kaken op elkaar als een dolle hond. Hij gromde en had slijm aan zijn mondhoeken bungelen. Hij legde het leger dat hem belaagde in de as en stond op. Hij schudde heen en weer om zich van het stof en ander vuil te ontdoen. Dit was nog niet het einde. Zo mocht hij niet sterven. Hij had alles tot in detail voorbereid.

De oorlog was nog niet ten einde.

Bloed vloeide uit elke porie, zijn ingewanden waren aangetast of verbrand en van zijn vingers waren nog slechts stompjes over. Zijn vijanden waren er echter niet veel beter aan toe. Hij had nog een kans. Zijn brein werkte nog, beter dan dat van menig andere Wisselaar.

Spiegelmann sloot zijn ogen en floot. De Caghoulards kwamen meteen op hem af. Ze scheerden van de daken, waar ze gewacht hadden op een bevel van de Verkoper. Ze namen hem in de armen en brachten hem weg. Hij was moe en op sterven na dood. Maar ondanks alles was hem toch iets gelukt: het Wonderkind was nu een tikkende tijdbom.

48

Caius stond langzaam op en keek om zich heen. De fontein was besmeurd met bloed, het plein lag bezaaid met verkoolde handen en de
helse koning was teruggekeerd naar zijn rijk, omringd door rode stofwol-
ken. De jongen schudde zijn hoofd. Pilgrind stond als aan de grond genageld, met zijn handen in zijn zij. Caius probeerde te glimlachen. Toen zag
hij Gus, die eruitzag als een zeekat. Hij stonk naar modder en bloed. Caius
kon niet geloven dat dit Gus was. Ook niet toen hij zijn stem hoorde.

'Het spijt me, jongen. Het spijt me,' zei het gedrocht.

'Ga weg,' smeekte Caius huiverend.

'Nee. Ik moet...'

Gus kwam dichterbij en richtte nog steeds zijn pistool op de jongen.

'Niet doen!'

'Je begrijpt het niet.'

Hij haalde de trekker over. Van zo dichtbij kon hij niet missen. Maar op
dat moment verscheen Koning IJzerdraad, uit het niets. Hij sprong tussen
de kogel en het hoofd van Caius.

De kogel was even groot als het figuurtje met de verenogen, ging door het
lichaam van Koning IJzerdraad heen en klaterde toen op de grond. Het figuurtje smakte bewusteloos tegen het plaveisel.

Gus staarde woedend naar de grond. 'Jij...'

Toen keek hij naar Caius. De jongen zag bleek en was overstuur.

'Je hebt geschoten...'

Gus maakte aanstalten om het nog eens te proberen. Hij had nog één kogel.

'Gus, nee!' schreeuwde Pilgrind en hij slingerde een Wissel naar Gus.

Het pistool ging in vlammen op. Een stukje gloeiend metaal raakte Caius'
voorhoofd. De jongen begonnen te gillen van schrik en pijn. Zijn gegil werd
al snel overstemd door het gebrul van Gus, die op de grond was gevallen.
Drie vingers van de hand waarmee hij de trekker had overgehaald, waren sa-
mengeklonterd tot één stompje.

Caius had verder niets. Hij trilde. 'Je hebt op me geschoten!'

'Jij...' kraste Gus, 'je moet...' stamelde hij. 'Jij bent het Wonderkind...'

Hij knarsetandde en stond op. Hij was nog altijd van plan de jongen te doden. Met zijn goede hand trok hij zijn dolk uit de schede.

'Jij...!'

Caius beefde nog steeds. 'Waarom?' gilde hij.

Zijn kreet was zo krachtig dat Gus, Pilgrind en Koning IJzerdraad twintig meter van hem vandaan geslingerd werden, als bladeren door de wind. Door de kreet van Caius schoten de weinige dakpannen die nog over waren van de daken en knapten ramen en lantaarnpalen kapot. Er ontstonden nieuwe barsten in het asfalt en graniet en het hele plein verging tot stof.

'Waarom?' hoestte Caius, terwijl hij huilend op zijn knieën viel.

Epiloog

Toen de woeste wervelstorm het plein rond de Kikkerfontein en heel Dent de Nuit vernietigde, muren instortten alsof het de dag des oordeels was, de stortregen het bloed en de as wegspoelde, lijken werden verzwolgen, Yena Metzgeray voldaan terugkeerde naar zijn helse koninkrijk, Pilgrind jankend zijn zwakte vervloekte en Gus woedend zijn laatste tranen vergoot – toen schoten de vier Jagers uit de regenhoos tevoorschijn om Spiegelmanns opdracht uit te voeren. Vier mannen die door de elementen getransformeerd waren in vier krachtige schimmen, die onverstoorbaar afgingen op wat ze zagen en hoorden. Ze grepen Caius, die verstijfd was van schrik, en hesen hem moeiteloos op hun schouders. De jongen woog bijna niets.

Al snel waren ze verdwenen in het holst van Dent de Nuit, de wijk die op geen enkele kaart stond aangegeven.

Woordenlijst

Aanvreter: een gigantisch wezen dat bestaat uit oud brood, vliegenvleugels en schimmel. Het is geen levend wezen, maar een wapen. De kus van een Aanvreter brandt vlees weg als zoutzuur.

Caghoulard: een verachtelijk wezen dat geen genade kent en graag zijn slachtoffer openrijt. Wordt ook wel Zwartgekapte genoemd vanwege de zwarte capuchon die hij draagt. Hoe meer littekens en scherven in zijn lichaam, hoe meer aanzien hij heeft. Het enige wat een Caghoulard verlangt, is een naam.

Gruwelaar: een wezen dat zo veel herinneringen heeft verbrand dat het zelfs niet meer weet wat de dood is. Daarom is een Gruwelaar niet levend, maar ook niet dood. Hij beweegt zich en doodt op bovennatuurlijk krachtige wijze en heeft pauwenstaarten als ogen.

Kalibaan: een wezen waarin monsterlijkheid en schoonheid verenigd zijn. De Kalibaan ademt muziek en drijft zijn toehoorders en toeschouwers tot krankzinnigheid.

Manufact: een voorwerp dat gemuteerd is door een Wissel van het Daar. Wisselaars kunnen er verslaafd aan raken.

Wissel van het Daar: de vaardigheid van een Wisselaar voorwerpen te muteren door middel van bloed.

Wissel van het Hier: de vaardigheid van een Wisselaar de fysieke realiteit te veranderen door het vernietigen van één of meer herinneringen.

Wisselaar: iemand die een Wissel kan produceren.